L'ORATORIO DE NOËL

Titre original :
Juloratoriet
Albert Bonniers Förlag AB, Stockholm, 1984
© Göran Tunström, 1983

© ACTES SUD, 1992
pour la traduction française et la présentation
ISBN 2-86869-929-4

Illustration de couverture :
Gustav Klimt, *Schubert au piano* (détail), 1899

Photo 4e de couverture :
Photo de Gorän Tunström

Quand je suis arrivé à l'hôtel, la première chose que j'ai faite a été de téléphoner chez moi pour dire que j'étais arrivé. La voix de mon fils a déjà commencé à muer. "Il y a la télé dans ta chambre, papa ?" "Non, ai-je dit en regardant la neige qui fondait autour de mes chaussures, il n'y en a pas. De toute façon, je n'aurais pas le temps de la regarder." "Il y a un ciné, alors ?" Il est très sceptique à l'égard de la province. "Il y en avait un quand j'étais petit, en tout cas." "Qu'est-ce que tu vas te fourrer dans un coin pareil ?" "Pour moi, c'est très important", ai-je dit en lui promettant d'aller faire un tour dans la Grand-Rue. Il adore les slogans des affiches. *"Si vous ne mourez pas de peur en voyant ce film, c'est que vous êtes déjà mort."* "Dans l'espace, on ne vous entendra pas crier. Et heureusement, autrement ce serait encore pire pour vous."* Le film de ce soir-là s'appelait *la Brume* et le slogan annonçait : *"Ce que vous ne verrez pas surgir ne vous fera aucun mal – vous serez tué sur le coup."*

Je suis resté longtemps devant la vitrine de l'opticien-horloger Söderberg. Sur un tapis de guirlandes de Noël scintillantes et de neige synthétique, parmi des pères Noël qu'il me semblait reconnaître de mon enfance, tout un fouillis de jolies pendules, de réveils, de montres-bracelets ou en sautoir à la mode d'autrefois, montres goussets et petites montres de dames, indéchiffrables. J'en ai compté vingt-sept différentes et toutes marchaient.

Mais aucune d'entre elles n'affichait la même heure. L'une était sur deux heures et quart, l'autre sur quatre heures vingt, une troisième indiquait bientôt minuit, ou midi. Elles tictaquaient inlassablement, chacune dans son temps, sans se soucier l'une de l'autre. Aucune n'était fausse, aucune n'était juste, il n'y avait ni avant ni après. Toutes n'étaient préoccupées que d'elles-mêmes et de leur propre mécanisme.

C'était la même chose de ce côté de la vitrine. Sous la neige qui tombait dru, des gens qui glissaient l'un contre l'autre, sans aucune simultanéité. Quand l'un se réveillait hors de son cauchemar, un autre se figeait dans le souvenir d'un jour d'été.

J'ai été obligé de fermer les yeux à cause de la neige et j'ai serré le col de mon pardessus autour de moi, me suis fait une crique de calme à l'intérieur du tissu et me suis retrouvé dans le labyrinthe confus de mon propre temps, tandis que je marchais dans cette rue où un jour j'avais donné des noms à tant de choses. J'avançais de mon pas d'adulte et, simultanément, en une autre partie de moi-même, j'avais trois ans. La main que je serrais sur la serviette tenait en même temps la main de ma mère, réclamait une glace, brandissait une épée grecque, suivait les délices d'une partition. Chaque acte de mon passé engendrait mille autres possibilités, ruisselait vers ses propres futurs. Et elles continuent, de plus en plus nombreuses, dans les contrées méconnues de la conscience, ombres qui te chassent et sont elles-mêmes pourchassées. Le calme n'existe pas.

J'ai traversé la Place en diagonale et franchi le Pont – l'eau toujours aussi effroyablement noire dans son goulet étroit : combien de rêves de chute ne se sont-ils pas déroulés ici ! Suis passé devant la maison obscure où j'habitais autrefois, puis monté vers l'église en glissant. Les mélèzes et les ifs étaient blancs et solennels, voulaient raconter leurs contes de fées. L'église était déjà illuminée, je suis resté debout dans la neige à regarder les lumières du bourg mais, entre les arbres, me voyais moi-même, qui tombais sur mes skis, qui avais de la neige entre mes chaussettes et mes caleçons longs. En bas, c'était le Belvédère. Et là-bas, l'Hôtel. Tant d'années ont passé et pourtant : le même instant, la même vie. La même nécessité.

La mort créatrice…

*

Quand je me suis retourné pour aller vers les tombes, Egil Esping était derrière moi, la pelle à neige à la main, il me regardait. Il portait un pardessus noir et un pantalon sombre. Il était tête nue et ses cheveux gras étaient coiffés en arrière, comme autrefois.

— Victor ! Mais c'est vrai que c'est bien toi. T'es revenu. J'ai lu ça dans le journal.

— Ouiii.

— Eh ben, t'en as fait du chemin, toi. J' t'ai vu à la télé, un jour. Les gens y sont pas tous pareils. Ça date pas d'hier quand on travaillait ensemble.

Je déglutis. Je me sentais comme un traître.

— Ça doit bien faire trente ans de ça.

— Trente et un, dit Egil Esping. T'es parti au mois d'août. J'étais arrivé ici par hasard en même temps que toi. Mais pour moi, c'est pas allé plus loin. Je t'offre un café ?

— Je ne sais pas trop.

— T'as eu le temps. C'est sûrement pas facile de diriger tant de monde à la fois, hein ? Mais ça doit être de famille. C'est ton père, non, qu'avait commencé tout ça ? Parce que c'était bien ton père, non ?

— Mm.

— Tu me laisses seulement déblayer un peu la neige. Vous ne commencez la répétition que dans vingt minutes. C'est pas la peine que les gens aillent mouiller par terre dans l'église.

Il n'avait pas été gai, cet été où nous nous étions occupés des tombes, où nous avions taillé des haies, ratissé des allées et nous étions assis dans le caba-non maintenant démoli pour potiner sur les morts qu'un flot régulier nous amenait. C'était l'été d'avant notre déménagement. Esping passa devant moi en entrant dans le nouveau foyer paroissial et m'ouvrit la porte pour descendre à la cave.

— C'était mieux dans le vieux cabanon, tu trouves pas ? Ils ont mis les fenêtres si haut qu'on est obligé de monter sur une chaise pour regarder dehors. Quoiqu'il n'y a rien à voir. Les mêmes gens tout le temps. Sauf quand tu viens, bien sûr. T'as vu la belle cafetière électrique qu'on a, elle reste branchée en permanence.

Egil Esping s'installa sur une chaise, déboutonna son pardessus, posa les coudes sur ses genoux, alluma une cigarette. Ses yeux étaient fatigués, ses mains nerveuses, sans arrêt il faisait tomber la cendre par terre. Longtemps il réfléchit à quelque chose d'important.

— Dis-moi… comment ça fait quand tu y passes ?

— Qu'est-ce que tu veux dire ?

— Ben, à la télé ? Tu te prends un petit quelque chose avant ? Un petit apéro ?

— Si je bois, tu veux dire… non.

— Même pas un apéro ! Un bon moment il réfléchit sur ça, puis il haussa les épaules, libéré. Ouais, eh ben moi je suis jamais monté bien haut. Mais ça doit rendre nerveux. Toutes les caméras et tout ça. Quand il y en a qui sont nues aussi, non ?

— Ça, c'est sûr. Et à part ça, qu'est-ce qui se passe ici ?

— Tu sais, un employé ça a pas grand-chose à raconter. Alors il y a un tas de gens qui regardent ? Quand il y en a qui sont nues aussi, hein, c'est comme ça ?

— Certainement. Tu as dû passer responsable du cimetière maintenant, non ?

— Pas plus. Mais le chef est en congé. Alors c'est moi qui assure la relève. Tiens, prends une cigarette. A moins que… tu fumes peut-être pas ?

— Si, malheureusement.

La neige fondait autour de nos chaussures. Il les regardait, et plus loin aussi, dans les profondeurs ténébreuses.

— C'était bien mieux autrefois. Maintenant on me surveille. Autrefois je laissais le vélo en bas dans le virage. Personne me voyait aller acheter ma gnôle. Ben ça, je peux plus le faire. Alors, ces cinq, six dernières années y a rien eu. Quand je travaille, je veux dire.

— Tu es marié ?

— Non, ça s'est pas fait. Mais j'ai un gosse, là-bas, en ville. Dix ans maintenant. Un gars.

Il leva la tête comme s'il la sortait d'une de ses tombes.

— C'est à cause de la picole, tu comprends. Elle le supportait pas. Tu te souviens de Bertil ? Il est mort.

— Ah oui. Mais il était âgé, non ?

— Du plomb. En pleine gueule. Il dort là-bas, dans le Nouveau, juste contre le mur. Si t'as envie d'aller le voir un moment, si on peut dire.

— Il s'est suicidé, c'est ça ?

— Sa bonne femme l'a quitté. Alors il s'est soûlé. Tout seul là-bas dans la forêt. Le lundi il était pas là, et tu sais qu'en vingt ans il avait pas manqué un jour. Pas un seul jour, même quand il était complètement beurré. Alors on a téléphoné : pas de réponse. L'après-midi on y est allé. La moitié de sa tête y était passée.

— Je me souviens qu'il rêvait de rester couché chez lui une journée entière à écouter la pluie sur le toit de son étable. De rester couché dans la paille avec une bière.

— Non, non. Ça, c'était Gustav.

— Ah oui.

— Il est mort, lui aussi. Prends une cigarette, je te dis !

Egil Esping voulait toujours faire plaisir à tout le monde. N'ennuyer personne.

Quand il avait six ans sa mère était descendue avec lui au ponton en disant qu'ils allaient se noyer tous les deux parce qu'il lui avait gâché sa vie et qu'il avait attiré sur elle la honte de toute sa famille.

Egil Esping voulait toujours faire plaisir. Jamais ennuyer personne.

— J'en ai d'autres. Je peux pas me passer des cigarettes. Alors, tu vas jouer Bach. Ton père, il a disparu, non… ?

— Mm.

— Je me faufile et je viens m'asseoir quand ils jouent. Tu es… croyant ?

— Je ne sais pas.

— Mais c'est beau quand il lit la Bible, le pasteur. Il releva la tête. T'es pas obligé d'aller raconter ça à quelqu'un. Que j'aime ça, je veux dire. Le sermon, je comprends pas grand-chose, mais… Ça calme, en quelque sorte. C'est comme de… Oui, tu sais, j'ai lu un livre. Sur la réincarnation. Mais tu crois peut-être pas à ces trucs-là.

— Non.

— Oh, c'était p't-être pas si extraordinaire que ça.

Il tourna le dos à la pièce et regarda vers la fenêtre. Dehors, les lampadaires faisaient briller la neige comme des grains d'or.

— C'est pas facile avec les tombes, maintenant qu'il neige comme ça. Tiens, hier, justement, c'était Eva Bergkvist. Tu la connaissais, non ?

— Je crois, dis-je d'une manière vague car peu de visages étaient restés de façon très nette, mais j'étais content qu'il croie que je pouvais avoir le même regard que lui dans sa solitude.

— Bien sûr que tu l'as connue. Le cancer. Quand elle est arrivée à l'hôpital elle s'est mise à pleurer parce qu'ils lui ont demandé si elle avait de la famille. Non, elle a dit. Mais des proches ? Un ami ? Non. Alors ils ont compris qu'elle était complètement seule et ils ont fait de ce cancer du sein ce qu'elle avait vécu de mieux dans sa vie. Elle l'a dit, quand elle est revenue en perm de ses traitements avec les rayons, parce que sa grosseur, elle était grosse comme une tomate. Ensuite elle est allée à Karlstad où ils ont une pension pour les malades. Là-bas ils lui ont donné des petits sandwichs au pâté, avec des cornichons coupés en deux, dans la longueur, tu sais, et tout ça. Il y avait presque que moi à l'enterrement, moi et le pasteur. Ça sera sûrement la même chose pour moi quand... Personne... Même pas le gars.

J'allai faire un tour vers les tombes. La neige formait des congères le long des allées, le vent la chassait et recouvrait les pierres tombales. Il était impossible de retrouver les noms, mais : *How fit a place for contemplation is the dead of night among the dwellings of the dead...*

*

"Jean-Sébastien Bach se servit des vibrations de l'air pour créer un état invisible qui englobe le monde entier – l'Etat de Dieu – et il y pénétra de son vivant, tout comme le peintre chinois entre dans son tableau", écrit Oskar Loerke.

Ça, c'était Bach. Mais qui étaient-ils, ceux qui avalent suffisamment de force pour maintenir vivantes les "catégories de l'allégresse" ? Qui entretient la langue pour qu'elle reste disponible, toujours, année après année ?

Qu'est-ce qui en moi avait eu la force ? Quels sont les instants qui façonnent notre vie, quels visages sont éclairés par les premiers rayons pâles de notre conscience et nous fournissent une orientation ?

La porte de l'église était lourde et difficile à ouvrir, un instant je restai dehors, dans la neige, hésitant, avant de la pousser et d'entrer dans la grotte inondée de lumière.

— Soyez les bienvenus, dis-je à l'orchestre et aux chœurs assis là-bas devant et je laissai tomber par terre mon pardessus et mon écharpe. Je m'appelle Victor Udde et vous pouvez vous féliciter de m'avoir comme chef d'orchestre. Car qui d'autre pourrait croire en une entreprise aussi insensée que celle de diriger un chœur triomphant de nos jours ? C'est en effet une tradition qui (mais cela ne les regardait pas, ça, c'était mon histoire) remonte à pas mal d'années. Il n'est pas facile, comme vous le savez, de rassembler autant de musiciens dans une petite ville. Et pourtant…

Ma moelle épinière se mit à chanter, c'était toujours pareil. Loin au fond de ma conscience des portes s'ouvraient, des visages se montraient… Mais où sont les trompettes ? Où est Fischer-Dieskau ? Où sont donc les Wiener Sängerknaben ? Où est Van Kesteren ? Cela donne un tel éclat à l'Evangéliste, s'il s'agit de lui, vous savez. Connaissez-vous quoi que ce soit à la musique ? Cela vaut-il la peine de sacrifier la lecture de quelques bons livres, de sacrifier l'ambition d'étudier la peinture des icônes ou le *Bhagavad-gîtâ* pour vous ? Supposons que oui et louons le mystère de la nativité. *Jauchzet, frohlocket ! Auf, preiset die Tage !* Trompettes et timbales, où êtes-vous ?

La porte était ouverte. J'entendis ma voix se calmer, un peu.

— Des œuvres comme celle-ci, vous savez, étaient écrites hebdomadairement pour le dimanche. Le lundi et le mardi on établissait les partitions.

Toute la famille Bach s'y attelait, on ne peut distinguer l'écriture de Jean-Sébastien de celle de sa femme, louée soit sa mémoire. Le mercredi et le jeudi on faisait les copies, le vendredi et le samedi, on répétait, la course était terminée et on pouvait aller boire un café en paix. Cela dura cinq ou six années complètes, rappelez-vous, ils disposaient à cette époque d'un tas de formules pour les aider : d'une emblématique. Ce processus de création auquel nous attachons aujourd'hui tant d'importance n'était alors qu'un coloriage d'ensemble. L'émotion recherchée était plus ou moins provoquée par ces emblèmes. Ces formules sont un bien public. Comme un meuble. Une chaise. Une chaise doit avoir certaines propriétés : des pieds, un dossier, un siège. Mais Van Gogh nous a laissé une chaise aussi. Nous avons les chaises de Picasso – c'est de celles-là qu'on se souvient !

Souvenez-vous aussi qu'il n'a jamais eu la possibilité de travailler avec un bon poète. Les livrets, pour la plupart, furent écrits par le receveur principal des postes de Leipzig, Heinrici, dit Picander. Rien à redire sur les receveurs à part ça, mon voisin à Ingesund travaille aux postes et il faut chercher pitance ailleurs. Puis nous avons les textes qui sont directement basés sur des versets de la Bible et qui furent assemblés par Bach lui-même. Les textes des Evangiles sont enveloppés de chorals et deviennent alors contemporains, à notre sens, avec un spectacle, si vous me permettez l'expression, vu de l'extérieur. Comparez cela à un opéra, dans lequel l'action progresse puis soudain s'arrête, tout mouvement cesse et les pensées d'un personnage se concrétisent sous forme d'airs, d'évangiles. Ou bien, comme dans *l'Opéra de quat'sous*, quand Jenny la Pirate chante au bordel : tout se calme. Et cela prend tellement de *temps*. Mais c'est possible et il faut que cela prenne ce temps-là.

Ou pensez aux frères Marx, mes chers amis. Action furieuse, poursuite, amour. Et puis soudain ils s'en sortent, exécutent un air de blagues, et c'est bon. Car c'est là le privilège de l'homme : se retirer du temps et du lieu. Beaucoup d'études, mesdames et messieurs, beaucoup de méditation, et un soupçon de théologie dans ce crâne, dis-je en indiquant ma tempe, et le chœur sourit.

O.K. Il s'agit donc d'une musique utilitaire composée pour la Noël 1734. Jean-Sébastien utilise la parodie : musique profane pour des textes sacrés. Manquait-il de temps ? ou bien était-on à l'époque si intelligent qu'on ne distinguait pas l'amour sacré du profane ? La question mérite d'être méditée. Eros et Agapè. Pourrais-je avoir un verre d'eau ? Que ressentaient les auditeurs quand cette musique leur parvenait des cabinets du monde ? La première partie : *"Jauchzet, frohlocket, auf Preiset die Tage"*, elle s'intitule en réalité : *"Tönet ihr Pauken…"*, un texte profane qui s'applique super-bien, passez-moi l'expression, à un contexte profane, une histoire tout ce qu'il y a de plus banal, présentée dans un salon à la cour, dans un château, par un groupe d'étudiants mal payés. Une musique de laquais donc. Les dames et les messieurs distingués s'attardaient probablement un instant pour discuter, pour prendre un verre, et devaient se sentir concernés. Ecoutez maintenant !

Et de ma poche je sortis un petit magnétophone à cassette.

— *Jauchzet, frohlocket...* les trompettes...

Je tournai le magnétophone face au chœur, le balançai en rythme, commençai à diriger Concentus Musicus en cherchant à évincer Harnoncourt, regardai le chœur tout en piétinant les bandes rouges de mon écharpe :

— Le chœur... *wiener den höchsten...* un thème qui tombe, doucement, la même émotion que dans le profane. Schweitzer, Albert, je veux dire, nous dit cependant au début du siècle que ces chœurs-là conviennent mieux au but sacré, mais que les airs par contre... pschhh ! Emotion typique, le thème arrive... remarquez la hiérarchie dans les instruments, timbales, trompettes, jubilation ! Jubilation, mes amis, pam, pam, pam. Bon, à nous, maintenant, un deux...

> *Jauchzet, frohlocket, auf preiset die Tage !*
> *Rühmet, was heute der Höchste ge-than !*

II

Mois de juin, début des années trente, dans la cour d'une ferme du Värmland, Solveig Nordensson, ses jambes plantées de part et d'autre de la bicyclette neuve qu'Aron vient de lui offrir, comme à nouveau amoureuse et chaude de bonheur, les mains sur le guidon brillant. Elle doit descendre à Sunne pour voir le chantre Jancke et lui parler du concert de cet automne, ce concert qu'ils préparent depuis dix ans et qui va enfin avoir lieu.

Elle se tourne vers Sidner :

— Je crois que j'ai oublié d'arrêter le phono.

Puis elle l'ébouriffe, caresse la joue d'Eva-Liisa et regarde le lac et les grandes ombres de l'après-midi sur les champs.

— Je vais le faire, maman, répond Sidner mais, comme il devait l'ajouter de nombreuses fois par la suite : "Je ne l'ai pas fait." Ils écoutent tous les trois le phonographe qui, par la fenêtre ouverte, déverse ses chants d'allégresse :

Lasset das Zagen, verbannet die Klage,
Stimmet voll Jauchzen und Fröhlichkeit an !

Dienet dem Höchsten mit herrlichen Chören
Lasst uns den Namen des Herrschers verehren !

La paix est sur eux maintenant, comme tant d'autres fois, ils sont ensemble, entourés de l'air de Noël de Bach.

— Pour commencer, tu vas me pousser, Sidner.

Et il pose ses mains sur le porte-bagages, appuie ses pieds nus dans le gravier, la pousse un bon coup. Solveig s'assied sur la selle, et la voilà partie, les rayons chantent, du gravier et des petits cailloux giclent et elle engloutit dans ses poumons tout l'été des arbres et des bords du chemin, aspire les odeurs des reines-des-prés, du gaillet jaune et des marguerites, et Sidner coupe à travers la cour, arrive en haut du talus abrupt juste au-dessus du virage et crie : "Salut…" et voit les vaches, voit son père, voit que Solveig essaie de freiner, voit la chaîne qui saute, voit qu'elle ne réussit pas éviter, voit les premières vaches s'écarter devant cette flèche qui file, voit que celles qui trottinent derrière n'ont pas le temps, la voit tomber droit en plein dans la grotte de chair, de cornes et de sabots doubles, la voit tomber et rester étendue, tandis qu'elle est piétinée, piétinée, et longtemps encore après qu'elle n'est plus – "Il existe, note Sidner dans son journal *Des Caresses*, des instants qui ne cessent jamais."

*

A propos du "Maintenant", Sidner écrit "il s'agit du temps que l'on *entend*, quand il se fraie en grondant un chemin dans les passages de nos sens pour ensuite tomber dans le réseau de canaux sous-corporel, richement ramifié, qui irrigue nos récoltes". Manifestement il fait ici allusion à ce jour de juin où, âgé de douze ans, il se tient sur la crête du talus, se retourne et voit les nattes rousses d'Eva-Liisa sur le fond sombre des portes de l'étable. Elle court si vite que ses nattes se soulèvent, elle dévale la route pour rattraper Solveig, elle lève les bras, sa jupe bat au-dessus de ses chaussettes qui ont glissé, elle crie : "Maman, attends-moi !"

Elle n'entend pas Sidner qui crie. Il reste là.

"Longtemps après s'être mis à courir nous aussi, on peut se retrouver au même endroit. Et, planté là, on peut soudain s'apercevoir qu'on est arrivé en Nouvelle-Zélande", note-t-il.

Mais une partie de lui-même rattrape Eva-Liisa juste avant le virage, en dessous du bon coin aux fraises sauvages qu'ils ont déjà cueillies, là où il y a du thym et du plantain en abondance. Il se jette sur elle et ils tombent tous les deux sur la boue sèche du chemin. Le large visage de sa sœur se tourne vers lui, le trou où il manque une dent le dévisage, les oreilles le dévisagent, le nez aussi, elle essaie de se dégager en lui donnant des coups. Il lui mord la joue, du sang coule, elle est étendue immobile sous lui, le corps se relâche, elle est chaude, ils se regardent

droit à la source de leurs pensées, la terre bascule.
Que va-t-il se passer maintenant ? Que va-t-il faire ?
A quoi ressemble le monde suivant ?

— Qu'est-ce qui t'arrive, Sidner ? T'es complètement fou !

— Maman, chuchote-t-il, mais l'immobilité demeure. Il roule à l'écart du ventre d'Eva-Liisa, sent
que c'est mouillé dans son pantalon, il ferme les
yeux. Comment le monde pourrait-il recommencer ?
Quels noms allaient-ils pouvoir se trouver ? Si seulement il s'était appelé autre chose que Sidner, il
n'aurait pas eu à se soucier de ce qui venait d'arriver. Il aurait pu être quelqu'un passé rendre visite,
et qui entendait parler de l'horrible accident arrivé à
la ferme du bas de la forêt.

Il ne veut pas connaître son propre nom, mais
Eva-Liisa s'assied, sa culotte blanche le regarde
fixement :

— Mais Sidner, qu'est-ce qui te prend ?

Ne demande pas, essaie-t-il de crier, mais sa voix
gargouille au fond d'un trou noir.

S'il avait eu des parents qui avaient refusé de
l'appeler quoi que ce soit. Pouvoir s'appeler Riz au
lait ou Piquet, Dimanche matin, n'importe quoi.

— Je veux rattraper maman.

— Non ! lui cingle-t-il aux oreilles.

— Tu es un salaud, Sidner.

Plusieurs fois Sidner a rêvé qu'il tombait dans
des précipices abrupts, qu'il se noyait, mais quand
il s'est réveillé, il est allé dans le lit de ses parents et
il a appris que les rêves, il faut simplement attendre

qu'ils passent. "Attendre aussi la fin du plus long rêve du monde, année après année ? Attendre d'être vieux et de pouvoir enfin se réveiller pour de vrai, dans la mort ? Est-ce ainsi qu'elle sera, ma vie ?"

Et les enfants se relèvent, et d'une manière très *pâle* il lui dit : "Tu ne dois pas y aller, nous allons attendre ici." Eva-Liisa s'essuie la joue, sa main est pleine de sang.

— Salaud, je le dirai à maman.

Mais c'est comme si maintenant elle voyait les yeux de Sidner.

Que ses doigts sales sont *nouveaux* quand il tend la main et touche le sang : "Pardon…" et elle aussi est pâle dans ses mots :

— Pourquoi t'as fait ça ?

— Un jour, dit Sidner, et il sent combien ses paroles s'écartent du monde, un jour ça sera évident.

Alors ils aperçoivent Aron. En plein milieu du bétail qui court, qui s'éparpille, il arrive. Il porte dans ses bras un paquet ensanglanté et qu'on ne peut pas regarder. On ne peut pas écouter son cri non plus :

— Je n'arrive pas à regrouper les vaaaches ! Oh, je n'arrive pas à regrouper les vaaaaaches !

Passe devant eux et remonte vers Tingen, qui se dépouille maintenant. La maison se dénude, les sapins à l'orée du bois, le billot devant l'étable, la hache plantée au milieu, oui, l'herbe se dénude, puis il se tourne vers la route et ils s'approchent tous pour le recevoir quand il tombe.

Aron erre de-ci, de-là à la périphérie du sommeil.
Voici les fleurs blanc et mauve sombre des fèves,
cerclées maintenant, il est quatre heures du matin, d'un filet de rosée. Elles se dressent en longues
rangées sur le côté bas de la maison. Les fanes
des carottes sont d'un vert clair, encore tendre, il
marche là et observe les traces des chevreuils. Un
jour il fut de ceux qui auraient tendu des filets.
Un jour il fut de ceux dont les doigts étaient
agiles.

Dans les champs d'avoine il marche, et à travers
les prés. S'arrête pour regarder quelque chose qui
au bout d'un moment seulement se révèle être une
pierre, une bouse de vache, une branche morte. Très
lentement, mais peut-être n'est-ce qu'une illusion,
leurs particularités sourdent des choses, prennent
forme, se mettent en place, s'unissent avec leurs
noms. Mais il y a, le plus souvent, un instant blanc
juste auparavant, et qui peut durer des minutes,
quand la pierre refuse de devenir pierre, quand la
main refuse de devenir main, quand on ne peut
même pas mourir puisqu'on ne vit pas.

Revient vers la ferme quand le soleil atteint la rangée des fenêtres d'en bas et la teint en cuivre, le chat est là-bas derrière et reçoit une goutte des rayons sur son pelage noir. Demeure encore avec un pied dans le potager : le domaine sacré de Solveig. Au printemps Aron l'aidait à bêcher, mais ensuite s'en allait dans les grands champs déserts et la laissait là, à genoux, pieds nus dans la terre printanière, dans la terre des semis, parce qu'il ressentait une si étrange timidité devant cette chose que sont les semis. Ces graines trop petites. Mais en automne il y retournait, pour arracher, couper des fanes et mettre sous le sable, porter dans la cave creusée dans la terre.

Il reste là maintenant et contemple son souvenir : penchée en avant, elle rampait au long des rangées, ses seins doux remplissaient le chemisier, elle rejetait les cheveux de son front, et ainsi y déposait une marque de terre. Elle était ce qu'il avait connu de plus beau, tout était en comparaison avec elle. Elle supportait bien qu'on la regardât profondément endormie, tôt le matin, ou en plein travail. Elle rassemblait dans tous ses mouvements tant de lumière qu'il y en avait pour lui aussi.

Il trouvait toujours un sourire là où il en aurait le moins supposé l'existence.

Car les sourires étaient rares dans la région. Les paysans d'ici n'étaient pas des rieurs, le rire était une trahison. Il se penche en avant et essaie de l'écarter de son souvenir, ébauche le geste d'arracher la mauvaise herbe déjà haute parmi les fèves, les petits pois et les betteraves rouges.

Mais c'est comme si quelqu'un lui retirait la main.

Tu ne dois pas sarcler ici, Aron ! Ceci est la terre de Solveig ! La mauvaise herbe l'attend. S'il l'arrachait, Solveig ne reviendrait pas.

Le sourire passe en coup de vent devant lui.

Un peu plus et il perdait cette possibilité.

Il se lève et plisse les paupières face au soleil. Le sourire lui frôle les lèvres quand il regarde les champs : jamais elle ne pourra abandonner tout cela !

Que pouvait être la mort face à cet amour qui luisait dans les arbres, par terre, dans la brume qui se levait là-bas au-dessus du lac ?

Tout est en place : l'année dernière l'étable a été repassée au rouge de falun, les claies sont neuves et empilées contre le grand bouleau, le foin est haut et le trèfle humide. Devant la fenêtre de la cuisine les rudbeckies flottent dans le vent et de petits œillets de poète les regardent, admiratifs. Le chat est à la fenêtre, ses oreilles bleu-noir se dressent au bruit d'une mouche qui susurre.

Mais non, on ne renonce pas à cela.

Il n'y a qu'à attendre.

Aron se fraie un chemin dans les groseilliers et va vers l'échelle derrière la maison. Aucun des enfants ne s'est encore faufilé par la porte pour le pipi du matin, il veut les voir.

Mais ils ne dorment pas. Ils sont assis, nus dans leurs lits, dans le même monde que lui, et il n'a rien à leur offrir.

Ne peut pas arriver en volant dans leurs esprits grands ouverts.

Se penche à l'intérieur et leur fait peur parce qu'il arrive avec tant d'obscurité.

Le noir dans les yeux de Sidner : il est assis en tailleur sur le drap et flotte parmi des brisants.

— J'allais simplement… dit Aron et il tripote le mastic de la fenêtre, un morceau tombe, rebondit sur l'échelle. Sa main ne peut plus rien.

— J'ai faim, papa, dit Eva-Liisa.

Pour elle, ça allait être plus facile. Ses souvenirs allaient s'évaporer de son âme. Mais Sidner ?

— Dors encore un peu. Il est trop tôt.

— Mais toi alors, pourquoi tu ne dors pas ?

La générosité était le domaine de Solveig. Le langage était à elle, que lui restait-il alors, à lui ? Rien. Il n'était qu'un emprunteur. Il se trouvait à la périphérie, pouvait parfois pénétrer dans sa lumière et participer. Mais maintenant… que restait-il ?

Il trébuche en descendant l'échelle et part en courant dans les champs, sur le chemin de coupe dans la forêt et, tandis qu'il court, juin se transforme en juillet. Août et septembre viennent, la pluie tombe, le champ devient bourbier et le blé est couché. Des traces de roues en ornières boueuses, dans l'étable les vaches aux pis gonflés meuglent. Aron s'effondre sur une pierre. Personne n'est venu arracher la mauvaise herbe. Personne ne s'est glissé dans son lit. Solveig est toujours trop occupée par sa mort, il doit y avoir beaucoup de choses à faire.

*

Dès le mois d'octobre de cette année-là Aron abandonna, malgré l'aide que ses voisins lui proposèrent pour les bêtes comme pour la récolte. Il organisa la vente aux enchères de la maison et des bêtes. Il savait qu'il ne pouvait rien faire d'autre.

Le dernier jour, lorsqu'il transporta dehors les meubles et les ustensiles qu'il avait décidé de sauver, Solveig se dressa devant la glace de la chambre et lui barra le chemin. Elle avait noué un foulard derrière sa nuque, serrait une épingle à cheveux entre ses lèvres et lui souriait :

— Le temps de me préparer, dit-elle et leurs regards se rencontrèrent dans le miroir. Ça ne sera pas long.

Aron hocha la tête et avança vers elle, jusqu'à ce qu'il cogne ses mains contre le verre du miroir qui se brisa en mille morceaux. Sidner était derrière lui, silencieux, il regardait dans le lac des éclats.

— Tu pourrais aller me chercher la pelle, Sidner ?

— On l'a déjà emballée sur la charrette.

— Mais fais ce que je te dis, cria Aron et c'était la première fois qu'il élevait la voix sur l'un de ses enfants.

Et tandis que Sidner fouillait dans les affaires sur la charrette, Aron essaya d'assembler les morceaux pour que Solveig restât entière. Il était couché par terre et la voyait cligner de l'œil dans les éclats. Son foulard violet ondula brusquement, et il savait que ses yeux, son bras, devaient se trouver dans un autre des éclats, ça allait prendre du temps.

— Solveig, où es-tu ?

Et juste au moment où elle allait répondre de loin dans un morceau de verre qu'il tenait en pleine lumière, Sidner rentra bruyamment dans la pièce avec la pelle et la balayette. Il s'arrêta :

— Qu'est-ce qu'il y a, papa ?

— Nous allons déménager.

Aron rampait en suivant les lames du parquet, les mains pleines d'éclats. Quand il arriva près du mur, il se blottit contre, serra si fort les morceaux que du sang coula de ses doigts.

— Pourras-tu jamais me pardonner ce que je viens de faire ?

— Ce n'est pas de ta faute, papa.

— Si, dit Aron. Assieds-toi à côté de moi. Je… n'ai pas la force… de réussir quoi que ce soit.

Ils pleurèrent à en remplir la chambre vide, côte à côte, le dos contre le papier peint du mur sur lequel se distinguaient des carrés pâles, laids, laissés par les tableaux, les photographies, on voyait maintenant des accrocs, des traces de poussière, dans une fissure une épingle de nourrice tendait sa tête lisse, les mouches d'automne couraient sur les carreaux, sombres sur un ciel chargé de pluie et, dehors, le hennissement du cheval qui allait emporter leurs vies d'ici jusqu'au bourg.

— Je vais chercher le phono ?

Un moment plus tard celui-ci était installé sur une caisse remplie de draps.

Ich folge dir gleichfalls mit freudigen Schritten
und lasse dich nicht
Mein Leben, Mein Licht
Befördre den Lauf
Und hör nicht auf
Selbst an mir zu ziehen
zu schieben, zu bitten

— Je n'ai pas trouvé *l'Oratorio de Noël*, dit Sidner. Mais ça, ça doit aller aussi bien. Dans deux mois maman aurait chanté.

— Elle le fera, dit Aron, je veux dire...

— Serre-moi, papa.

— Où est Eva-Liisa, je veux qu'elle aussi... va la chercher.

— Je n'ai pas la force.

Mais il se leva, ouvrit la fenêtre et appela dehors. Eva-Liisa était assise tout en haut du tas dans un fauteuil et mangeait des rondelles de pomme qu'elle piochait dans le grand baquet à lessive, des anneaux de pomme qu'ils avaient coupés tout l'automne, enfilés et fait sécher dans la lingerie jusqu'à ce que ça sente comme au paradis. Sidner s'y était souvent glissé seul, pas pour voler la nourriture de l'hiver, mais pour sentir l'odeur d'autres automnes, d'autres conversations autour de la table de la cuisine. Sur la musique. Sur l'Amérique. Sur les lucioles sous la véranda du Kansas où Solveig avait grandi.

— Je n'ai pas envie de rentrer, dit Eva-Liisa en riant et sans se retourner vers Sidner, et rapidement il claqua la fenêtre.

— Elle a déjà...

— Oui. Elle a oublié. Elle oubliera, mais toi et moi… Avec insistance, comme pour graver et conjurer l'oubli.

Des évidences au milieu du chaos. Quelque chose à quoi s'accrocher. Quelque chose à réessayer encore et encore avec la langue, avec la main, avec les yeux. "Quand nous étions assis là, le dernier jour, toi et moi, papa, et que tu as dit…" Mais en même temps : cela ne servira jamais à rien. En cet instant même la maison se détachait d'eux. En ce moment les activités d'Aron échappaient à ses mains, à partir de maintenant tout était nouveau, inconnu, dépourvu de nom. D'ici et jusqu'à la mort.

*

Il pleuvait à verse quand ils sortirent dans la cour. Un voisin était en train de mettre une bâche sur le chargement et ils virent les yeux d'Eva-Liisa poindre dans un trou noir.

— Je me suis fait une chouette grotte, ici.

Sidner portait le phono. Il n'y avait plus de place sous la bâche déjà arrimée, il le posa tout en haut du chargement, le pavillon tendu vers l'espace.

Aron se tenait sur l'escalier. Le voisin s'approcha et lui tendit la main.

— Je comprends ce que tu dois ressentir, dit-il.

— Je te remercie pour toute l'aide que tu m'as apportée. Maintenant et cet été.

— Je n'ai pas pu faire grand-chose. Contre le plus difficile.

— Je sais, mais sans toi…

— J'espère que tu n'hésiteras pas à revenir nous voir. Tu sais que Solveig et toi vous avez… Le voisin aussi se détourna et s'essuya avec le dos de la main et Aron la vit une nouvelle fois : grande, immense, elle s'étendait sur le paysage, là-bas, sur son ancien pré, à côté des claies.

— Tu sais ce que je veux dire.

Avec Solveig tant de choses avaient été différentes. Sous sa morve, le voisin fit un pâle sourire à Aron, pour qu'ils pensent tous les deux à la même chose : les baisers en plein jour. Car, là, Solveig avait été une pionnière. Ça ne s'était encore jamais vu dans la région avant qu'un jour, en pleine matinée, Solveig le serrât et l'embrassât, et comme le voisin, qui se tenait un peu plus loin, les regardait avec surprise, Aron, gêné, s'était glissé hors des bras de Solveig, s'était essuyé la bouche et avait dit : "Ça vient d'Amérique." Et ces mots s'étaient répandus comme une traînée de poudre dans le village, avaient bientôt été prononcés par la bouche de tous les paysans, quand à midi ils voulaient serrer une femme dans leurs bras, des mots qui rendaient leurs corps brûlants :

— Tiens, je vais te faire goûter quelque chose qui vient d'Amérique.

Au début les femmes s'étaient dégagées, en soufflant et disant que cela pouvait bien se faire en Amérique mais pas ici, mais le poison s'était répandu et personne ne pensait plus que cela dérangeait le travail ou que ça en gâchait le goût, parfois même à midi déjà elles avaient piqué une églantine dans leur chemisier.

— Et toute cette musique qui montait de chez vous ! Ça va être le silence par ici maintenant. C'est pas possible ce qu'il pleut, il faut pas attendre que...

— Ça va se calmer, dit Aron.

Il descendit l'escalier et marcha jusqu'à Basso, le cheval, essuya les gouttes sur son dos. Aron ne voulait pas s'en débarrasser, il pourrait peut-être s'en servir en ville. Lentement le cheval se mit en mouvement, lentement il descendit la côte, passa le virage de l'Instant, et tous marchèrent la tête penchée. Aron était fermé comme un parapluie, rien ne le protégeait des visions du monde. Les rênes pendaient mollement dans ses mains. Sidner marchait à côté de lui et cherchait sa main libre.

Le voisin leva la main.

Se retourna vers la forêt.

La route serpentait vers le lac, passait devant la petite scierie, le magasin, et coupait à travers les propriétés. Çà et là des visages apparaissaient derrière les vitres, on se cachait, c'était trop dur à voir et à commenter. Et les enfants !

Les arbres avaient perdu presque toutes leurs feuilles. Au-delà du village la forêt s'étendait, haute et sombre. Les corbeaux battaient des ailes au-dessus d'eux, Basso trottinait lentement, les roues grinçaient et la mastication d'Eva-Liisa sous la bâche faisait un bruit qui s'incrustait en eux. Aron pensait à tous les retours de la ville sur ce chemin, ce désir de rentrer qu'il avait ressenti, cette impatience énorme. C'était toujours comme de revenir dans la demeure des mots. Pour Aron tout avait été fermé avant qu'il la rencontre, le monde n'avait pas voulu de lui. C'est ainsi que des gens peuvent venir l'un vers l'autre et c'était ainsi que cela s'était passé pour eux. Il l'avait vue forcer les choses une par une, les rendre riches, étincelantes de significations. Il s'était installé dans le monde des mots.

Maintenant il était ressorti dans le silence.

Il était passé par ici avec la bicyclette cachée sous les sacs de farine. Une bicyclette noire et luisante, avec des dessins jaunes. Il l'avait vue devant le magasin de sports d'Asplund, et Asplund lui-même avait dit que c'était la plus chère, mais qu'elle la méritait bien, Solveig. Le matin de son anniversaire, il l'avait posée sous la vigne vierge pétillante de la véranda. A cinq heures, au lever du soleil, il l'y avait menée, encore en chemise de nuit, les enfants marchaient derrière, ils savaient et échangeaient des regards. Il était resté un peu en retrait derrière elle et elle s'était retournée et les avait inondés, lui et les enfants, de cette chose qu'elle possédait en telle abondance : des caresses, des baisers.

Quelques feuilles éparses tombaient encore par terre dans la forêt. Un lièvre traversa la route en courant, Sidner était grimpé au sommet du chargement, assis avec le phono et une pile de disques en bakélite entre les bras. Maintenant la route était droite sur plusieurs kilomètres, il n'y avait rien à voir, rien pour se réjouir. Lundi il allait recommencer dans une nouvelle école, se faire de nouveaux camarades et il avait peur. Peur de ne pas pouvoir parler avec eux, peur de se mettre à pleurer au milieu de la classe. Ici, au village, les gosses l'avaient laissé tranquille, maintenant il allait falloir expliquer tant de choses, les répéter et les faire revenir en mémoire. Il regarda avec envie Eva-Liisa qui s'était endormie dans son fauteuil sous la bâche : pouvoir oublier, comme il savait qu'elle était en train de le faire ! Solveig n'allait-elle donc pas *exister* du tout en elle ?

Ses sept premières années ?

La ferme où ils avaient vécu ?

N'allait-elle pas exister ? Les premières années n'existent-elles pas ? Les efface-t-on simplement… comme ceci ?

La première et seule personne qu'ils rencontrèrent sur le chemin de Sunne fut une petite bonne femme boulotte qui de loin déjà, tel un cygne sur terre, vint vers eux en se dandinant. Quand elle aperçut la charrette de déménagement, elle descendit dans le fossé et, derrière son bouquet de bruyère, elle se fit sapin et pierre, herbe et touffe de myrtilles.

— La première colombe, dit Aron quand ils l'eurent dépassée. Envoyée par notre nouveau pays.

— Qui c'était ?

— Je crois qu'elle s'appelle Angela… Mortens. Elle doit sûrement se rendre à un enterrement ou à un mariage, mais elle s'est perdue en route. Ça lui arrive souvent.

Sidner se retourna et vit la vieille sortir du fossé, le bouquet devant le visage, se tenir tout immobile et les regarder avec un sourire d'eau glacée sur ses lèvres minces.

Vers le soir ils approchent de Sunne. Aron y a trouvé un appartement et du travail.

C'est là qu'ils vont recommencer.

Et Sidner a douze ans et d'ici peu le phono et la boîte de disques vont glisser de la charrette, quand le cheval va s'arrêter net devant une voiture, et le sol sera jonché de morceaux de bakélite. Mais auparavant, une citation de *Des Caresses* : "Rien ne dure que ce ton qui s'éteint et que la suite des jours essaie sans cesse mais en vain d'effacer à jamais."

Maintenant les disques tombent par terre.

Sleipner Brink, l'une des premières victimes de la radiodiffusion, était à genoux devant le canapé, les écouteurs sur les oreilles, devant l'appareil diabolique qu'il avait tendrement posé sur le coussin à fleurs.

Sa femme criait et pleurait en alternance. La radiodiffusion lui portait sur les nerfs. Depuis le jour où Torin, son beau-frère, leur avait fait cadeau de l'appareil, tout leur univers s'effondrait. Qu'importe combien elle aimait le côté face de son homme ! Le côté arrière, son dos et les semelles de ses chaussures sales, c'était encore pire à contempler perpétuellement.

— Tu as oublié de changer la litière de Rosa, cria-t-elle, ça fait le troisième jour que je suis obligée de le faire moi-même. Et tu n'as pas mis les pieds au chantier non plus.

Mais Sleipner n'entendait rien d'autre que les merveilles de la radiodiffusion.

— L'assyrien fut utilisé comme langue diplomatique dans tout le Proche-Orient depuis 2 000 environ jusque vers 700 avant Jésus-Christ. Nous trouvons un excellent exemple de l'importance de l'assyrien en tant que moyen de communication interasiatique dans un recueil de documents et de lettres adressés au monarque égyptien Aménophis IV que l'on a découvert dans le village de Tellel-Amara, en Egypte, et qui date de l'an 1400 avant Jésus-Christ. Ces documents plus ou moins officiels sont pour la plupart rédigés en assyrien et tous sont écrits en écriture cunéiforme…

Un bruissement couvrit la voix du conférencier.

— … comment se présentait la vie quotidienne dans la vallée de l'Euphrate au cours du deuxième millénaire avant Jésus-Christ, et c'est en 1901 que l'on a découvert le grand code que le roi Hammourabi – l'Amrafal de la Bible – établit deux mille ans avant le Christ. Au cours des septième et huitième siècles, l'assyrien fut supplanté par la deuxième grande langue sémite…

Sleipner n'allait jamais apprendre quelle était cette langue et cela le rendit furieux. Victoria lui avait assené un tel coup dans le dos qu'il était tombé en avant sur le canapé.

— Ton beau-frère ne va pas tarder. Et tu avais promis de l'aider.

— *Damn it*, ils sont déjà là ?

— Ils ne vont pas tarder en tout cas.

— Ça, c'est pas *maintenant*. Tu aurais au moins pu attendre le début de ce maudit opéra.

— Je ne lis pas les programmes de la radio, cria Victoria.

— C'est à peine si tu sais lire autre chose, d'ailleurs, répondit-il mais d'un coup il se radoucit : Ah bon, Aron et les gosses sont en route. Tu ne pouvais pas le dire plus tôt ?

Victoria soupira et se dirigea vers la fenêtre. Sleipner enferma à clé dans un coffre les écouteurs et l'appareil, rangea la clé sur lui, s'assit à la table de la cuisine et regarda dehors entre les arbres, du côté du chantier de taille où son frère Torin était en train de travailler sur une pierre tombale.

Victoria se pencha vers lui.

— Il a dit quelque chose ?

— Sur quoi ?

— Sur le gosse... Sur la fille Zetterberg bien sûr. Si c'est lui ?

— Ce n'est pas notre business. Torin s'occupe de ses affaires.

Sleipner écarta le rideau de la cuisine et regarda en direction de la tête énorme de son frère, avec ses cheveux très roux et ses sourcils pâles, on aurait dit du seigle un matin d'été. Son dos était puissant et ses biceps solides, c'était un tailleur de pierre doué, personne ne pouvait rien dire d'autre.

— Mais il doit bien savoir, si c'est lui.

— Tu n'as qu'à aller lui demander, si ça t'intéresse tant.

— Je ne suis pas son frère. Et il a dit quelque chose à propos de son mariage alors ?

— Non.

— Les Zetterberg ne seraient jamais d'accord. Torin n'est certainement pas assez bien.

— Tu ne le trouves pas toi non plus ?

— Je n'ai pas dit qu'il n'était pas gentil.

— Mais bête, tu as dit. Et Torin n'est pas bête. Tu crois qu'un imbécile serait capable d'obtenir son brevet de pilotage ? Il n'avait que dix-huit ans quand il l'a eu. Le plus jeune de tous. Tu crois qu'on le laisserait toucher aux avions à Broby sinon ?

— Il pourrait au moins s'habiller un peu mieux. *Moi*, je n'oserais pas monter avec lui.

— Personne ne laisserait une bonne femme aussi hystérique que toi monter dans un avion.

— Ça ne me viendrait pas à l'idée de monter en l'air.

— Tu crois qu'un imbécile aurait été capable de construire une radio comme ça, qui peut capter toute l'Europe ? *The whole of Europe ? You bastard*, marmonna Sleipner en s'affaissant sur la table de la cuisine de façon à pouvoir jeter un œil sur le programme de la radio pour la soirée, mais Victoria était heureuse de pouvoir parler à son mari et n'avait pas l'intention de laisser passer l'occasion.

— Mais fréquenter des **femmes** légères comme ça. Vous êtes quand même **les fils** d'un pasteur.

— Nous ne savons rien de la légèreté de la Zetterberg, et fils de pasteur, c'est beaucoup dire. *My father was not a real priest.*

— Parle suédois, que je te comprenne.

— Mon père tenait un bar dans le Kansas. Je te l'ai dit des milliers de fois.

— Mais avant ? Mes parents s'en souviennent très bien.

— Je crois qu'il faudrait que je me rase avant qu'ils arrivent.

, — Ça c'est la meilleure.

— On est bien samedi.

— Comme si tu t'en souciais. Et imaginer que Solveig et toi et lui…

— Ne parle pas d'elle ici, *I warn you*.

Dans son premier cahier noir de toile cirée, Sidner écrit : "Oncle Sleipner et tante Victoria se sont perdus dans la Forêt des Querelles. Les arbres y sont serrés. Ils buttent l'un sur l'autre sans arrêt. Je n'arrive pas à imaginer comment ils s'embrassent ou se câlinent. Il y a une telle différence entre leur mariage et celui de mes parents. Pourtant, oncle Sleipner, comme maman, vient du Kansas où, selon elle, il régnait une atmosphère plus *cordiale*, c'est pourquoi lui aussi aurait dû apprendre à montrer ses sentiments les plus intimes, qui ne devraient donc pas reculer devant la lumière du jour. Peut-être est-ce parce que tante Victoria a *pris le dessus* et de telle manière que les manifestations de ses sentiments ne s'expriment que dans le noir, ce qui doit être le plus courant ici dans ce pays de Suède. (Avec certaines exceptions pour la Saint-Jean, où le manque d'obscurité les *force* pour ainsi dire à sortir en pleine lumière.) Oui, l'exemple des baisers en plein jour que j'ai vus moi-même n'a probablement jamais été en usage avant, quand j'étais moi-même petit, quand il a été inauguré par maman, et qu'auparavant on mettait à profit l'obscurité, chose qui pour un méridional doit paraître cruelle. (Vérifier ceci !!!) Mais alors il ne faut pas oublier les longs hivers qui à soixante-dix ou quatre-vingts pour cent sont constitués d'obscurité *pure*."

Aron, qui est tempérant, travaille pour Patron Björk comme caviste et domestique à l'Hotell Sunne. Un appartement va avec l'emploi : deux pièces et une cuisine au-dessus de l'hôtel, avec une sortie donnant sur l'arrière du bâtiment (quand on ne veut pas passer par la cuisine, le couloir, et sortir par l'entrée principale). Des fenêtres de la pièce du milieu on pouvait voir la moitié du bourg et aussi la cave, un bâtiment bas, solide, en blocs de granit, avec une lourde porte qu'on ne pouvait ouvrir sans une double serrure. Sleipner et Torin les attendent quand ils entrent bruyamment sur le pavé lisse et mouillé. Ils montent une première fois les escaliers les mains vides, les frères poussent Aron à monter le premier, restent plantés derrière lui sur le seuil et Sleipner s'aperçoit que Victoria est déjà venue ici apporter un géranium, comme un signe que le monde est prêt à les accueillir.

Ils respirent l'odeur propre de vernis et de peinture : c'est clair et propre.

— *Fine, fine*, soupire Torin en posant sa lourde main sur l'épaule d'Aron. Mais Aron redescend :

— Je vais commencer à décharger, murmure-t-il, car c'est comme s'il lui était interdit de porter un jugement positif sur l'appartement. Il trahirait Solveig. Il l'a déjà fait une fois, en ne l'attendant pas à la ferme. Puis il est là, avec la table de cuisine, et Sleipner tend la main pour l'aider.

— Où tu la veux ?

— Pas d'importance, dit-il et il se hâte de ressortir pour ne pas avoir à prendre d'initiative. Il se fait celui qui aide. Il se fait porteur d'objets étrangers : des valises, de l'argenterie, des tiroirs de commode ; arrivé juste de l'autre côté de la porte, il les pose, ne lève pas les yeux, est pressé de ressortir quand Sleipner veut l'arrêter. Il ne veut rien avoir à faire avec ceci. Après tout, ce n'est que du provisoire. Et d'ailleurs, Sidner est là. Il va habiter ici lui aussi. Il monte lentement l'escalier, les disques cassés sous le bras, il les serre tout contre son corps, il passe devant Aron, les yeux muets. Puis finalement ils se trouvent quand même debout sur le seuil, l'un à côté de l'autre, et Sidner offre la joie à Aron en lui demandant où ils vont dormir.

Le choix n'est pas grand. Aron mettra son lit dans la cuisine, il le désire et fait vaguement allusion au travail, s'il faut qu'il travaille la nuit… Sidner aura la chambre du fond et Eva-Liisa celle du milieu. Eva-Liisa qui a dormi pendant presque tout le trajet dort encore quand il la porte et la couche dans son lit, au milieu de la pièce au sol brillant sous une ampoule nue qui se balance.

Et là il découvre aussi son fardeau ; maintenant qu'il l'a déposé, la pensée le traverse :

— Combien de temps encore aurai-je la force de réunir les enfants ?

Comme si désormais *cette question-là* allait tournoyer tous les jours dans sa tête. Maintenant qu'il *n'est plus* quelqu'un, pas même un mauvais fermier qui délaisse les vaches et les champs. Un rien sans langage, sans qualités ; combien de temps aurai-je la force d'être le point unifiant ces enfants ?

D'oser me réveiller le matin et affronter leurs besoins ?

Et les miens. Où vais-je me retrouver ?

Sleipner et Torin surveillent ses mouvements, leurs visages à moitié détournés, et quand finalement table et chaises ont été mises à leur place, ils se retrouvent face à face et la grosse main de Torin tâtonne sur la table.

— Elle était la meilleure, *brother* ! Papa disait *take care of her. Just before he died.*

— Parle suédois, Sleipner le pousse de l'épaule, mais Torin n'entend pas.

— *I remember when she sang on the veranda among the fireflies…*

— Les lucioles, souffle Sleipner. Quand elle chantait sous la véranda.

— *Such a voice !*

— Quelle voix !

— *And how beautiful she was my little sister.*

— Qu'elle était belle, ma petite sœur.

— Je comprends tout seul, dit Aron. J'ai eu le temps d'apprendre un peu… *Elle* m'en a appris un peu.

— *And that hair !*

— Et ses cheveux.

— Je comprends, dit Aron. Ses cheveux.

— *What did you say ?* demande Torin, et il lève la tête vers Aron. *You remember her hair too ?*

— Tu te souviens de ses cheveux aussi ? souffle Sleipner.

— Bien sûr que je me souviens de ses cheveux.

48

— Good. Wasn't it lovely ? Not my red hair. Not at all, brother.

— Pas mes cheveux roux, pas du tout, continue Sleipner, mais soudain c'est l'enterrement de nouveau. Cent personnes au milieu d'une journée d'été, l'odeur suave et étourdissante des fleurs, les larmes. C'est le chœur dans l'église qui soudain s'arrête au milieu de son chant, c'est les mains du chantre Jancke qui se figent en l'air et n'en peuvent plus :

— Puisque c'était toi, Solveig… qui as engendré ce chœur, qui as engendré et nourri notre travail. Qui nous as fourni l'enthousiasme un soir après l'autre. C'était toi qui. Solveig, donne-nous la force de… continuer.

*

C'est Eva-Liisa qui les ramène brusquement à la réalité en se réveillant et en courant dans les pièces.

— Où est-ce qu'on est, papa ?

— On va habiter ici.

— Je veux pas. Je veux rentrer chez moi.

— C'est ici, chez nous.

Quelqu'un le dit. Quelqu'un établit qu'il en est ainsi.

Quelqu'un essaie de ressortir le couteau de ses paroles.

— En tout cas pour un moment.

S'aperçoit qu'il est coincé. Tire et tire :

— Ça sera sûrement bien, tu verras.

— Je veux rentrer chez moi.

Et c'est comme ça. Le couteau doit se retourner dans les répliques. Et Aron se laisse tomber à table avec Eva-Liisa sur les genoux, lui caresse maladroitement les cheveux, et il entend le cri qui sort de lui :

— Je n'ai que trente-cinq ans !

— *Such is life.* Torin va et vient dans la cuisine. *Such is life, brother.*

— Ah, Torin. Sleipner se débarrasse de la mélancolie de son frère en se secouant et soulève le rideau. Ça va changer. Ici, à l'hôtel, tu rencontreras beaucoup de gens bizarres, Aron. Des Frenchies et des Américains, et des Anglais en tout cas. Si tu as besoin d'aide pour des traductions, tu n'as qu'à demander. Patron Björk entretient toute une cour ici, franchement, c'est carrément le bordel parfois. Le club du jeudi. Tu vas voir de ces trucs !

— Maintenant allons chez Beryl Pingel croquer un morceau.

De nombreuses années plus tard, Sidner affirma que sans Beryl Pingel, la boulangère, jamais il n'aurait commencé *Des Caresses*, c'est là peut-être une exagération, de même que tant d'autres choses chez Sidner sont une exagération au plein sens du terme. Mais il est vrai qu'à cette époque elle prit beaucoup d'importance, ce qui fut en fait le cas de tous ceux qui allaient suivre, puisqu'elle appartenait à un monde nouveau.

"S'il me faut la décrire, ou l'impression qu'elle me fit, je dois la situer dans une journée d'été, dans un nuage de farine de blé, sa porte ouverte sur les lupins. Pâle soleil du matin, lorsque, après l'avoir aidée pour les ruches, je rentrais, presque aveuglé par le soleil. Souvent elle préparait son pain, mais tout aussi souvent repassait les faux cols de Torin, ceux qu'il portait quand il allait prendre les commandes pour les monuments funéraires. En de telles occasions sa porte ouverte était emplie de son rire et l'idée me frappa souvent qu'en quelque sorte ce rire devait être considéré de l'intérieur. Rien n'est produit à partir de rien. Tout a une explication. Pâtes à pain et faux cols, les faux cols encore moins que toute autre chose pouvaient en être l'explication. À moins que le rire en lui-même ne pût être l'origine de toute chose. Oh, pensée merveilleuse ! Ce fut cela que j'entrepris de vérifier ; et le conseiller Jonsson, qui s'occupait de la bibliothèque, obtint ainsi son meilleur client. C'était vertigineux d'entrer dans une bibliothèque aussi grande. Je commençai par les présocratiens, Héraclite, Parménide et Zénon. Aucun d'entre eux n'affirmait une chose aussi bête, et à ce jour je n'en sais pas plus qu'auparavant. Il est cependant agréable de penser qu'Héraclite aurait pu être assis dans cette cuisine, laissant Beryl Pingel repasser ses faux cols tandis qu'il goûtait ses petits pains au lait et progressivement s'enfonçait dans le rire de cette femme."

En cette soirée d'octobre Sidner était silencieux pourtant, il marchait dans les feuilles qui tombaient sur le chantier des tailleurs de pierre, et rejoignait le jardin de Beryl Pingel.

Dans l'obscurité Torin saisit le bras d'Aron :

— Tu peux toujours avoir confiance en Beryl, dit-il. Pour ce qui concerne les bonnes femmes, *you know*, et les enfants, il y a pas mal de choses que nous ne comprenons pas.

— Oui, c'est bien qu'elle soit là, murmure Sleipner, et il franchit le seuil de la farine de blé.

Beryl Pingel était assise devant sa table à pétrir, en pleine attente. Bras solides, poitrine importante, cheveux jaune pâle encadrant son front. Eva-Liisa fut poussée en avant la première.

— Mais voyez-vous ça, que Dieu te bénisse, toi, tu es Eva-Liisa. Et toi Sidner, entre, que je t'embrasse.

Elle attira brusquement les deux enfants vers le centre de sa chaleur, Sidner trébucha et perdit le paquet de disques cassés sur les genoux de Beryl. Elle prit un morceau triangulaire sur lequel l'étiquette était encore lisible.

— Tu ne crois pas qu'on pourrait les réparer ?

Sidner secoua la tête.

— Je ne pense pas.

Et, encore peu rassuré devant elle, il ramasse les morceaux et les range dans sa veste, se met contre le mur :

— Il faut qu'ils restent cassés.

Le professeur de Sidner s'appelait maître Stålberg. A la fin de chaque trimestre, il leur faisait toujours un petit numéro : il jouait du violon, perché sur son vélo, en restant *immobile*. Il jouait *Tout va de mieux en mieux, la Triste Histoire du lieutenant Sparre et d'Elvira Madigan*, et pour finir, en fin de premier trimestre *Douce Nuit, sainte nuit*, et avant l'été *Elles sont revenues les fleurs, tout est beauté, tout est joie*.

Sidner lui posait un problème. Il venait de lire la première rédaction du gamin : "Vous vous souvenez d'un soir de Noël. Racontez." Il avait pris la copie, prêt à retrouver les éternelles maladresses sur la neige qui tombait et le sapin qui brillait. Mais voici ce qu'avait écrit Sidner :

"Jean-Sébastien Bach, le plus grand des compositeurs, se sentait fatigué. Par une sinistre soirée de décembre il rentrait chez lui où tous ses enfants l'attendaient avec leur tourbillon de cris et d'impatience. Ayant eu fort à faire dans la journée, il avait oublié d'acheter des candies. Il grelottait. Il avait grelotté tout l'après-midi dans l'église et ses choristes n'avaient cessé de chanter faux et de ronchonner. Arriverait-il à les stimuler un jour ? La question lui tournait dans la tête. Et, tandis qu'il se faisait lentement un chemin dans la gadoue sale des rues, une idée se précisa. Par le chant, se dit-il à lui-même, c'est par le chant que je les stimulerai. Et vous en avez sacrément besoin, mes petits amis ! Il approchait de la maison où il vivait avec toute sa famille, déjà il voyait les bougies trembloter derrière les carreaux. Et soudain une délicieuse mélodie monta en lui. Une idée avait pris forme ! A peine prit-il le temps de retirer son pardessus et d'embrasser ses enfants qu'il fila à grands pas dans sa pièce de travail. Et il se mit à écrire *l'Oratorio de Noël*. Quelle joie pour cette famille lorsqu'ils s'assemblèrent autour du piano quelques jours avant Noël 1734. Le plus beau venait d'être composé."

Maître Stålberg savait qu'il fallait ménager Sidner. On lui avait dit de rester patient devant ses absences d'esprit, ses regards perdus et sa bouche ouverte. Le garçon était doué et se remettrait certainement du choc, pourvu qu'on lui accordât du temps. Maître Stålberg comprenait cela mais l'énervement montait quand même parfois, quand il s'apercevait que le garçon "vivait dans son propre monde" comme il le disait à ses collègues. "Tenez, disait-il en tendant la main, regardez-le, il reste seul, personne ne joue avec lui." Les autres professeurs suivaient la direction indiquée par son doigt. Il était là, sous l'abri à bois, le dos au mur, absolument immobile, le bras droit serré contre le corps, comme s'il cachait quelque chose sous ses vêtements ; et le maître savait ce que c'était : un tas de vieux disques de gramophone que Sidner ne voulait jamais lâcher. La neige tombait à gros flocons sur ses épaules et sa casquette. Les enfants qui jouaient faisaient un détour à sa hauteur et lui jetaient des regards embarrassés.

En classe, quand il rendit les devoirs, maître Stålberg ne sut trop quelle attitude prendre.

— Sidner, dit-il après avoir rendu la série de misérables exercices d'écriture, tu as...

Et Sidner se leva d'un coup de son banc, resta planté droit, immobile, ses yeux rivés à ceux du professeur, pas un muscle de son visage ne remuait.

— Tu as écrit là une rédaction assez étonnante. Tu écris très bien, mais est-ce vraiment là un souvenir de Noël ? Tu n'as pas vécu cela toi-même ?

— Rien ne disait qu'il fallait l'avoir vécu soi-même.

Maître Stålberg fut obligé de déglutir.

— Non... Oui, tu as raison, c'est vrai. Mais il est pour ainsi dire convenu que ce doit être ainsi. Et pourquoi cela au fond ? pensa-t-il, le gamin a raison. Et puis tu emploies des mots bizarres : *candies*, par exemple, de quoi s'agit-il ?

— C'est une sorte de bonbons, maître.

— Alors pourquoi ne l'écris-tu pas ?

— J'ai pensé que ce ne serait pas bien d'écrire : il avait oublié d'acheter une sorte de bonbons. En Amérique, ça existe, les candies.

— Si j'ai bonne mémoire, Bach naquit en Allemagne. Il ne faut pas faire l'important, Sidner.

— Pardonnez-moi, maître. Et les yeux de Sidner se remplirent de larmes. Ce n'est pas ce que je voulais dire, maître.

— Assieds-toi, mon garçon. Je comprends.

Le sujet suivant, quelques semaines plus tard, fut : "Que peut-on apprendre dans les bois et à la campagne ?"

"Quand on se promène dans les bois, on peut apprendre beaucoup. Un après-midi que je lisais au bord du Marais Gris, non loin de là où j'ai habité jusqu'à l'été dernier, j'appris que Jean-Sébastien Bach naquit en 1689 dans la ville d'Eisenach, en Allemagne, et qu'il fut marié deux fois puisque sa première femme mourut d'un sérieux refroidissement. Il eut beaucoup d'enfants…"

— Sidner !

Sidner est déjà debout. Ses camarades le regardent. Le silence se fait toujours quand Sidner se lève. Ça sent la laine et le poêle à bois. Une épaisse buée couvre les vitres. Les toux et les reniflements cessent. Stålberg hésite et baisse les yeux sur le cahier aux pages couvertes d'une longue écriture anguleuse, où chaque mot est bien écrit, où il n'y a pas une seule faute d'orthographe, pas une virgule qui manque. Il lui faut un moment pour oser faire preuve de son autorité professorale mais, à la seconde même où il le fait, il sait qu'il aurait dû ne rien dire.

— Sidner, tu as mal compris le sujet. La question n'était pas celle-ci.

— Maître, il y avait écrit… je veux dire… j'ai bien appris cela dans la nature.

— Tu peux te rasseoir !

— Etes-vous fâché, maître ?

Stålberg secoua la tête.

L'enfant glisse sur sa mer d'absence. Il en donne l'impression en tout cas. Le problème, c'est qu'il n'a jamais pu le prendre en flagrant délit de paresse ou d'inattention.

Stålberg lui aussi avait connu Solveig puisqu'il était membre du chœur de la paroisse. Il était de ceux qui devaient jouer *l'Oratorio*. Il savait que l'idée était venue de Solveig Nordensson et il se souvenait du silence impressionnant qui avait suivi sa proposition ce jour-là. Il se souvenait du sursaut qu'avait fait le chantre Jancke avant de la regarder, bouche bée, c'était après une répétition particulièrement mauvaise de quelques chansons faciles sur le printemps au programme du concert qu'ils pensaient donner à la fête de la Sainte-Walpurgis. Jancke s'était dressé à la tribune d'orgues et s'était mis à haleter tant qu'il en avait bavé par-dessus la balustrade, mouillant le tableau qui représentait Haquin Spegel bouche grande ouverte pour un prêche ou une chanson.

— *L'Oratorio de Noël !* De Bach ? Nous ?

Jancke était un bon musicien. Il était descendu de la région de Stockholm avec des projets plus grands que ce que le chœur de Sunne était capable de réaliser. La nuit qui avait suivi la proposition de Solveig, incapable de dormir, il avait pris sa dernière fille sur ses épaules et était sorti faire les cent pas dans le cimetière jusqu'à l'aube. Ses pieds étaient mouillés et il ne s'était aperçu qu'en rentrant qu'il était sorti en pantoufles dans le gravier trempé par les pluies du printemps, et qu'il n'avait pas enfilé de manteau ni mis de couvre-chef – mais tout ça, c'était son problème. Le pire fut quand même la petite qui avait gelé dans sa chemise de nuit et s'en sortit avec une bronchite qui donna bien du souci à la famille jusqu'à la Saint-Jean.

Le chantre Jancke avait compris ce que lassitude veut dire. A quarante-trois ans il n'avait jamais rien vu devenir ce qu'il avait espéré. La semaine suivante, il s'adressa aux membres du chœur :

— Quand j'étais jeune, je rêvais de devenir un grand musicien. Je formais l'espoir puéril de devenir chef d'orchestre, de parcourir l'Europe de ville en ville et de faire danser les chœurs et les orchestres au rythme de ma baguette. Il n'en a pas été ainsi, je me suis retrouvé ici. Vous êtes un mauvais chœur et ce n'est pas votre faute mais celle de la société. La musique ne veut rien dire pour la plupart d'entre vous. Je m'estime tout simplement heureux qu'au moins quelqu'un vienne ici. A l'exception de toi, Solveig, vous êtes, nous sommes tous médiocres, parce que nos buts sont médiocres. Mais je viens de prendre une décision. Ceux qui seront avec moi vont trimer dur. Mais je vous en fais le serment : dans dix ans, ici, en l'église de Sunne, nous jouerons *l'Oratorio de Noël* de Bach. Ce sera l'œuvre de ma vie. Ce n'est peut-être pas de ça que je rêvais au début mais, compte tenu des circonstances, cela suffira. Dix ans c'est beaucoup, vos enfants seront devenus adultes, certains se seront lassés. Mais permettons-nous d'entrer, quelques fois par semaine, morceau par morceau, mesure après mesure, d'entrer à force de travail dans l'univers musical que créa Bach. Je vais essayer de réquisitionner des musiciens d'orchestres de villages et autres joueurs d'instruments à vent, je vais faire travailler les jeunes, nous y arriverons. Etes-vous avec moi ?

Dix ans avaient passé depuis ce jour-là. La musique grandissait autour d'eux, les enveloppait comme une nuée d'ailes : le ramoneur, le peintre en bâtiment, le ténor, le chœur des enfants et les musiciens de l'orchestre, l'un après l'autre on extirpait d'une maison un nouveau talent.

Et maintenant ?

Après la mort de Solveig ?

Jancke avait levé ses mains pour les funérailles de Solveig, le chœur avait commencé à chanter mais au bout de deux ou trois mesures, à cet instant où la voix de Solveig aurait dû se détacher puis monter vers les plus beaux sommets, jouer comme les hirondelles dans l'ombre sentant le miel des tilleuls du cimetière, à cet instant précis ils s'étaient tus d'un seul coup, un chœur, un orchestre, un chef d'orchestre, le but unique d'une ville entière ; et de tout l'automne personne n'avait eu la force de recommencer.

La dernière rédaction que Sidner rendit à maître Stålberg avait pour sujet : "Un jour de printemps." Sidner dut la lire à haute voix, devant ses camarades, la badine menaçante de maître Stålberg oscillant derrière lui.

"Par une belle journée de printemps, Jean-Sébastien Bach s'en fut dans la campagne avec sa famille. Les oiseaux gazouillaient dans les arbres, les ruisseaux clapotaient. Tous les chemins étaient sales mais ils finirent par trouver un endroit pour s'asseoir, manger leur pain et boire leur vin. (Agitation nerveuse dans la classe.) Ils se trouvaient au bord d'un ruisseau ; le plus petit, nommé Jean Philippe Emmanuel, était assis sur les genoux de sa maman. Les grands frères avaient apporté leurs flûtes et ils se mirent ensemble à jouer l'air du *Quatrième Concerto brandebourgeois* de leur papa. C'était si beau. Le soleil était chaud et, au bout d'un moment, la maman et le papa retirèrent tous leurs vêtements et, entièrement nus, permirent au soleil de baigner leurs corps. (La classe se mit une main collective sur la bouche pour étouffer un rire. Sidner leva les yeux et sourit, incertain…) Puis ils s'étendirent tous deux par terre l'un contre l'autre…"

— Cela suffit maintenant, Sidner ! cria le maître.

La classe retenait son souffle. Sidner gardait la bouche ouverte. Il était surpris, les regardait l'un après l'autre, le dos appuyé contre le tableau noir.

— Donne-moi ce cahier, grinça le maître.

Sidner le lui tendit sans rien dire.

— Voilà ce que l'on fait de bêtises pareilles !

Et maître Stålberg, qui avait eu quelques problèmes chez lui ce jour-là, déchira le cahier en morceaux et les jeta dans le poêle.

Le silence s'était fait aussi dans la salle des professeurs quand Stålberg avait lu quelques passages.

Certains des plus âgés grommelèrent qu'il fallait renvoyer le gamin, tandis que d'autres émettaient l'idée qu'il ne devait pas être en possession de tout son esprit et qu'il fallait incontestablement punir des écrits indécents de ce genre, mais ils n'oubliaient pas non plus qu'ils avaient promis de rester patients et chacun disparut dans ses pensées : Aron et Solveig avaient-ils vraiment fait des choses comme ça chez eux ?

Sidner, quant à lui, avait tout interprété de travers, persuadé que son maître s'était mis en colère parce qu'une nouvelle fois il avait parlé des aventures et de la vie de la famille Bach. Pourtant, c'était une nécessité pour lui. Son langage ne se déclenchait qu'avec ça. Nulle part ailleurs il ne trouvait un point de départ à son bonheur et à son imagination. Il existait tant de mots et de récits. Solveig lui en avait tant raconté. Ou bien ne l'avait-elle pas fait et n'était-ce qu'un espoir de sa part ? Il n'en savait plus rien mais en tout cas dans sa tête s'élaboraient à l'infini les histoires d'une famille, source de la Grande Musique.

A dater de ce jour, il ne réussit plus à écrire. Ses pages restèrent blanches.

Mais lire, c'était possible.

Ouvrir un gros livre et s'enfoncer dedans ! La jungle sur une page, un fleuve impétueux de l'autre côté. Personne ne peut vous atteindre sur l'étroite corniche entre le Point et la Lettre Majuscule.

Comme un cloporte il peut se glisser entre le papier et le mot, rester immobile, parfois jeter un coup d'œil un peu plus loin. Il peut chatouiller le dos des mots et lui seul les entendre rire. Il peut errer dans la forêt des mots où les jeux de la lumière sont si beaux et, à chaque tournant du texte, découvrir du nouveau : des mots comme des arcades, comme des feuillages d'arbres, comme des corps ou des flammes. D'étranges animaux circulent, poussant des cris qui lui sont inconnus. Il y a là des villes secrètes, des villages, de curieuses embarcations et des gens qui discutent en un tas de langages. Il y a des adultes et des gens déjà morts qui tous lui enseignent des choses qu'il ne devrait peut-être pas encore savoir. Il y en a beaucoup qu'il ne comprend pas mais cela lui plaît énormément, justement parce que cela prouve qu'existe devant lui un monde qu'il lui faut atteindre. L'incompréhensible, c'est le mieux ou, comme il devait l'écrire un jour : "Je ne sais pas, c'est la raison pour laquelle je dois aller plus loin."

Jouer aussi était possible. Faire un petit pas de côté et se fondre dans le temps de la musique.

Quand il habitait encore dans la forêt, on l'envoyait souvent faire des courses. Il s'en allait, content, avec sa liste de commissions. Un peu plus loin, il découvrait quelques fourmis qui croisaient son chemin. Elles étaient d'une taille inhabituelle, leur abdomen d'un brun très noir brillait au soleil. Sidner se baissait et arrivait exactement *en dessous du temps*. Lorsqu'on le retrouvait, à quatre pattes, le visage à ras de terre, lorsqu'on lui tapotait le dos après lui avoir longtemps parlé sans obtenir de réponse, il se levait sans surprise et disait : "Oui, je voulais seulement… bon, j'y vais maintenant." C'était son privilège d'enfant, car les enfants ne s'en sortiraient pas sans le don de pouvoir disparaître hors de la prison étroite de leur corps ; grandir, c'est s'éloigner de ce don.

La rouille bloque les portes.

Mais la rouille ne bloqua pas les portes de la musique. Sur les sentiers secrets du clavier, il se faufila à travers la jungle d'ordres et d'exigences. La tête baissée, les yeux à demi fermés, il fit son chemin vers les sommets où les sentiers étaient libres. Alors il rejeta la tête en arrière, tendit son visage, sourit et ouvrit les yeux : il était passé.

Inaccessible et seul dans la musique.

Comme sur une vaste étendue de glace brillante, avec le soleil qui jette une pluie de gouttes d'or.

Autour de cette glace les téléphones pouvaient bien sonner.

Et ils ne manquèrent pas de le faire.

Les cochers, qui avec leur cheval et leur charrette amènent les fûts de cent litres à la cave aux vins bien verrouillée de l'Hotell Sunne, sont des hommes de confiance. Le caviste, Aron Nordensson, les accueille à la porte qu'il a ouverte et Sidner, son fils, aide à rouler les fûts dans le grand entrepôt. Les cochers tendent ensuite une boîte avec différentes enveloppes : il y a là les étiquettes de l'eau-de-vie, du sherry, du champagne, des liqueurs, de belles étiquettes aux couleurs scintillantes, avec des mots français et allemands. Des bouteilles vides, propres, aux épaules larges, rondes, longues, carrées, sont alignées sur les étagères. Aron signe le bon de livraison et les accompagne à la cuisine de l'hôtel où ils vont manger, mais à Sidner il dit :

— Reste ici pour garder.

Il ferme la porte derrière lui et Sidner s'assied sur un tabouret entre les fûts, l'ampoule nue brille au-dessus de sa tête, les pas sur le gravier se meurent, il reste assis immobile, une main serrée, la bouche entrouverte, la tête légèrement penchée en arrière.

Il peut rester assis comme ça pendant une heure, une journée. Il n'a pas besoin de bouger. Mais il le fera si Aron veut qu'il bouge. Il le fera si le professeur le lui dit. Alors il se lèvera et donnera la réponse à ce qu'il sait déjà. Quelqu'un a dit, et de façon qu'il l'entende, que chez lui la lampe de la raison est en train de s'éteindre.

Mais ce n'est pas le cas.

Quand les cochers ont fini de manger, Aron revient et ensemble ils mettent en bouteilles, collent des étiquettes, bouchent les bouteilles, serrent du papier aluminium autour des bouchons et alignent les bouteilles en jolies rangées. Cinq cents d'eau-de-vie, deux cents de sherry et beaucoup d'autres. Ils travaillent en silence, écoutent d'éventuels bruits de pas dehors, nombreux sont ceux qui aiment traîner là le soir quand le travail dans les usines au long de la Torvnäs est terminé, cinquante, soixante ouvriers passent ici pour rentrer chez eux, ils se disent un dernier mot, jettent peut-être aussi un coup d'œil par la petite fenêtre pourvue de barreaux pour avoir un aperçu de la merveille, ou même dans l'espoir que le Miracle aura lieu ! Un jour la porte s'ouvrira et tout sera silencieux, il n'y aura pas de gardien, et l'un après l'autre ils pourront pénétrer dans la cave merveilleusement illuminée et charger leurs bras d'une bouteille puis d'une autre.

— Penses-y, Sidner, ne te laisse embobiner par personne, ni avec de l'argent ni avec quoi que ce soit, et même pas pour jeter un coup d'œil. Ce sont des choses dangereuses que nous manipulons ici.

— Oui, papa.

— Quelqu'un a-t-il déjà essayé ?

— Oui, un jour un monsieur m'a promis de me donner une grande pièce. Il était devant la fenêtre et il me l'a montrée, il a frappé à la porte parce qu'il avait sûrement vu que tu étais parti et m'avais laissé seul. C'était la plus grande pièce que j'avais jamais vue, ça faisait mal de la voir, elle brillait comme un soleil, mais j'ai tourné la tête ailleurs.

— Elle était grande comment, cette pièce ?

Sidner montra avec ses doigts.

— Il n'y a que des médailles de concours hippiques pour être aussi grandes. Ça ne vaut pas un sou.

Aron découpa un carré de papier aluminium avec ses grands ciseaux.

— Cet alcool est une très mauvaise chose.

— Mais tout le monde dit qu'on ne peut pas faire des affaires sans alcool.

— Les affaires sont peut-être aussi une très mauvaise chose.

Et les journées passent. Il n'y a pas de musique entre eux. Tous deux en sont terriblement assoiffés.

— Je crois qu'il est l'heure pour toi d'aller chercher Eva-Liisa chez Beryl, Sidner.

— Oui, papa. Je me demande si elle n'a pas la rougeole. Elle avait plein de petites taches rouges ce matin.

— Alors il faudra que tu restes à la maison pour la garder.

Entre eux des mots qui rampent. Durant tout l'hiver les mots cherchent leur chemin jusqu'à la clôture qui existe en chacun d'eux. Chaque fois ils essaient d'arriver à un sourire, à un soudain battement d'ailes, un envol droit vers le ciel. Mais ça ne marche pas. Ils sont tous les deux préoccupés par les images fortes. Quand Aron regarde ses mains, par exemple, ces mains grossières qu'un jour Solveig avait posées sur les touches au piano :

— Regarde, Aron, ça c'est la gamme, pam pam pam !

Il les voit qui se déplacent au-dessus du champ noir et blanc, avec maladresse elles atterrissent entre deux tons.

— Ça ne marche pas.

— Ça marche, Aron, très bien.

— Mais ça ne se fait pas qu'un paysan comme moi...

— Tam tam tam.

Le printemps et l'automne.

— Ce menuet maintenant, il est facile, écoute comme il est beau !

L'été et l'hiver. Et le piano, ce meuble presque hostile, qui devient aussi le sien, un jour il arrive à dire : Notre piano. Comme il les avait essayés ces mots, pendant qu'il nettoyait l'étable : Si on mettait notre piano dans le salon ? Ses mains à lui. Ses mains à elle, Ah vous dirais-je maman, la cause de mon tourment...

— Sidner, chante, toi aussi !

Et c'est Aron qui le dit un jour, qui prend l'initiative, qui veut aller vers la musique, c'est lui qui exprime un souhait.

— Papa veut que je raisonne… Toi, Eva-Liisa, tu es belle comme la musique.

— Ecoute ce qu'elles savent faire tes mains, Aron.

Et il lui arrivait de les lever devant lui, quand il vidait la brouette sur le tas de fumier par les petits matins froids, quand il était seul avec l'étoile du berger, et d'une certaine manière de les *surveiller*. Elles sont à moi. Ce sont mes mains.

Mais ses mains maintenant.

Aron se sentait d'une classe inférieure. Ses mains étaient d'une classe inférieure lorsque, vêtu d'un complet sombre et d'une chemise blanche, il ouvrait la porte aux distingués patrons des Scieries européennes descendus à l'hôtel pour négocier les prix du bois. Les regards inquiets qu'il se jetait dans le miroir quand il avait fini de s'habiller pour les festivités de la soirée, où il deviendrait l'ombre entre le hall et la cuisine. Patron Björk entre un jour au moment où il est en train d'arranger son nœud papillon :

— Parfait, Aron, pas de problème. Tu es tout à fait chic.

Jugé et approuvé.

— Entre nous, Aron, je trouve que nous pourrions nous tutoyer. Quand personne d'autre ne nous entend, je veux dire.

— Merci, patron.

— Oh, de rien, tu peux m'appeler Johan. Après tout nous venons du Värmland tous les deux. Prends donc quelque chose de bon à la cuisine, pour les enfants.

Et Patron Björk examine ce qui l'entoure, les meubles neufs, passe le doigt sur le cadre doré du miroir, arrange le palmier en pot de façon à tourner le large éventail vers l'extérieur, recule de deux pas, la tête penchée :

— Comment elle s'appelle déjà, ta gamine, cette jolie petite fille ?

— Eva-Liisa.

— C'est ça, oui. Il tourne encore le palmier vers la droite, tire un peu le rideau, appuie son visage contre le carreau. La neige s'est mise à tomber assez fort. J'espère qu'elle ne va pas retarder les clients.

— Espérons-le, Johan.

Surpris, le patron se retourne vivement, aspire grand, se souvient.

— C'est bien, Aron, tu comprends la musique. Il enfonce les pouces dans son gilet. Tu verras que tout va s'arranger.

Et quand la cuisinière sort de la cuisine en portant une pile d'assiettes et que le bruit parvient jusqu'ici, il dit :

— Ça ne devrait pas être trop difficile pour toi de te trouver une…

Aron pivote brusquement, veut se hâter de descendre dans l'escalier.

— Excuse-moi, Aron, je ne voulais pas… J'étais dans mes pensées.

— Il faut que j'apporte le vin maintenant, patron.

Pour la première fois il sent combien on s'adresse à lui d'en haut, sent le pouvoir qui s'étend sur lui comme un filet. Ça fait comme une morsure, et Aron se souvient de son père, le poêlier-fumiste Nordensson, qui donnait tout ce qu'il possédait à ceux qui se trouvaient dans le besoin, et qui dans sa jeunesse s'était occupé de politique, avait été ce qu'on appelait un libre penseur. Il avait bataillé dur pour qu'on ait le téléphone dans la commune, il s'était lancé dans cette bataille avec plus d'ardeur que n'importe qui mais, quand pour finir il avait fallu envoyer une délégation à Stockholm, on l'avait éconduit parce qu'il boitait.

— Car tu vois, Aron, aux yeux de ces gens-là on n'est pas un homme à part entière.

Et il avait quitté tous ses postes, et causé des courants d'air dans la commune parce qu'il était au courant de tout et irremplaçable en plus d'un endroit. Et il n'avait pas pour autant penché vers le côté socialiste, alors il y avait eu des excuses et des demandes de pardon. Mais Nordensson en avait eu assez. Il avait déménagé, s'était acheté une ferme et avait découvert qu'il était susceptible.

Et maintenant c'est le Patron qui se tient là, quelques années plus près de la Modernité, et qui veut amadouer. Il crie vers le bas de l'escalier :

— Je voulais encore te demander une chose, Aron. J'ai acheté un phonographe et je voulais savoir si tu connais... Ta femme, elle venait d'Amérique. Tu y connais quelque chose à ce *jazz* ?

Aron reste à écouter le silence, tandis que les flocons tombent sur ses paupières. Patron Björk sort
près de lui :

— Quelque chose de *shocking*, comme on dit ?

— Oui, Johan.

L'intérêt de Solveig ne s'était pas particulièrement porté du côté du jazz, mais elle jouait volontiers certaines des mélodies qu'ils avaient entendues
à la radio, elle traduisait les paroles et les chanton-
nait. Aron, par conséquent, n'était pas totalement
étranger à sa mission quand il pénétra dans le
magasin de Grandin, Electricité & Phonographes.
Seulement comme une gêne dans ses mains quand
il chercha dans la pile de disques. Ceci n'était pas
un travail. La force de son corps n'était pas venue
au monde pour choisir des disques.

— Je voudrais quelque chose de *shocking*. Pour
Björk, à l'hôtel.

Le vendeur s'illumina. Tandis qu'Aron sortait
une pile de noms qu'il avait déjà entendus : Jimmy
Lunceford Hot Sextett, Paul Whiteman Light Sym-
phony Orchestra, Duke Ellington, Louis Armstrong,
le pick-up se mit à danser :

>	*Though if I want to be up-to-date*
>	*I had to shimmy like Sister Kate*
>	*Although I tried 't was all in vain*
>	*But Sister Kate couldn't be blamed.*

Tandis qu'après l'école Sidner s'enterrait dans ses livres ou restait à son piano pour travailler les morceaux que le chantre Jancke lui avait proposés, Eva-Liisa s'échappait de son chagrin avec un sourire coupable, et sa natte en restait presque accrochée à la porte. Dehors, passé la cour, elle était aspirée par des *Friends* qui attendaient derrière la cave aux vins ou au chantier de Torin ; il y avait toujours des enfants là-bas car Torin était maître dans l'art de modeler des animaux en argile : des cygnes, des éléphants, des chevaux sortaient de ses mains, des animaux avec des yeux si suppliants et des expressions si pitoyables que les posséder était une grâce. Les *Friends* d'Eva-Liisa l'attendaient dans des pommiers, derrière des haies ou sur la pente du remblai du chemin de fer, dans les herbes-aux-coqs et les lupins. Aron et Sidner pouvaient entendre leurs rires monter et descendre par les soirées d'été, ils voyaient des jambes nues qui bougeaient, entendaient des chuchotements confidentiels dans la cage d'escalier où elles étaient en train de feuilleter de mystérieux livres en langage de filles. Des ballons rouges montaient devant les fenêtres, leurs bras s'étiraient et partageaient le ciel en champs de couleurs différentes.

Eva-Liisa s'enfuyait dans les espaces libres : les rues, la scierie interdite, les plages.

Quand il arriva en longeant le mur du cimetière, il y eut un bruissement dans le feuillage de l'érable :

— Ho ho. *I am a bird.*

L'espace entre ses dents était largement ouvert.

— *I live here with my friends.*

Sidner essaya de répondre par un sourire à cet unique sourire du monde qui était le sien.

— We are building une grotte. *Are you a bird ?*

— *No, I am not a bird.*

— *Good bye, Notbird !*

Il remonta la rue Gylleby, les mains dans le dos. Des champs où le blé croulait, des alouettes qui chantaient, un léger vent dans les fils du téléphone, quelque part au bord de la route il vit le blé se coucher.

— *Good morning, mister Notbird.*

Il y eut un foisonnement de rires étouffés, il s'arrêta et chercha les mots pour jouer, mais les mots étaient plus lointains que les montagnes d'Ostanås et il entendit comme il était pitoyable lorsqu'il dit :

— Vous n'avez pas le droit d'être là-dedans et de saccager.

Ce fut ce qui sortit de lui bien qu'il eût envie de rejoindre le groupe des *Friends* qui se cachaient là-dedans avec leurs corps frêles. Il aurait voulu s'y aventurer et être attiré par mille petits bras ondulants, mais il n'osait même pas tremper ses orteils dans cette mer, il restait sur la rive et essayait d'avoir l'air malin.

— Des perdrix, dit-il. Vous êtes comme des perdrix ! Et il fit suivre ces mots d'un faible sourire mais lancé trop tard, et il ne reçut comme réponse qu'un :

— *We are not* perdrix, *we are* des cocottes en papier !

Rires et bruissements !

Ça l'étonnait tant qu'Eva-Liisa fût capable de se maintenir hors de l'obscurité. Il n'allait pas comprendre avant longtemps qu'elle s'était attelée à un travail gigantesque pour se maintenir dans la lumière, comme pour lui montrer que justement la lumière existait encore. Telle une comète crépitante, elle et ses *Friends* tournoyaient dans l'hôtel, des étincelles giclaient et explosaient partout, le poursuivaient quand il se réfugiait seul sous les pommiers, et cela encore lorsque le deuxième automne arriva. D'innocentes cruautés le chassaient dans le noir. Ce pouvait être un petit mot sur la table de la cuisine :

Dear mister Notbird I am going au cinéma Saga *tonight with my Friends. Are you going there with your Notfriends ?*
A bird

Ce pouvait être un regard, un mot, qui le faisait s'enfuir. Car tout ce qui était dit *irradiait* et l'irradiation était dirigée contre lui. C'était pourquoi l'obscurité des vergers de pommiers, c'était pourquoi l'immobilité, la catatonie.

Et pourquoi il se tenait là un soir, en veste de coutil,
et déclamant face au vent :

> Quand j'étais au milieu du cours de notre vie,
> je me vis entouré d'une sombre forêt,
> après avoir perdu le chemin le plus droit ;

> ah ! qu'elle est difficile à peindre avec des mots,
> cette forêt sauvage, impénétrable et drue
> dont le seul souvenir renouvelle ma peur !

Son visage était tourné vers le jardin de Jolin, le
fabricant. L'obscurité était complète :

> A peine si la mort me semble plus amère.
> Mais pour traiter du bien qui m'y fut découvert,
> il me faut raconter les choses que j'ai vues.

> Je ne sais plus comment je m'y suis engagé,
> car j'étais engourdi par un pesant sommeil,
> lorsque je m'écartai du sentier véritable*.

---

* *La Divine Comédie*, trad. Alexandre Cioranescu. *(N.d.T.)*

Tout près de lui s'éleva une voix pitoyable et furieuse en même temps :

— Tu vas m'aider. Tu vas m'aider bon Dieu de bois !

Il regarda droit dans une paire d'yeux furibonds.

— Oh que j'ai eu peur… Qu'est-ce que tu fais dans cette clôture ?

— Je me suis accroché, dirent les yeux. Par la chaussure droite de Selma ! Aide-moi à me défaire.

— Tu m'as fait une peur.

Il s'approcha et examina l'apparition.

— C'est ton pied qui est coincé.

— Merci, je le sais. Tourne-le, y va s' décoincer. Ça y est. Merci…

Un garçon de son âge, quoique plus petit, tomba de la clôture devant Sidner.

— Bon sang, cette fois-ci j'ai bien cru que ma dernière heure était arrivée… Ramasse les pommes, là, y faut qu'on s' dépêche si jamais elle arrive… Il se releva et s'approcha de Sidner.

— J' croyais qu'elle était derrière moi, la mère Jolin, mais ça d'vait être qu'un r'nard. C'était quoi c' que tu récitais ?

— Rien.

— C'est toi qui l'as écrit ?

— Non, il s'appelait… Dante.

— Ça *avait l'air* bien en tout cas.

— Tu trouves ? Je croyais que personne ne me découvrirait ici.

— Même moi j'aurais pas pu faire mieux…

— Tu voles des pommes ?

— Et des prunes. Prends-en une… Mais y vaut mieux qu'on s' tire maintenant, sinon elle va s'amener, la vieille, c'est sûr. On va aller au hangar à bois, ç'ui qu'est près du lac.

L'ami de Sidner s'appelait Splendid, du nom de l'hôtel de Karlstad où il avait été conçu la première nuit que ses futurs parents avaient passée ensemble dans un hôtel. C'était un endroit chic, avec un ascenseur, comme sa maman ne manquait jamais de le raconter. Ils y avaient atterri par erreur puisque la sœur à qui ils devaient rendre visite pendant leur voyage de noces s'était cassé une jambe et pour l'heure se trouvait à l'hôpital sans pouvoir communiquer avec l'entourage. Dix mois plus tard, le pasteur qui devait faire son œuvre leur avait dit : "Je ne peux pas baptiser un enfant Splendid", mais ses parents avaient répondu :

— C'est Splendid ou Rien.

Et devant cette alternative il avait choisi de céder et Splendid, qui durant toute la cérémonie s'était tu comme il convient à un enfant conçu dans des conditions aussi coûteuses, n'avait jamais protesté contre son nom. En un laps de temps étonnamment court, il avait quitté sa robe de baptême pour revêtir une casquette et devenir le premier chapardeur de pommes de la ville, et c'était en tant que tel que Sidner l'avait alors rencontré, par cette soirée de septembre au vent tiède. Splendid avait bien employé sa soirée et, grâce à une échelle, avait systématiquement vidé les poiriers, les pommiers et les pruniers de Jolin, jusqu'au moment donc où il avait cru entendre dans l'herbe les pas de la femme du fabricant et s'était précipité sur la clôture dans laquelle il s'était irrémédiablement empêtré. Il passait son temps à haïr Jolin qui un jour, et certainement à raison, l'avait accusé d'avoir joué dans sa barque et, en cette occasion, de lui avoir perdu une rame que des vents du sud avaient prestement menée au-delà du monde visible.

Sidner fut frappé de stupeur en découvrant l'ordre qui régnait dans ce hangar à bois jusqu'alors inconnu. Les fruits étaient disposés en lignes droites sur les étagères, tous lisses et brillants, avec leur queue dans la même direction, sur un lit d'exemplaires du journal *Frykdalsbygden*. Le nouveau stock amené était cependant d'une importance telle que Splendid dut entreprendre un tri, en balançant une partie par un vasistas ouvert.

— Tu as bien arrangé ici. Et il y en a des fruits !

— Ouais, ça commence à faire un peu trop.

— Pourquoi ne t'arrêtes-tu pas d'en voler, alors ?

— J'estime que la classe supérieure n'a pas à manger autant d' fruits. Tiens, prends encore une prune.

— Merci, dit Sidner et Splendid remarqua sa confusion :

— Tu peux cracher les noyaux par terre. Comment tu t'appelles ?

— Sidner.

Splendid tourna autour de lui et l'examina minutieusement, puis il hocha la tête.

— Eh ben oui. C'est toi qu'habites au-dessus de l'hôtel. Toi que ta mère elle a été piétinée par les vaches.

— En allant à *l'Oratorio de Noël*, oui.

— Et ton père, y travaille dans la cave aux vins du Björk. Moi, j' m'appelle Splendid. Mon père à moi, c'était le Roi du Canon.

— Le Roi du Canon, oh !

— Mais il a plus d' jambes. Un jour y s'est écrasé.

— Pas de jambes du tout ?

— Seulement deux moignons. Il est assis dans un chariot par terre. Tu pourras v'nir chez moi. Si tu veux l' voir… T'as lu l' journal d'aujourd'hui ?

Sidner fronça les sourcils, secoua la tête.

— Assieds-toi en attendant.

Splendid s'assit par terre, sur un tapis de lisières aux tons jaunes et rouges délavés, étalé dans un coin entre des piles de bois. Il lut, réfléchissant, hochant la tête et faisant hum-hum pour lui-même, comme un vieillard, lisant de temps en temps une phrase à haute voix, comme s'il la dégustait. "Sunne a battu Munkfors par cinq à deux. Buts marqués par Bengtsson et Lamming." Il leva les yeux vers Sidner qui ne s'était pas encore décidé à s'asseoir, on se serait cru en visite chez un pacha turc.

— Ce Lamming, c'est mon oncle. Il arrive à faire rebondir la balle cent cinquante-six fois. Et toi, à combien t'arrives ? Moi, j'en fais quinze. Hein, et toi ?

Sidner déglutit.

— Combien ? Dix, cinq ?

Sidner baissa les yeux par terre, dans la sciure.

— Tu ne sais pas parler ?

— Siii.

— Bon, ben tu la fais rebondir combien de fois alors ?

— Je ne sais pas. Je ne sais pas ce que ça veut dire.

— Tu sais pas ? Ce que ça veut dire ? Mais qu'est-ce que tu fous alors ? Dans la journée, quand t'es pas à l'école ?

— Rien.

Splendid le regarda avec tendresse et indiqua l'étagère aux fruits.

— Sers-toi encore de prunes. Tant que tu voudras. Ah bon, t'en veux pas ?

— Je joue un peu du piano, comme ça. Je lis.

— Y a combien de temps qu'elle a été piétinée à mort, ta mère ?

— Quatre cent quatre-vingt-six jours.

— Je comprends. Et puis alors vous remplissez les bouteilles pour l'hôtel. T'en as d'jà goûté ?

Sidner secoua la tête.

— Un peu ? Sur le doigt ?

— Papa est tempérant. C'est pour ça qu'il a obtenu ce travail.

Splendid comprenait.

— Evidemment, y s'rait fou furieux, le Björk, si tu t'en prenais un p'tit verre. Il le d'vient pour un rien. Mais il est riche. C'est le plus riche de tout Sunne. Ma vieille elle dit qu'y mange de l'omelette tout le temps. Sans lait dedans. Et qu'y met de l'oignon. Splendid soupira profondément.

Mais j' suppose qu'y d'viennent tous comme ça. Les Jolin y sont riches aussi. T'as vu les chaussures qu'il a ? Pleines de trous au bout, blanc et marron. J' vais en acheter une paire quand j' s'rai grand.

Puis Splendid se lève.

— Eh ben oui !

Comme s'il venait de prendre une nouvelle résolution fondamentale.

— A demain.

Ils fréquentent des écoles différentes, mais le lendemain Splendid se tient devant les grilles et attend Sidner. Il fait encore jour et Sidner le distingue bien : il est petit, une tête de moins que Sidner, il est mince et frêle et, sous la casquette, des cheveux noirs pendent sur son front.

— J' pensais qu'on pourrait aller voir Wärme, l' doyen.

— Pourquoi ?

— Juste pour voir s'il est chez lui.

Ils traversent le bourg mais lentement car Splendid entre dans les portes cochères, il passe dans les arrière-cours et fouille les poubelles, il grimpe aux arbres, indique à Sidner un trou où demain ils pourront laisser leurs livres d'école pour ne pas avoir à les trimbaler. Quand ils approchent du chemin de l'église, Splendid dit :

— Ton grand-père, c'est lui qu'était pasteur ici y a longtemps. Et qu'a volé tout l'argent dans la caisse de l'église. Et qu'est parti aux Amériques.

— Ouii, dit Sidner.

— Et qu'a envoyé ici un cercueil dans lequel y' avait qu' des cailloux pour qu'y croient qu'il était mort.

— Je ne sais pas si c'est vraiment comme ça.

— Ben, à moi ça m' fait rien, dit Splendid. Je trouve que c'était bien. Vachement bien fait. Et ensuite il a eu une *gambling house* aux States, non ?

— Grand-père était pommologue.

— C'est quoi ça ?

— Il cultivait des pommes de toutes les variétés.

— Oui, je sais. C'est pour ça qu'y faut qu'on aille chez Wärme. Il a des pommes vachement bonnes.

— C'est grand-père qui lui a planté ses arbres, autrefois.

— Tu l'as connu ?

— Non, il est mort il y a longtemps. C'est pour ça que maman et oncle Torin et oncle Sleipner sont revenus ici. Maman n'était pas très âgée quand il est mort. Il avait fait un testament pour leur léguer une maison qui lui appartenait.

— Très bien fait en tout cas. Maintenant enlève tes chaussures !

— Pourquoi ?

— Fais c' que j' te dis. Mets-les dans ta ch'mise qu'on les voie pas.

Pieds nus ils descendent le chemin qui passe devant l'entrepôt et mène au presbytère. Le pasteur se tient sur la véranda, les mains dans le dos, il regarde son jardin.

— Je le savais bien. Vers trois heures y est toujours. Ne montre pas tes chaussures maintenant. Bonjour, monsieur le pasteur !

— Bonjour mes enfants. Alors, vous vous promenez. N'avez-vous pas froid, pieds nus comme ça ?

— Sii, soupire Splendid qui regarde avec convoitise les buissons de pruniers épineux, et les arbres qui croulent sous les fruits mûrs à point.

— Attendez, je vais vous donner quelques pommes, elles sont vraiment bonnes.

Le doyen Wärme est grand et gros, ses cheveux blancs volettent quand il traverse le sentier du jardin en fredonnant *O, tête blessée ensanglantée.* Les mains dans le dos, il contemple une lourde branche. *Couverte d'avanies et de huées.* Il se dresse sur la pointe des pieds mais n'y arrive pas. *O, visage tordu de tourments.* Il fait un petit bond en l'air et attrape la branche et les pommes tombent tout autour de lui. *Courbée par l'angoisse et qui se lamente.*

— Ramassez-en, mes enfants. Emmenez-en pour vos parents aussi.

Plus tard ils sont assis devant l'église et relacent leurs chaussures. Ils sont assis sous le sureau dénudé, là où le rocher affleure.

Splendid rayonne.

— Tu vois qu' j'avais raison. Quand t'as des chaussures on te donne rien. Y donne seulement à ceux qu'en ont pas. Il aime ceux qui sont pauvres. Tu peux prendre mes pommes, si tu veux.

— Je ne sais pas si je peux encore en manger.

— Oui, c'est pareil pour moi. On s'en lasse à c't' époque de l'année. Et pi ça fait aller aux chiottes sans arrêt.

— Mais pourquoi tu en prends tant alors ?

— Parce que je trouve qu'elles sont… tellement chouettes… Qu'on se met à y penser.

C'est ici que l'amitié commence pour de vrai.

— Oui, elles sont belles.

— J' savais bien que t'allais l' penser toi aussi.

Suivant la devise "On apprendra toujours quelque chose", Splendid et son écuyer Sidner flânaient en ville et Splendid ouvrait une par une les portes du monde. Ils découvrent la route de Torvnäs avec ses petites usines. L'usine de lames de rasoir, l'usine de lainage Tidan, la briqueterie ; Splendid est partout comme chez lui, à la gare du chemin de fer, à la Coopérative et à la Laiterie, partout il est le bienvenu et il commence toujours par les mêmes mots :

— Lui, c'est Sidner, il habite à l'hôtel, son père s'occupe des alcools pour le Björk mais il est tempérant.

Il passe sous silence le reste de la présentation, tout le monde la connaît déjà, il n'y a pas de silences embarrassés mais il faudra pourtant à Sidner de nombreuses années pour qu'il comprenne que le monde a réussi à traverser la membrane de ses nerfs, il faut du temps aux enseignements pour mûrir. Et un jour il peut aller chez Splendid avec lui et dès la porte Splendid annonce :

— Il est là.

Comme quoi il est attendu. Il *est* quelqu'un.

Splendid est pauvre. Il habite dans une petite maison à Totthagen, à côté de l'hôpital. Une petite maison blanche à l'orée du bois. Des poules entrent et sortent par la porte entrouverte. Il y a des clapiers à lapins sous les arbres. La mère de Splendid, qui a l'air usée, et plus grise que jamais ne fut Solveig, se tient devant le billot et coupe le cou d'un coq avec une hachette. Le coq fait quelques tours sans sa tête avant de s'écrouler à ses pieds. Dans le silence quelques plumes tombent par terre.

Splendid attend immobile dans la cuisine que Sidner fasse connaissance avec son père.

Comme s'il y avait ici la cause et l'explication de tout.

Et Sidner regarde ce petit paquet de père, assis devant une table haute de cinquante centimètres et qui taille des louches en bois. Les jambes sont sectionnées quelque part au-dessus du genou. Une moitié de son visage est enfoncée, il lui manque une partie de la tempe. Mais les yeux sont là, et les mains. Il porte des lunettes qui pendent à mi-nez, lui aussi enfoncé ou cassé. Il tourne les roues de son chariot et adresse à Sidner un sourire édenté.

Un monde de poupée : un lit bas et court contre un mur, à côté une étagère couverte d'outils, par terre un énorme poste de radio, un crachoir avec des rameaux de genévrier, le dessus-de-lit est en vrai velours de couleur rouge sombre. Sidner a tout son temps pour digérer ses impressions, Splendid ne le bouscule pas, il se tient près du robinet et boit, puis il tend la louche à Sidner.

— Elle est bonne et fraîche !

Sur la commode, une photographie d'un jeune homme en justaucorps rayé et moulant. La tête coiffée d'un chapeau melon, une canne à la main. De longues moustaches cirées. A côté de lui un caniche en veston et cravate, debout sur les pattes arrière. Ici il pose devant la tour Eiffel, là devant un palais et là s'appuie sur le parapet d'un pont sous lequel glissent des cygnes.

Et les tambours s'élèvent en roulements de plus en plus rapprochés, Sidner retient son souffle, les haut-parleurs crient dans la cuisine qui devient une fête foraine, qui devient le monde.

— Mesdames et messieurs ! Notre attraction sensationnelle, le boulet de canon vivant : Fonzo !

Des éclairs et le tonnerre, Sidner le souffle coupé comme des centaines, des milliers d'autres visages tournés vers le ciel, bouche bée :

— Et je volais, comme j'ai toujours rêvé de le faire, en une large courbe au-dessus de la pelouse, là-bas chez moi dans le Småland, je m'envolais, Je montais, et en bas mes parents criaient : "Alfons, mon petit, ne va pas te rompre le cou", et je volais, et notre voisin le procureur criait : "Alfons, fais attention à notre drapeau suédois", et notre voisin le prêtre, le vieil humaniste, disait : "Alfons, ne va pas voler trop haut comme Icare", je me souviens de ses moustaches blanches et j'avais honte du duvet qui plus tard est devenu mes moustaches cirées.

A nouveau les haut-parleurs, en plusieurs langues, dans des éclairages changeants sur la cuisine, sur Paris, sur Vienne.

— Et maintenant, mesdames et messieurs, la belle miss Lola et Fonzo, le Roi du Canon, l'homme qui a vaincu le continent.

— Et je volais au-dessus du détroit du Sund, au-dessus de Copenhague avec son port encombré de bateaux et de drapeaux, volais au-dessus de la ligne du chemin de fer qui filait vers le sud. Vers Kiel. Vers Hambourg. Et les zeppelins volaient à côté de moi comme de gros cigares, les pilotes regardaient dehors et me faisaient un signe de la main, mais je les distançais. Il y avait une odeur de sciure et de chevaux et de chaleur sous le chapiteau quand les cirques s'étaient vidés des spectateurs. Miss Lola de Markaryd était la fleur rouge des affiches. Moi, j'en étais le bleu, comme son mari qui m'expédiait dans le roulement des tambours, en un instant de joie totale. Et nous arrivions à Rome, et là-haut, au-dessus du pape, au-dessus du dôme de la basilique Saint-Pierre, j'agitais ma canne, en Arlequin vêtu d'un justaucorps, chapeau melon sur la tête et fumant un gros cigare. Je passais au-dessus de Buda, et au-dessus de Pest, et le prince Ferdinand était là, dans sa jolie veste. Nous arrivions à Paris ! *Ah, bonjour Paris**, criais-je. *Bonjour Fonzo**, me répondait Paris, et sur les Champs-Elysées Isadora Duncan était là et dansait pour moi une danse qui

* En français dans le texte. *(N.d.T.)*

faisait s'arrêter la circulation, et des chauffeurs en casquette de cuir sortaient et partageaient leurs regards entre Isadora et moi. Jean Jaurès aussi était là.

Et miss Lola et moi nous volions de plus en plus haut vers les étoiles, dans les bras l'un de l'autre nous tournions, autour de la planète Mars et de Vénus la brûlante. Les musettes étaient loin et les tarentelles s'évanouissaient, bouche contre bouche, à l'écart des phares des étoiles, tels des poissons dans un aquarium abandonné.

— Mesdames et messieurs, notre attraction sensatio...

Une décharge de canon tonna dans la cuisine.

Car tandis que nous volions ils ont retiré les filets protecteurs de la terre. Quand le prince Ferdinand a retiré sa veste, la balle l'avait déjà traversé, quand Jean Jaurès a mis son chapeau sur sa tête, la balle d'un assassin l'avait atteinte. Et l'herbe des parcs d'Europe sur laquelle les gens nous attendaient était brûlée et eux le visage contre terre.

Et nous sommes tombés, sans un seul rayon de lune auquel nous accrocher, car les canons avaient arraché les attaches, impossible de trouver une seule étoile sur laquelle atterrir, les pointes des obus les avaient éteintes et moi, qui avais ri et agité ma canne, moi le dernier boulet de canon humain, bouche contre bouche avec miss Lola de Markaryd, je suis tombé sur la terre brûlée. Et maintenant me voilà sur le plancher. D'ici rien ne peut plus tomber.

Le calme s'était fait dans la cuisine. Une plume de poule voletait sur le seuil, glissa à l'intérieur portée par un courant d'air clément d'automne, s'approcha du père de Splendid. Il la prit dans sa main, la regarda et la passa sur sa joue intacte.

— C'était comme ça, à l'époque, dit Alfons Nilsson. Maintenant c'est comme tu vois.

— Mais en vrai, papa ?

— En réalité c'était difficile.

— Oui, mais… Quand tu t'es écrasé. Et pourquoi tu l'as fait ?

Ils étaient assis par terre et Alfons Nilsson regardait du côté de la porte.

— Ta mère n'aime pas que je le raconte, dit Alfons.

— Elle n'est pas encore là.

— Et je ne sais pas si des jeunes garçons comme vous…

— Eh, papa. Sidner *a besoin* d'entendre ce genre de choses. Je te l'ai d'jà dit, il a besoin d'apprendre comment va l' monde et c' que c'est qu' la vie ! Sinon y file dans ses rêves.

Alfons Nilsson posa ses poings par terre pour faire rouler son chariot vers la porte, pencha son torse par-dessus le seuil et regarda.

— Voilà ce qui s'est passé, les gars, chuchotat-il en souriant. Je suis donc tombé amoureux de cette miss Lola. Oui, en réalité elle s'appelait Greta Svensson. Mais elle était mariée avec le canonnier. Et un jour il nous a surpris quand nous…

— Quand vous *étiez ensemble* ?

— C'est ça. Le jour du spectacle suivant, il a réglé le canon à la mauvaise distance, dix mètres à côté du filet de sécurité. Quand je me suis réveillé à l'hôpital trois mois plus tard, le cirque au grand complet, avec le canonnier et Greta et tous mes amis, était parti avec le paquebot *Titanic.*

Splendid examina l'expression de Sidner.

— Maman était infirmière dans c't hôpital.

— Eh oui, elle l'était, hennit Alfons Nilsson satisfait.

Plus tard, ils sont allongés comme sur un ventre dans l'herbe d'automne et crachent sur les fourmis. Les baies de sorbiers rougeoient au-dessus d'eux. L'air est pur et dégagé mais pas froid pourtant. Ils essaient d'atteindre les fourmis avec leur salive et les laissent s'engluer dans la mousse blanche. Elles se débattent un instant, ensuite leurs mouvements deviennent plus lents, jusqu'à ce qu'elles se recroquevillent ; alors il est temps de les en sortir pour les voir reprendre vie.

— C'est quand même énorme c' qu'elles sont fortes, quand on pense à c' qu'elles sont p'tites.

— Comme il sait bien raconter, ton père !

— J' crois que c'est parc' qu'elles pensent pas. Y a des jours j'aimerais être un qui pense pas et qui avance tout droit sans penser. Ecoute !! Peut-être que nous on *croit* seulement qu'on pense. Mais alors y a quelqu'un qui nous crache dessus et ensuite on s' débat au milieu du crachat. Et pi y a quelqu'un qui nous en sort sur une feuille sèche et après un moment on s' réveille et on dit : C'était moins une, Oskar. Et pi on continue encore un peu.

— C'était vrai tout ce qu'il a raconté ?

— Tu crois que mon père y ment ?

— Non.

— Quoiqu'il exagère. Mais j' trouve qu'y peut bien l' faire. Ça doit pas être très drôle de pas avoir de jambes. Quelquefois je l' sors dans les bois. Il aime beaucoup les oiseaux. On emmène not' café et on bouge plus. Qu'est-ce tu veux faire quand tu s'ras grand ?

— Je ne pense pas que je vivrai aussi long-temps, dit Sidner.

Splendid roule sur le dos.

— Moi, j' pense que j' suivrai l' chemin d' papa.

— Et si tu t'écrases comme lui ?

— Ça doit en valoir la peine. Mais c'est drôle. Si on pense qu'y volait p't-être vingt s'condes par semaine. Quand y avait assez d'engagements, j' veux dire. Vingt secondes au lieu de se r'trouver dans une usine toute la s'maine. Mais papa m'a dit que c'était vachement important qu'y ait des gens qui fassent des trucs comme ça. Pour montrer que la vie elle est pas si simple. Que les gens sont pas tous pareils. Il y en a qui pensent : Mon Dieu, ce que certains peuvent être fous ! Incroyable ! Mon père il va pas s'imagi-ner que ces gens-là ils réfléchissent au pourquoi il faisait ça, non, mais qu'ils pourront se dire qu'une fois dans leur vie ils auront vu un homme qui *volait*. J' me sens comme un poème, y dit papa. Et c'est important que quelqu'un continue à faire des choses qui sont des poèmes. Nous on abandonne pas. Comme les prêtres ou ceux qui font d' la musique, y dit aussi. J' trouve que tu devrais d'venir serrurier quand tu seras grand. Si tu vis encore, j' veux dire.

— Serrurier, pourquoi ? Pour faire des clés ?

— C'est pas seulement ça. Mais pour ouvrir aux gens qu'ont perdu leurs clés. Tu sais qu'y en a qui le font. Ils oublient où ils les ont mises, ils oublient qu'y sont pauvres ou qu'il y a des trous dans leurs poches. Moi, j'en ai trouvé souvent des clés. Quelquefois plusieurs le même jour.

— Mais ils n'ont pas de doubles de leurs clés, alors ?

— Un pauvre, y pense pas à en faire, tu t'imagines.

— Pourquoi veux-tu que je devienne serrurier, alors ?

— Je veux, je veux… Mais parce que t'es trop timide. Ça t' ferait entrer chez plein de gens. Tu verrais comment c'est chez eux. Les maisons qui sont différentes, les appartements différents. Pour toi ça s'rait bien.

— Mais je ne suis pas timide.

— Bien sûr que tu l'es, tu parles presque pas.

— Je ne parle pas ?

— Avec moi, si. Mais y m' faut du temps pour t'apprendre. Un mot dans la bouche et un coup dans l' derrière pour que ça marche.

— Peut-être.

— Toi, t'as besoin de rentrer chez les gens pour voir. Et pense à tous les morts que tu verrais. Une fois y avait un Finlandais qu'habitait là-bas dans les bois. Des gens qui cueillaient des baies par là, ils ont trouvé que ça sentait drôle autour de la maison. Personne n'a répondu quand ils ont frappé. Alors ils ont fait v'nir la police et Hermansson, tu sais, le serrurier.

— Non, je ne savais pas.

— Tu vois, y faut connaître tout l' monde si on veut s'en sortir.

— Et qu'est-ce qu'ils ont trouvé dans la maison ?

— Pouah, t'aurais pas supporté.

— Oui, mais comment c'était ?

— Tant pis pour toi si tu veux entendre ça.

— Mmm.

— Y avait des mouches qu'étaient grosses comme des bourdons, j' vais t' dire. Des grosses, poilues. Trente ou quarante. Le soleil il entrait dans la pièce et ça les f'sait toutes vertes et bleues. Et poilues, comme j' te disais. Le Finlandais, il était assis sur une chaise, avec la moitié du visage qu'était pourrie. Comme de la mousse, il a dit, Hermansson.

— Tu as parlé avec lui ?

— Non, mais y l'avait raconté à papa et papa l'a raconté à maman et j' les ai entendus à travers la cloison. Papa y disait : Le Finlandais il est peut-être resté mort comme ça pendant quinze jours, mais combien de temps il est resté tout seul déjà du temps qu'y vivait encore ? Voilà c' qu'il a dit, mon père.

— Comment fait-il pour monter dans son lit au fait ?

— C'est nous qu'on l' porte. Y pèse presque rien. Et le Finlandais, y avait des vers qui lui grimpaient dessus. Tout blancs. Tu sais qu'on peut en voir des choses...

— Quand on est serrurier, oui.

Splendid n'avait pas fini de susciter l'imagination de Sidner.

— Une autre fois, y en avait un qui voulait voler. Y s'est écrasé devant sa maison, là-bas, du côté de Klockergården, la moitié de son corps elle était en bouillie. Y s'était attaché des ailes aux pieds, en papier.

— Comme Apollon ?

— Ça, j' sais pas. Y s'appelait Erik, en tout cas. Peut-être qu'elles étaient en carton. Tu crois qu'il pensait vraiment y arriver ?

— Ton père le faisait bien. Quelquefois il *faut* croire qu'on réussira.

— Ou alors c'est qu'il savait qu'il allait mourir mais y voulait qu'on parle de lui. Qu'on dise "L'homme qu'avait des ailes aux pieds".

Ils furent interrompus par le bruit d'un attelage qui, d'un pas lent, venait de Stapelsbacken.

— Dis donc, mais c'est Selma qui s'amène.

— Selma Lagerlöf ?

— Oui.

— Tu la connais aussi ?

— Non, connais pas vraiment.

Mais Splendid quitta l'herbe, sauta sur la route, et lorsque le phaéton arriva, il retira sa casquette, salua et prit le cheval par les rênes.

— Bonjour, madame Selma !

— Splendid, mais c'est toi !

Sidner regardait la femme célèbre assise dans la voiture. Elle était exactement comme sur les photos. Ses cheveux blancs sous un chapeau noir à large bord, un manteau noir et les mains glissées dans un manchon.

— Madame Selma, vous allez souhaiter sa fête à Fanny ?

— Oui, en effet. Comment sais-tu qu'elle...

— Je lis bien les journaux.

La poussière retombe autour des sabots du cheval et Sidner aussi s'approche de la voiture, il tient sa casquette à la main et s'incline.

— Et qui est donc ce jeune homme ?

— Mais c'est Sidner, dont j' vous ai parlé la dernière fois que j' suis allé là-bas, lui qui...

— Ah, c'est toi ! Et tu es allé réveiller Fanny en lui apportant le petit déjeuner au lit, Splendid ?

— Non, j' pêchais des perches, alors j'ai pas eu le temps.

— Toi tu te démènes, et tu en as la force. Ce n'est malheureusement pas mon cas. Maintenant il faut que je m'en aille. Passez me voir un de ces jours. Tous les deux, dit-elle.

Sidner est soudain jaloux de Splendid qui semble être partout, presque partout à la fois... Plus tard il écrira : "Il existe des gens dont la nature est multiple. Ils arrivent à doubler, oui, à multiplier par dix leur existence et leur présence. Ils se manifestent auprès de ceux qui sont en difficulté, auprès de ceux qui n'ont personne avec qui partager leurs peines ou leurs joies. Ils avancent dans la vie pourvus de grandes antennes."

Il suit le cheval du regard, jusqu'à ce qu'il ait disparu. Il reste immobile, tandis que d'une voix sourde il demande :

— Qu'as-tu dit sur moi ?

— Bah, rien.

— Pourquoi ne m'as-tu même pas dit que tu la connaissais ?

— Oh, chaque chose en son temps.

— Tu as eu des perches alors ?

— Ça suffira pour le dîner.

— Et Fanny, qui est-ce ?

Splendid indique la maison de Fanny. Entre les arbres il distingue mal une femme en robe de chambre rouge, sur son balcon avec un plateau de petit déjeuner.

— C'est à elle qu'appartient la mercerie, articles de mode ?

— Ouii.

Un moment plus tard, il voit aussi Selma Lagerlöf sortir avec un carton de gâteaux.

Fanny pose le plateau sur le rebord du balcon, disparaît à l'intérieur pour aller chercher un fauteuil, une nappe. Elle l'étale sur la table, verse le café, et les deux femmes s'installent.

— Je vais t' dire une chose, c'est que Fanny elle donne beaucoup d'idées à Selma.

— Comment ça ?

— Ben, tu l' comprendras bien un d' ces jours.

Des portes, des entrées. Des trouées dans le feuillage où scintille quelque chose de rouge.

Le fait que Fanny Udde soit en contact télépathique avec Sven Hedin ne perturbe en rien sa capacité à s'occuper de son magasin de nouveautés. En chemisier blanc à col haut elle se tient derrière son comptoir et se frotte la nuque avec le mètre tout en feuilletant un journal de mode français. Fanny sourit et rêve, rêve et sourit. Elle fait le tour des étagères, regarde par la porte du côté de la route, de l'hôtel et du passage à niveau, puis revient et rêve.

Sa boutique est comme une yourte kirghize. Voilages, coupons et rouleaux de flanelle sont empilés un peu partout, de lourds rideaux en velours ferment les cabines d'essayage, l'air est lourd mais lorsque Fanny fait un mouvement de ses longues mains, une bouffée de parfum se répand. Ses mains sont magnifiques, de fines veines bleues courent sous la peau de ses doigts garnis de bagues. Elle racontait qu'elle tenait l'une de ses bagues de Sven Hedin. Une bague authentique de la région du désert de Gobi. Il y a beaucoup de photos de lui au mur, l'une d'elles lui est dédicacée, il est appuyé contre une voiture blanche sur une route quelque part en Suède. "A Fanny, ma fidèle admiratrice, de la part de Sven Hedin", voilà ce qu'il y a écrit, au cas où personne ne la croirait, mais si. Il a posé sa main droite sur sa main gauche, le phare de la voiture est allumé, on le voit très bien. On a fait appel à un photographe très habile, en arrière-plan un bouleau forme un encadrement efficace à la scène, Fanny soupire. Elle a trente-six ans et aucun être actuellement vivant ne sait encore qu'elle porte une petite tache de naissance sous son sein droit, une petite tache sombre. Ses cheveux sont coiffés en un énorme chignon, et aucun être actuellement vivant ne les a vus défaits, personne ne sait combien ils sont longs. Aucun être vivant n'a encore embrassé ses lèvres, personne n'a touché son nez, droit, comment cela est-il possible, voilà ce qu'on ne peut raisonnablement comprendre !

Splendid a un don incomparable pour découvrir des chemins qui mènent à des contrées sauvages inconnues, il flaire les sentiers secrets qui mènent hors du quotidien ; un jour il estime Sidner mûr pour un tel voyage d'exploration, car ils sont maintenant amis depuis longtemps. Ils hésitent devant la porte de Fanny Udde, ils n'osent vraiment appuyer sur la poignée et ouvrir, mais maintenant la cloche tinte, une authentique cloche chinoise, pling-pling fait-elle, c'est du chinois et cela veut dire : Entrez, même si vous n'avez pas l'intention d'acheter le moindre sachet d'aiguilles.

Pling-pling, et les voilà dans un autre pays.

Fanny est assise derrière le comptoir dans un haut fauteuil en osier.

— Bonjour Splendid, je suis contente de te voir. Qu'est-ce que tu veux aujourd'hui ?

— Je voulais juste montrer la cloche à Sidner. Qu'elle est chinoise. C'est lui qu'habite à l'hôtel et que sa maman elle a été écrasée par les vaches.

Il s'approche d'elle, se penche au-dessus du comptoir, pèse sur ses avant-bras, la regarde dans les yeux :

— Y m'croyait pas.

Alors Fanny se tourne vers Sidner, ô, toi, créateur des êtres de chair ! Il se tient toujours près de la porte et touche la cloche, un ton frêle et tranquille qui vague parmi les pièces de tissus et les tentures, il reste planté là, comme pour essayer de comprendre le son, d'arriver à le lire correctement et pour avoir le temps de découvrir tous les lieux, toutes les époques remarquables, que le son a apportés.

Comme si le visage du vieux Chinois fondeur de cloches se laissait révéler. Ses mains deviennent visibles. La maison où il l'a fabriquée, les montagnes derrière le village où il vivait, les troupeaux de moutons sur les collines, les routes caravanières sur lesquelles la cloche a été transportée. Tout, tout est suscité par ce son grêle, lentement Sidner ouvre la bouche et se fige dans l'enchantement. Fanny hoche la tête en le regardant :

— Il le voit !

Et elle sourit et le laisse là jusqu'à ce que ses visions s'estompent et elle ne se soucie pas de Splendid qui chuchote :

— Il est comme ça quelquefois, Fanny.

Quand il s'approche d'elle, elle ne dit rien tout d'abord mais prend sa longue main droite entre les siennes et l'examine attentivement, puis elle lève le regard vers lui :

— Pauvre garçon ! Tourne la paume de son côté et la serre sur sa poitrine : Exactement comme celle de Sven.

Splendid hoche la tête d'un air encourageant vers Sidner, mais Sidner reste sérieux, il ne connaît encore rien de sa propre vie. Dans son journal *Des Caresses* on trouve cependant quelques phrases probablement suscitées par cet instant : "Le mot suédois qui m'a le plus fasciné est Pressentiment. *Pressentir* quelque chose. Il y a dans ce mot une détermination qui laisse croire que le sujet est celui qui pressent alors qu'il s'agit d'une ferme conviction (bah, il n'existe pas de fermes convictions !!) que *nous sommes atteints* par le Pressentiment. La source du Pressentiment est extérieure à nous, elle est un phare dans la nuit, elle est l'éclair qui zèbre la voûte céleste, plusieurs fois de suite, et cherche, et parfois il arrive qu'une bribe de cet éclat nous frôle, pénètre dans les couches les plus profondes de notre conscience. Je dirais : je fus pressenti. Elle m'a donné le Pressentiment."

Splendid meuble son absence :

— Elle veut parler de Sven Hedin. Elle le connaît.

Comme s'il n'en avait pas déjà parlé toute la journée en chuchotant.

— Tiens, r'garde ça.

La main de Sidner est toujours posée sur la poitrine de Fanny, il tourne son corps vers la photo au mur : A Fanny, ma fidèle admiratrice…

— C'est elle, ça !

Ensemble ils l'admirent sous le couvert de ces mots et elle se laisse transformer, car elle vit en rêves. Avec grâce elle se laisse glisser dans le fauteuil en osier, penche sa tête contre un de ses doigts tendus et sourit avec mélancolie. De sa main gauche elle brosse son chemisier de dentelle pour en chasser un rien, elle ferme les yeux :

— En ce moment il est à Vadstena. Il dîne à l'hôtel. Il mange… ? De l'omble chevalier du lac Vättern en sauce rémoulade. Il est vêtu de blanc, un costume de lin qu'il a fait confectionner à Singapour. Un verre de vin blanc, un vin pétillant, est posé devant lui, un bouquet de roses mouillées de rosée. Il est seul. Maintenant la serveuse arrive : Que prendrez-vous pour le dessert, monsieur Hedin ? demande-t-elle. Il hésite. Il porte les doigts à son menton et réfléchit. Des fraises avec de la chantilly, dit-il.

— Mais Fanny, interrompt Splendid. C'est quand même pas la saison des fraises.

Fanny sursaute, son visage exprime la douleur.

— Oh, où suis-je ? Je me suis égarée, j'ai eu une telle migraine toute la journée. Je suis très fatiguée.

— Ça fait rien. On lui en envoie p't-être par le train d'Italie.

— Non, Splendid. Je me suis trompée. Je ne vois rien.

— Mais des prunes alors ? Y voulait p't-être des prunes. Ça se ressemble. De loin. Quand elles sont en conserve.

— Tu es gentil, Splendid.

— J'étais bête de dire ça, Fanny.

— Tu as eu raison. Il faut me faire rester dans les bornes, Splendid. Viens que je t'ébouriffe les cheveux.

Splendid passe derrière le comptoir et courbe la nuque, il tourne la tête et ferme les yeux, et les doigts de Fanny farfouillent. Sur la clavicule et derrière l'oreille. Sidner aussi doit pencher sa tête, mais il le fait vers tout ce qui est noir et vide et silencieux.

Dans le hangar à bois, Splendid lit à haute voix le *Frykdalsbygden* à Sidner.

— "Deux frères distillateurs clandestins ont avoué hier devant le tribunal rural que durant deux ans ils avaient distillé clandestinement de l'alcool et vendu leur production." Psschh.

Il est allongé sur le dos sur le tapis de lisières et souffle dédaigneusement.

— Clandestinement. C'est les frères Gustafsson à Åmberg. Ça fait longtemps qu'y font ça. Comme si personne il était au courant. J'en connais pas mal qu'en ont acheté. "Les Jeux de la Passion proposés en l'église de Sunne furent une déception. Le public eut en effet beaucoup de mal à interpréter ce qui ne fut qu'une suite de tableaux très confus." "Demain, départ d'une missionnaire. L'institutrice Ester Norberg doit être détachée pour se rendre, en tant que missionnaire, au Turkestan oriental." Le Turkestan oriental ! Va m' chercher l'*Encyclopédie familiale* derrière les bûches, qu'on r'garde où c'te bonne femme elle va aller.

— Tu as l'*Encyclopédie familiale*, toi ?

— Papa me l'a donnée. C'est *toi* qu'as besoin de tout savoir, y m'a dit. Ramène quelques prunes jaunes en même temps.

Cela se passe l'année d'après leur première rencontre, sur les étagères il n'y a plus autant de fruits, d'une certaine manière ils n'arrivent plus à en faire autant qu'avant.

— Voilà. "Turkestan oriental ou chinois. Le Turkestan chinois, aussi appelé Kashgarie, est situé à l'est du Turkestan russe et séparé de celui-ci par le T'ien-shan et le Pamir. Le pays n'est ouvert que vers l'est et se fond de manière continue avec le désert de Gobi."

— Oh la vache ! Continue !

— "Dans les régions d'altitude, la faune est composée entre autres du yak, du khoulan, de l'hémione, du chameau sauvage et de plusieurs espèces d'antilopes. En plaine on rencontre le tigre, le sanglier, le chevreuil, le loup, le renard et d'autres espèces."

— Et c'est là qu'elle va, l'Ester ! Il faut qu'on aille la voir, j' vois rien d'autre à faire.

— Pourquoi ?

— Ben ? T'en connais d'autres, toi, qui vont au Turkestan chinois, hein ?

— Non.

— Tu vois. On potassera plus tard, pour qu'elle voie qu'on sait.

— Ah oui ?

— Et pi on lui serrera la main et pi elle va s'en aller pour le Turkestan chinois et p't-être qu'elle va être mangée par un tigre et alors ça s'ra comme si on y était nous-mêmes. Et pi on pourra r'cevoir des timbres et des trucs de là-bas. Maintenant on continue le journal… Ecoute ça, Sidner : "Un événement navrant a eu lieu dans la nuit de mercredi à Östansjö. Un homme d'une trentaine d'années, pris d'aliénation soudaine, s'est manifesté de façon très violente. Ustensiles et mobilier furent brisés et la mère de l'individu, jetée à la porte, dut aller chercher de l'aide chez des voisins. Des personnes accourues se sont occupées du malade qui fut emmené à Bergskog où il est actuellement soigné. Quant à la cause de son aliénation, on nous dit que l'homme n'avait auparavant manifesté aucun signe mais qu'il souffrirait d'élucubrations religieuses qui l'ont désormais mené à cette triste fin." Qu'est-ce que t'en dis ?

— Je ne sais pas.

— Y faut qu'on aille le voir. J'en ai jamais vu des fous, avant. Pas un comme ça avec des élucubrations religieuses en tout cas. On pourra lui d'mander directement comment il a pensé. Ça pourra t' servir, Sidner.

— Pourquoi faut-il que tout me serve ?

— Parce que t'as peur. Mais c'est pas dangereux, j' connais beaucoup d' types bizarres, quoique pas vraiment un qui s' comporte comme ça.

— Mais il est tard maintenant. Nous n'y serons pas avant la nuit.

— J' savais qu' t'allais l' dire. Mais va parler à ton père, dis qu'on va au lac d'Hällsjön pêcher des écrevisses, parce qu'y en a des belles.

— Mais on n'a pas le droit de pêcher les écrevisses en ce moment !

— On *a presque* le droit pour les écrevisses.

Et puis soudain, avec un tel sérieux qu'il s'en met presque à parler en bon suédois :

— Il faut que tu apprennes à connaître le monde. Sinon tu vas devenir comme cette fille dont ils parlent dans le journal.

Ils frissonnent tous deux et regardent par les fentes du mur du hangar à bois. Il peut voir la rivière, elle coule à flots là-dehors, il fait froid et il essaie d'éviter de voir la coupure d'un coin des TÉLÉGRAMMES SINGULIERS DU MONDE ENTIER mais ses yeux y reviennent, comme attirés par une force intérieure.

"Un télégramme de New York nous apprend qu'une fillette âgée de quatre ans, de Lima, dans l'Ohio, est lentement en train de se transformer en pierre. Des parties de son corps sont tombées en éclats que des chimistes ont analysés comme étant du calcaire."

Sidner presse ses doigts contre un endroit de son poignet où il y a quelque chose qui ne devrait pas y être, un durcissement qui date de quelques semaines seulement, à peu près du jour où ils ont lu le télégramme pour la première fois.

— Ce n'est pas vrai, Splendid.

— Ah bon ? Tu les as vus démentir dans l' journal alors ? Tu l'as vu, hein ?

— Non, t'as raison.

— Je m' demande combien d' temps il lui faudra pour dev'nir complèt'ment en pierre. Et où ça commence ? Si c'est dans les jambes ou dans la tête ? Lequel tu crois qui s'rait l' pire, si ça commence dans les yeux ou dans les jambes ?

— Arrête. Je n'y crois pas de toute façon.

Il appuie fort sur son poignet.

— Mon père, y dit que…

— Je m'en moque. Mais c'est peut-être pire si ça commence dans la bouche, dit-il, et sa langue est liée et il sait brusquement que *ça a commencé*.

Il a la maladie.

C'est comme de la pierre dans la bouche. Il avale.

— Y a pire, dit Splendid. J'ai entendu parler d'un gosse qu'avait d' la barbe à un an, qu'a mué quand il en avait deux et qu'a perdu ses ch'veux à trois ans. Et pi j'ai entendu parler d' quelqu'un qu'a pas eu d' dents avant qu'il ait cinquante ans et des ch'veux à soixante ans et qu'a mué quand il en avait soixante-dix.

— Tu inventes tout cela.

— Oui, le dernier truc je l'ai inventé, d'accord. Mais sinon c'était vrai. J' veux seulement dire qu'y a beaucoup d' choses à quoi y faut faire attention. Je veux dire qu'y faut pas compter sur la vie. Que c'est ça qu'est bizarre même… qu'on puisse compter d'ssus.

— Bonjour, dit Splendid. On est v'nus voir le dingue d'Ostansjö.

C'est un dimanche matin et, essayant de se souvenir de l'été, l'automne s'est rallumé en une dernière tentative. La lumière règne dans le jardin de l'hospice. Des vieillards et des aliénés se promènent, liés aux courtes chaînes de leurs propres nerfs, écoutant le bruissement des pommiers et des bouleaux et celui aussi qui derrière tout cela crée le bruissement. Les ombres sont longues et douces et se coulent sur l'herbe haute. Plus loin, vers la plaine, un pan de champ de blé moissonné, de champs récemment passés aux labours de l'automne et qui brillent comme de la soie. Dans le lointain, des chevaux et des vaches hennissent ou meuglent, la cloche de l'église de Sunne tinte. La directrice se tient devant eux, sévère, la poitrine haute.

— Et que lui voulez-vous ? D'ailleurs, on ne parle pas comme ça.

— Sa mère nous a envoyés voir s'il avait pas besoin de rien.

— Ici, on a tout ce dont on a besoin.

— Tant mieux, dit Splendid. Parce qu'elle se f'sait du mouron qu'il ait pas sa Bible avec lui.

Tout autour d'eux les aliénés chuchotent, poussent des cris et font avec leur corps de brusques mouvements surprenants, comme s'ils se battaient avec tous les diables de l'enfer.

— La Bible ?

— Oui, il en a besoin pour la lire tous les jours, sinon y s'agite.

— Nous avons tout ce qu'il faut comme bibles ici. D'ailleurs il n'est pas en mesure de lire maintenant, pas dans son état.

— Ça peut être que cette Bible-là, dit Splendid en tapotant son blouson. C'est la seule qu'y peut lire parce qu'il y a fait des marques. Sa mère, elle nous a dit de la lui r'mettre en main propre, sinon y va s'agiter.

— Il le fait déjà, mais quelle est cette façon de parler, dis-moi ?

— Sa mère, elle dit qu'il faut que la Bible elle soit à côté d' lui, sur sa table de chevet.

— Table de chevet... mais il n'a pas de table de chevet. Partez maintenant.

— Il a pas de table de chevet ! T'entends, Bengt-Emil ! L'homme n'a pas de table de chevet. Voilà qui est navrant. Je me demande si le médecin communal de Karlstad est au courant de tout ça. Allez, viens, Bengt-Emil, dit Splendid, soudain solennel.

— Ecoutez-moi, vous deux ! crie la directrice, mais déjà ils s'éloignent.

Dans le bosquet, passé le tournant, Splendid tire Sidner sous les arbres.

— Maintenant on attend qu'elle s'en aille à Sunne. Elle va chez l' docteur pour lui d'mander une piqûre.

— Mais tu sais tout, toi !

Splendid creuse la terre du bout du pied et ne répond pas.

— Pourquoi m'as-tu appelé Bengt-Emil, d'ailleurs ?

— Sinon elle aurait su qui on est. Tu l' connais, Bengt-Emil Jolin, le bourgeois. Ses parents, ils lui donnent une couronne cinquante d'argent d' poche, alors ça fait rien si elle pense à lui. Maintenant, on bouge pas d'ici et on travaille sur le Turkestan chinois. Tu te rends compte, on va voir un vrai fou !

Le fou d'Östansjö est enfermé au grenier dans une cage en bois, Splendid sait cela aussi. Au crépuscule, la cour est tranquille, mais Sidner a peur et, tandis qu'il se faufile derrière Splendid dans les escaliers qui grincent, il récite pour lui-même, mais en chuchotant, comme chuchotaient les vieillards et les aliénés, nerveusement, par saccades.

Par moi, vous pénétrez dans la cité des peines ;
par moi, vous pénétrez dans la douleur sans fin ;
par moi vous pénétrez parmi la gent perdue.

La justice guidait la main de mon auteur ;
le pouvoir souverain m'a fait venir au monde,
la suprême sagesse et le premier amour.

Nul autre objet créé n'existait avant moi,
à part les éternels ; et je suis éternelle.
Vous qui devez entrer, abandonnez l'espoir*.

— Pourquoi tu dis ça, c'est encore ce… Dante ?

— Ça fait du bien… quand on a peur, de dire… ce genre de choses, chuchote Sidner.

L'homme est là-bas.

— C'est bien comme j' pensais. Mon père, il dit qu'y font comme ça avec ceux qui sont vraiment fêlés dans leurs têtes.

— Qu'est-ce que tu vas lui dire ? Tu crois que la cage est sûre ?

— Ça ira.

C'est comme dans une église, la pièce est haute de plafond. Le plancher grince même quand ils avancent à pas feutrés et ils voient le fou sursauter et se recroqueviller dans un coin.

— Bonjour monsieur. Nous sommes seulement venus vous saluer. Ça fait combien d' temps qu' vous êtes là ?

— Je suis des ténèbres avec du citron dedans, je vous le dis. Ils ne me croient pas. C'est lui qui était dans le citron qui s'est battu, il était fâché dans les meubles maman la loupiote la salope.

* *La Divine Comédie*, trad. Alexandre Cioranescu. *(N.d.T.)*

Le fou leur jette un regard sauvage mais s'esclaffe d'un rire saccadé, et Splendid s'éclaircit la gorge.

— On a lu sur vous dans l' journal, m'sieur, j' m'appelle Splendid et lui c'est Sidner, sa maman elle s'est… Pourquoi y vous ont mis dans une cage ?

— Derrière le miroir c'est noir comme des framboises. On peut me dire bonjour dans les escaliers où il fait si noir. Mais il a trouvé.

— On a lu qu' c'étaient des élucubrations religieuses que vous…

— Religieuses ! Je ferai la commission.

Il leur tourne le dos et reste longtemps assis immobile, se retourne soudain, en un mouvement très brusque :

— Ne pouvez-vous donc pas vous arrêter ! Il y a tant de maux de tête qui rebondissent contre les squelettes.

— Qu'est-ce que j' t'avais dit, chuchote Splendid, ça, c'est un vrai fou.

— Chut, Splendid, je veux en entendre davantage.

Sidner sait qu'il vit quelque chose d'important. Il déglutit, il a peur, c'est quelque chose qu'il doit traverser.

Entendre oui il le fait.

— Conduire devoir pleuvoir poussoir… mais il s'agit de voiles !

Crie :

— Non, Pas de voiles dans la boue. Dans le gâchis dans le cambouis mais là-bas dehors dans le citron ils voient tout.

— Vous êtes triste, monsieur ? demande Sidner.

— Tout à fait, on peut le dire.

— Mais vraiment ?

— Il n'y a pas d'autre mot. On le notera au dos du papier. Pour qu'ils soient là à avoir honte. QUE ME VEUX-TU ?

— Je veux… comprendre.

— Comprendre, c'est bien ce qu'il faut faire.

Le fou indique ses gencives et ricane à l'adresse de Sidner, serre ses mains sur les barreaux et les secoue.

— Seulement ce qui ne se voit pas est réel.

— Des ténèbres avec du citron, qui se fripe. Se manifeste dans maman, loupiote, salope.

— On s'en va maint'nant, Sidner, dit Splendid.

— Non, je veux rester.

— Comme les chevaux dans l'enclos ? demande le fou, curieux, presque souriant. Les demi-chevaux ne sont pas du citron, ils donnent des coups de sabot contre la vitre pardon melon. POURQUOI ÊTES-VOUS ICI VOUS VOUS MOQUEZ DE MOI, c'est pour cela qu'ils m'ont enfermé ici. Devant la vitre. C'est bien. C'est bien.

Maintenant il pleure, maintenant il tire sur les barreaux et les larmes ruissellent sur ses joues :

— C'est bon pour ces gens qui n'ont jamais vécu réellement.

— Oui, crie presque Sidner. Vous connaissez cela aussi !

Ils étaient tout à fait nus, pour mieux être piqués des guêpes et des taons qu'on voyait accourir. Leur visage baignait dans des ruisseaux de sang qui se mêlaient aux pleurs et tombaient à leurs pieds, alimentant au sol une hideuse vermine.

— De la merde et de la pisse, voilà ce que c'est.

Maintenant le fou boude et leur tourne à nouveau le dos, il ne répond pas malgré les suppliques que Sidner essaie de glisser dans cette fissure de compréhension qu'il croit entrevoir.

— Continuez, ne vous détournez pas.

Et il cite lentement et distinctement : "Ensuite, ayant porté mon regard au-delà, j'aperçus une foule…" ?

— Ma mère est une putain, l'interrompt le fou d'une voix froide.

— "… au bord d'un grand cours d'eau.

«Maître, lui dis-je alors…»

Mais maintenant c'est Splendid qui a peur de Sidner et de sa voix brûlante, de sa précipitation brûlante, de Sidner qui repousse vivement la main de Splendid quand celle-ci essaie de l'entraîner à l'écart de la cage.

— Y faut qu'on s' magne de partir d'ici, Sidner.

— Ma mère est une putain ! Ma mère est une putain.

— «… voudrais-tu m'expliquer qui sont ceux de là-bas ? Quelle loi les oblige à se presser ainsi, pour chercher un passage…»"

— J' crois qu'y vaut mieux qu'on… Au revoir monsieur. Viens Sidner. Viens, j' te dis.

— Il y a trop de ténèbres pour lui. Et trop d'escaliers et…

Le ton suppliant disparaît à nouveau, le fou devient dur, ses lèvres s'étrécissent.

— Va va frappe frappe. Il s'en moque.

Splendid traîne Sidner sur le plancher et en bas des escaliers, dans la cour. Il fait sombre maintenant. L'obscurité règne. Sidner tremble dans tout son corps. Au début il croit qu'il n'y a que lui qui pleure et renifle, mais bientôt il s'aperçoit que Splendid est dans le même état.

— C'était... essaie de dire Sidner entre la morve et les larmes. C'était comme si j'avais moi-même été enfermé là-dedans... je comprenais tout... ce qu'il disait, quand on n'ose pas parler et que je suis assis dans la cuisine avec papa... ou à l'école... alors je pense... que je ne suis pas réel, quand je pense à maman, qu'elle est morte et que je... en quelque sorte peux parler avec elle... pour de vrai... et que je suis une ombre... que c'est l'ombre qui se réveille... et ne veut pas se montrer... comme le citron, quand tout se fripe et devient visible... que je ne suis pas ici, Splendid, que je suis en fait un de ces fous, moi aussi.

— J'ai vachement regretté d'avoir inventé tout ça. Je voulais pas, renifle Splendid comme réponse.

— Je sais.

— Désolé de t'avoir obligé à t'en aller. Je savais pas comme t'étais fort, je l' savais pas.

— Non, il n'y a... personne ne le sait.

— Je comprends. C'est pareil quelquefois avec mon père, quand j' pense qu'il a pas d' jambes et qu'il est infirme et qu'y peut à peine se montrer en ville… et quand j' le porte dans la forêt et dans d'aut' coins où on peut être tranquilles.

— Je sais.

— Qu'il est comme un p'tit paquet. Mais j' te jure, c'est l' meilleur père qu'existe. Oui, j' te jure, il l'est, Sidner… Mais j'ai l'impression que c'est *moi* qui le porte *lui* et pas l' contraire… que j' suis si vieux et si raisonnable mais qu'en fait j'ai pas la force de l'être.

— C'est pareil pour moi. Je suis si vieux et je comprends tout. Et qu'on est seul et qu'il n'y a que toi qui comprends.

— Et pi toi. T'as senti aussi qu' tu veux mourir, toi aussi ?

— Ouii.

Mais maintenant Splendid doit rattacher son lacet et tirer ses chaussettes qui ont glissé. Cela lui fait perdre son rythme.

— Mais pas encore vraiment. Pas avant d'avoir embrassé une gonzesse.

— Ouii.

— Tu l'as d'jà *fait* ?

— Tu es fou ?

— Moi non plus, dit Splendid.

Il a fini de nouer ses lacets maintenant et il se sent libéré en faisant les premiers pas, il ressent un soulagement, mais il attend que cela vienne pour Sidner aussi.

— Il n'y en a aucune… qui s'intéresse à moi.

— Ben moi, tu vois, y en a une qui m'a r'gardé.

— Qui ça ?

— Kajsa, tu sais. Celle qu'habite à côté de Konsum.

— C'est vrai, elle t'a regardé ?

— Oui, un p'tit peu.

— Moi, personne ne…

Splendid veut le consoler :

— Mais c'était qu'un peu. Sûrement que j' l'ai cru seul'ment.

— Elle a bien dû regarder quand même.

— Oui, elle est pas mal. Elle a commencé à avoir des nichons aussi.

— Je l'ai vu.

— Pas aussi gros que ceux de Britt, en tout cas.

— Non, mais quand même.

— Oui. Mais comme Sidner n'a pas cessé de renifler, il faut que Splendid le dise encore une fois : Sûr'ment que j' l'ai cru seul'ment.

— Je ne me marierai jamais.

— Bah, bien sûr que tu t' marieras. C'est seul'ment moi qui l'ai cru.

— Tu sais, je ne suis pas comme les autres.

— Moi non plus.

— Alors il n'y aura certainement pas de filles qui voudront de moi.

— Parce que tu lis, tu veux dire… des livres et tout ça ?

— Oui, il n'y a personne à qui parler de ces choses-là…

— Bien sûr que tu t' marieras. Y en a beaucoup des filles qui lisent. Mais elles en parlent pas.

— Qui ça ?

— Ben, Mary, dit Splendid vaguement.

— Mais elle n'est pas vraiment belle.

— Non, c'est vrai. Mais Ingegärd alors ?

— Elle lit ?

— Ben, j' sais pas. Mais elle a des lunettes en tout cas.

Ils sont un peu plus gais maintenant. Ils traversent la plaine et marchent vers l'église. On voit des étoiles, pâles, qui apparaissent au-dessus de la forêt et de l'allée de Gylleby.

— Mais elle n'a pas de nichons.

— Ça viendra, Sidner. Ça viendra, tu peux être sûr. Ta frangine, elle est belle, elle.

— Mouais.

— Si, elle l'est. Tu as vu quelque chose sur elle ?

— Vu ? Tu veux dire des nichons ? Mouais, un peu, peut-être.

— Je m' demandais seulement. Qu'est-ce qu'on va faire pour ce fou ? C'est pas facile pour lui, là dans sa cage. Et t'as vu comme y puait son pot pour pisser. Dis ! Y faut qu'on l' libère.

— Non ! C'est dangereux.

— Mais on est responsable de lui. C'est nous qu'on a découvert dans quelle condition il est.

— Nous ne pouvons pas libérer un fou ici, dans Sunne.

— Oh, personne s'en apercevrait.

— Nous ne savons pas ce qu'il pourrait faire. Splendid, je ne me sens pas bien.

— Y lui faudrait quelque chose de doux là d'dans… jusqu'à c' qu'on ait trouvé une solution. Qu'est-ce qu'est le plus doux qu'existe ?

— Les petits lapins. Les petits lapins sont très, très doux… leurs museaux… quand on leur donne des pissenlits… à travers le grillage… Mais nous NE POUVONS PAS LE LIBÉRER.

— Mais Sidner, qu'est-ce que t'as… Bon sang, mais tu t'évanouis ?

C'est bien ce qu'il fait. Sidner s'écroule sur la route juste devant le mur du cimetière. Il sent qu'une grande ombre passe sur lui, l'enveloppe dans quelque chose de doux.

Sidner a attrapé la rougeole et la fièvre le conduit dans d'autres contrées. Parfois il se retrouve dans une large fosse pleine de serpents et de chauves-souris et le fou est là qui lui crie qu'il doit les libérer tous les deux avant qu'ils ne soient dévorés. Ça fume et c'est chaud dans la fosse, Sidner transpire et se débat dans tous les sens. D'autres fois ils se trouvent en haut, au bord de la fosse, et le fou dit :

— Je suis un tigre derrière le miroir, merci de m'avoir libéré, jamais je ne l'oublierai, même si tu dois faire un mètre, deux mètres, trois mètres. Maintenant allons démolir la maison et les meubles maman salope loupiote et toi tu passeras devant pour montrer et je casserai pour toi. Tu tiens le tisonnier et moi, je casse, nous marchons au pas, va et tape et tape.

— Laisse-moi, crie Sidner et il entend une voix qui est celle d'Aron :

— Un peu de sirop d'airelle, Sidner. Il entend un nom qui est celui d'Eva-Liisa et il sent de petits doigts agiles sur son front. Mais le fou revient :

— Je suis un crapaud derrière le miroir, merci de m'avoir libéré. Tu trouves que je suis mouillé et dégoûtant ? Visqueux et répugnant. Maintenant allons voir maman la salope et nous la forcerons par terre, sur le lit, sur la table, montre du doigt ça grandira et passera droit à travers la salope la loupiote.

— Bois Sidner, bois pour que la fièvre tombe.

Mais le fou repousse les mains fraîches, repousse le verre de ses lèvres.

— Je suis un vautour derrière le miroir, merci de m'avoir libéré, maintenant allons manger les cadavres, crever les yeux arracher la langue et nous enfouir dans leurs corps, jusqu'aux vers et aux entrailles, comme c'est bon d'entendre les gens crier, ton bec est là, dresse-le et il va sûrement donner un coup.

— Non, crie-t-il. Non, je ne veux pas.

— Une serviette, Sidner. Pour t'essuyer la sueur.

Puis Splendid est là, il boit de l'eau au robinet, il quitte ses sabots devant la porte, il est assis au bord du lit :

— Maintenant j' suis vraiment mal embarqué. J'ai volé quelques p'tits lapins et j' les ai mis dans ma poche et j' suis allé à Bergskog. Regarde ça, j'y ai dit au fou, et j' lui ai sorti les lapins. Mais tu sais, ils étaient tous morts, complètement morts qu'ils étaient, le cou tout mou. C'était pas marrant et l' fou il a sûr'ment cru que j' l'avais fait exprès et il a crié jusqu'à c' que j' me mette à pleurer, parce que moi j'avais cru qui s'rait content... Et pi ça s'est passé comme ça à la place. Mais ensuite il a compris qu' j'avais voulu bien faire et il a essayé d' me consoler. Parce que y a rien qui cloche avec lui sinon qu'il est enfermé, et ça c'est dang'reux parce que ça porte sur les nerfs. C'est lui-même qui l'a dit et j'lui ai dit que c'était pas possible d'rester là comme ça comme n'importe quel fou parce qu'après c'est comme ça qu'on perd la tête.

Mais c'était comme s'il avait abandonné. "Ça marche pas, qu'y disait. Ça marche pas." Il parle aussi bien que toi, mais ça doit être parce qu'y lit la Bible. Ensuite j'suis allé chez Selma Lagerlöf et j'y ai d'mandé si elle pouvait pas prendre le fou à Mårbacka si on arrivait à le libérer. Mais rien à faire. Elle a dit simplement comme ça qu'elle était trop fatiguée, et j'lui ai dit : "Dites, madame Lagerlöf, voilà qu'vous avez un fou qu'est comme l'empereur de Portugallie", mais alors elle a répondu qu'des fous j'en ai assez, et alors j'y ai d'mandé si elle voulait parler d'Fanny Udde. "Oh, la pauvre femme, elle a dit. C'est vrai, il y a elle." Mais moi, j'me suis fâché parce que c'était pas la peine qu'elle soupire sur Fanny, parce que Fanny, elle lui a donné pas mal d'idées à Selma, mais elle fait toujours comme si y avait rien. Elle m'a offert le café, en tout cas, et des p'tits pains, tu sais, avec du sucre glace. Ils sont bons. T'as encore d'la fièvre ?

— Je veux être malade, dit Sidner. Il faut que je sois malade.

— Mais t'es en forme. T'es en forme, j'vais chercher un peu d'sirop d'airelle, que tu refroidisses.

— Où est papa ?

— Y travaille. Y m'a dit d' rester ici. D'ailleurs j' peux t' dire bonjour de la part de Fanny. Voilà sa main, dit Splendid, et il pose la longue main de Fanny à côté de Sidner, sur l'oreiller.

La maladie de Sidner durait. Il allait et venait entre les flots et les récifs des rêves, parfois son bateau était brisé et il se laissait couler. Il voulait mourir pour rejoindre Solveig le plus vite possible au ciel. Car elle était assise là-haut et l'attendait. C'était bon de rester couché sous la couverture et de la regarder, de l'écouter chanter une chanson ou bien de l'écouter parler de l'Amérique et des lucioles sous la véranda, et il se fâchait contre Aron et Eva-Liisa qui interrompaient ses rêves avec une odeur humide de vêtements lavés et suspendus au-dessus du fourneau, se fâchait à cause des relents de cuisine et de la musique montant de l'hôtel. Se fâchait parce que le monde existait, était tellement plus laid que le sien, la vraie réalité.

Un soir, tandis que le clair de lune filtrait par la fenêtre, Splendid fut auprès de son lit.

— C'est l'heure maint'nant, Sidner. Habille-toi, faut y aller. Selma a changé d'avis. Elle nous attend, elle va nous aider à libérer l' fou. Elle attend près d' la forge. Elle a pas osé v'nir jusqu'en ville.

Ils se glissèrent dehors, traversèrent la rue et longèrent le mur du cimetière. Le clair de lune balayait la plaine, dans les prés, des agarics brillaient comme des crânes. A l'ombre du mur les attendait un haut phaéton de Tidaholm, sur le siège une femme était assise, une voilette noire couvrait son visage.

— Ah, vous voilà enfin, l'entendit-il dire. Comment tout cela va-t-il se passer ? Montez, qu'on en finisse.

— Ça ira bien, Selma, dit Splendid et il s'assit à côté d'elle.

— Mais si des gens me reconnaissent ?

— C'est une question de vie ou de mort maint'nant. On peut pas toujours s'enterrer dans ses livres.

— Mais si on le découvre ?

— Découvre et découvre, en voilà un mot.

— Madame Selma, pourquoi portez-vous une voilette sur le visage ? demanda Sidner.

— C'est pour que je ne me reconnaisse pas. De quoi aurais-je l'air si je me retrouvais *moi*, ici, à fouetter mes chevaux dans la nuit ?

Sa voix était sombre comme l'obscurité quand la lune disparaît derrière les nuages. Elle leva son fouet et mena les chevaux hors de l'ombre du mur du cimetière. Le phaéton franchit le fossé peu profond et se retrouva sur la route dont il souleva la poussière. Sidner, accroupi derrière le dos de Selma, se tenait des deux mains.

— Pourquoi fouettez-vous tant les chevaux, madame ?

— C'est pour que personne n'aille penser que c'est moi. Comment quelqu'un irait-il imaginer que Selma Lagerlöf fouette ses chevaux si sauvagement ?

126

Ils roulèrent en cahotant dans la plaine.

— Elle conduit vachement bien.

— Seulement la nuit, mes enfants. Seulement la nuit.

Et de nouveau le fouet cingla les chevaux à en faire fumer leurs dos. L'hospice de Bergskog dormait et la lune en éclairait la façade. Splendid réussit à forcer la serrure de la porte de derrière et personne ne sembla réveillé par leurs pas quand ils montèrent l'escalier. Le fou était couché dans un coin de la cage et dormait. Maigre et misérable, il dormait en suçant son pouce et les genoux repliés sous lui. Splendid posa son doigt sur la bouche tout en passant l'autre main à travers les barreaux pour le réveiller.

— Nous sommes là pour vous sauver, maintenant, monsieur. Chuutt. Selma Lagerlöf nous attend en bas dans le bosquet avec son attelage.

Le fou gémit et Sidner se mit à réciter mécaniquement :

Mais voici que soudain, au pied de la montée,
m'apparut un guépard agile, au flanc étroit
et couvert d'un pelage aux couleurs bigarrées.
Il restait devant moi, sans vouloir déguerpir,
et il avait si bien occupé le passage…

— Faut pas avoir peur comme ça, Sidner.

Le fou s'était assis et contemplait Splendid qui avait entrepris de scier les barreaux.

— A-t-il peur de moi ? chuchota le fou. Moi aussi. Il faut prendre les lettres par-derrière. Alors elles sont surprises, vous savez, jamais elles n'arrivent à dormir.

— Si vous tiriez la lame de la scie de l'aut' côté, ça irait plus vite, m'sieur.

Mais je fus, malgré tout, encore plus effrayé
à l'aspect d'un lion qui surgit tout à coup.

On eût dit que la bête avançait droit sur moi,
avec la rage au ventre et la crinière au vent...

— Ça ne marchera jamais, ils vont le chasser, se lamenta le fou tout en sciant.

— Bah, vous s'rez p't-être dans un livre.

— Je suis A. Je suis A, sinon je ne marche pas. Il balançait son corps, ravi. En rage. Cage. Accroché. Décrochez-moi de moi.

— Aide-moi, toi aussi, Sidner. C'est ton fou, ça.

— Non.

— Scie ! Sidner découvrit dans la voix de Splendid un ton autoritaire qu'il ne connaissait pas et qui lui fit peur.

— Mais oui, je scie. Je libère tout avec ma scie.

Le fou se balançait. Morceau par morceau les barreaux tombaient par terre.

— Qu'est-ce que ça va donner, toute ma boue sur ce repaire de canailles ? Et il se mit à avoir peur, pénétra dans une angoisse de plus en plus vive à mesure que l'ouverture s'élargissait, et lorsqu'il fut temps de sortir, le fou s'effondra et refusa :

— Je ne veux pas sortir. Ma place est ici. Dans la boue.

— Allez, venez.

— J'ai peur de moi. Si peur. Si peur.

Les chevaux les accueillirent en hennissant lorsqu'ils eurent enfin réussi à traîner l'aliéné jusqu'au bosquet.

— Mon Dieu, jeune homme, mais dans quel état vous êtes. Que vous ont-ils fait ? La vie est donc si cruelle ! Etale une couverture sur tes jambes, car maintenant la Selma de la nuit va t'emmener loin de cette vallée de larmes où des hordes de loups courent sur la glace et la neige.

— Pas pour rentrer chez maman, pas pour rentrer chez ma mère, éloignez-moi de cette lampe-là.

— Nous roulerons tant que durera la nuit. Pour ne pas être...

— ... découverts, c'est ça, dit Splendid, et Selma devint comme effrénée. Les chevaux hennirent, firent quelques pas hésitants pour sortir des broussailles du bosquet et Selma brandit son fouet au-dessus de leurs dos et ils s'en allèrent. La poussière volait autour des roues quand ils descendirent en cahotant la pente de l'école de Borgeby et avant d'avoir eu le temps de dire ouf, ils se retrouvèrent dans la plaine. La lune brillait encore plus qu'avant, les agarics avaient poussé, leurs yeux les suivaient partout, fixant sur eux leurs pupilles vertes et méchantes.

— Puis-je vous embrasser ? demanda soudain le fou.

— Bien sûr, jeune homme, mais il te faudra soulever toi-même ma voilette.

— Mais je suis un crapaud.

— Embrasse-moi et nous verrons avant le lever du jour. Le fou tâtonnait du bout des doigts, le phaéton bringuebalait.

— Est-ce nécessaire que les chevaux s'emballent tant ?

— Oui, c'est nécessaire, sinon le matin nous rattraperait.

— La voilette est coincée, mes mains tremblent tant.

— Elle n'est pas coincée ! répondit Selma d'une voix furieuse.

— Non, peut-être pas. Mais je… je ne sais pas comment on fait… Je n'y arrive pas. Je ne suis bon à rien ici, dans ces… lieux de canailles.

Selma n'arrêta pas les chevaux un seul instant pour aider le fou, au contraire : ils traversèrent le bourg de Sunne à une vitesse telle que les roues tonnèrent dans les rues comme un feu roulant qui aurait dû réveiller tout le monde, mais les gens de Sunne ne se réveillent pas aussi facilement. Personne ne leur barra la route sur le pont, personne ne se montra dans la Grand-Rue, les maisons de Leran restèrent plongées dans le sommeil, ni loup ni lynx ne se dressèrent devant eux dans la montée des Trois-Hommes, à Rootneros les vaches tournèrent sur eux leurs yeux de sages mais ne firent aucun commentaire désagréable. Rien n'arrêta Selma jusqu'au moment où ils tournèrent dans un petit chemin forestier sinueux menant à Öjervik et s'arrêtèrent sur la rive. Là, amarré à des saules, caché sous des branches d'aulnes, se trouvait un radeau, et sur ce radeau étaient installés un fauteuil de velours vert, une petite table dressée avec une cafetière qui fumait, des tranches de pain garnies et des brioches. L'eau était immobile et le silence assourdissant après ce voyage périlleux, les gros rondins du radeau sentaient bon le bois, l'aurore vint et bientôt le premier oiseau du matin sortit de la main ouverte de la nuit. Une nuance verte sur l'eau. Quelques touches d'or.

Selma souleva la voilette de son visage.

— Nous voilà arrivés maintenant. Descendez. J'ai volé un peu de nourriture dans mon propre garde-manger. Ma gouvernante va penser qu'il y a eu des voleurs. Elle émit un petit gloussement de satisfaction et sourit comme une jeune fille qui vient de commettre son premier péché délicieux. Saucisson, fromage, pain. Le fou se précipita sur le radeau et chipa un canapé au saucisson.

— A Bergskog ils ne me donnaient que de la soupe.

— C'est dégueulasse, dit Splendid.

— Pas la soupe aux orties. Quand on y met des œufs durs, de la ciboulette et quelques petites saucisses en chapelet.

— Ah, bien sûr, si on met des p'tites saucisses… Mais c'est pas tous les jours.

Sidner aida Selma à embarquer et elle s'installa dans le fauteuil. Quand le fou eut avalé sa première tranche, il dit :

— Je n'ai pas le droit de manger. Je ne suis pas un être bon, docteur Lagerlöf. Ce n'est pas bien de me libérer. Retour à la cage, retour à la cage, docteur Lagerlöf, j'ai lourdement péché contre le quatrième commandement.

— Lequel c'est ? demanda Splendid.

— Lequel ? Mon Dieu, Seigneur Jésus, sauvez mon âme. Je vous ai laissés me libérer. Ne le sais-tu vraiment pas ? Enfin je vois clair… Peut-être ne connais-tu même pas le premier commandement ?

— Siii… ? Je l'ai sur l' bout d' la langue. C'est… c'est pas le truc avec "diantre Dieu"… ?

— Serais-tu l'allié du diable ? Seriez-vous tous des alliés du diable sur ce radeau ?

Splendid déborda le radeau d'un coup de pied et le fit vigoureusement avancer à coups de perche dans l'eau peu profonde.

— Non, je ne crois pas. Pas moi en tout cas. T'en es un *toi*, Sidner ?

— Noon, je…

— Et Selma alors ?

Selma avait sorti de son manchon un peigne et un miroir. Elle avait défait ses longs cheveux blancs et les peignait, elle observait Sidner dans son miroir…

— Je ne sais pas. D'ailleurs tu dois dire mademoiselle Lagerlöf, maintenant qu'il fait jour… Si, peut-être, parfois on sent bien qu'il nous pourchasse.

Splendid réfléchit à ceci tandis que le radeau filait droit vers l'énorme silhouette en forme de cuillère de l'île Malön avec ses sapins.

— Oui, il nous pourchasse, c'est bien ça, t'as raison.

— Surtout quand on écrit bien. Alors on sent que le pouvoir que l'on a sur nos prochains n'est pas de ce monde. Cette espèce de pénétration que l'on a au travers d'eux. On voit loin au fond de leurs âmes et l'on découvre l'obscurité, on voit qu'il n'y a pas de fond. COMME EN TOI, SIDNER. VIENS ICI.

— Que voulez-vous, madame Selma ?

— T'embrasser.

Le fou les regardait avec des yeux horrifiés, il fit quelques pas vers l'eau.

— Pouah ! Alors il me faut sauter. Je ne peux pas vivre dans ce monde abject.

— Essaie un peu voir, dit Splendid qui se jeta sur lui, lui tordit un bras dans le dos et le força à s'agenouiller. Maintenant, tu restes tranquille, hein, jusqu'à c' qu'on t'ait libéré !

— N'as-tu pas entendu ce que je viens de te dire, Sidner, insista Selma. Et ne laisse pas la discorde s'installer entre nous. Pense à ce que j'ai fait pour toi.

— Pour moi ? demanda Sidner.

— Oui, pour toi. Allez, viens.

— Non, cria Sidner. Non, je ne veux pas.

Une immense faiblesse s'abattit sur rui, il s'affala au bord du radeau et trempa sa main dans l'eau tiède, maintenant rosie par le soleil qui n'allait pas tarder. Un poisson sauta juste devant le radeau et, au loin, ils pouvaient entendre le bruit d'un bateau à vapeur.

— Ils menèrent le radeau sous le couvert des saules pleureurs et attendirent là que les lumières du navire disparaissent. Du bruit et des rires parvenaient du pont et nous eûmes très peur que tante Polly y fût et nous recherchât, mais qui aurait bien pu soupçonner notre présence ? Je compris alors qu'on avait découvert notre disparition, que le garde champêtre et tous les autres nous recherchaient, et je savourai l'idée qu'ils pensaient peut-être que nous étions morts, regrettai même de ne pas avoir laissé un mot disant que je ne supportais plus cette vie pour qu'ils eussent des remords...

Sidner s'assit brusquement dans son lit :

— Où est Selma Lagerlöf ? Qui... qui est tante Polly ?

— Ah, ça y est, tu t' réveilles maint'nant ? Polly... pas la moindre idée. Splendid cacha subrepticement le livre dans lequel il venait de lire. Sidner retomba sur ses oreillers.

— Selma, elle est dev'nue très rasoir dès qu'il a fait jour. Quand on avait ramené le fou jusqu'à la terre ferme.

— Et pourtant il ne le voulait pas ?

— Non, y disait que...

— ... j'appartiens aux ténèbres. Et j'y retournerai. Là-bas ils ne le retrouveront pas. Il est vos ténèbres aussi, ça ne peut pas durer en plein jour.

Mais ils réussirent à débarquer le fou sur l'île de Malön. Il lutta et se débattit un moment, puis soudain devint docile et les suivit, doux comme un agneau, et Splendid put souffler et se laissa choir sur le sable.

— Maint'nant on a sauvé monsieur.

— C'est bien, dit Selma, alors je vais pouvoir rentrer chez moi. Pour que ça ne soit pas…

— … découvert, eh oui. Mais restez ici, Selma. J'ai fabriqué une table avec des caisses et une chaise à barreaux, là, sous les sapins. Vous pourriez y rester pour écrire, sur tout c' qui nous entoure…

— Je crois que tu ne comprends pas. Je suis un personnage public. Et au beau milieu d'un livre !

— Ecrivez que nous pêchons des perches et ramassons des framboises sauvages…

— Il me faut une distance par rapport aux choses.

— Aux choses ! Comme si y avait pas d' ça ici… Le soleil brille et les bourdons bourdonnent et avec nous on a un vrai fou vivant. Comme si c'était pas c' qui faut pour Selma. Et moi j'y ai promis qu'il serait dans un livre.

— J'y ai promis, j'y ai promis, ironisa Selma.

— Je veux retourner dans ma cage, cria le fou.

— Regarde si c'est pas un bon début, Selma. Regarde, v'là du papier et un stylo. Il la força à s'asseoir sur la chaise sous un grand sapin. Le soleil pointait entre les branches et éclairait ses cheveux blancs toujours défaits, mais ses yeux étaient las.

— Commencez à écrire maint'nant, Selma : "Je veux retourner dans ma cage, cria le fou et il se jeta dans le sable. C'était au début du mois d'août, nous venions d'arracher un pauvre être malheureux à son humiliation, et d'arriver sur Malön. Nous y passâmes de belles journées. Il y avait du poisson dans le lac et la nuit je retournais à terre à la rame pour aller voler un peu de lait et du beurre et du sel."

Sidner se tourna dans le lit.

— Je n'y étais pas ?

— Il se réveille maintenant, Aron.

— Je vais faire chauffer un peu de lait, entendit-il son père dire du côté du fourneau.

— Parle encore de l'eau.

— Quelle eau ?

— Celle du lac Fryken... ou du Mississippi... ou... Où suis-je ? Papa !

— Tu te réveilles... Laisse-moi te regarder. Tu as bien meilleure mine.

— Je me réveille ? Alors j'ai dormi ?

— Oui, tu as dormi.

— Où est Splendid ? Il était pourtant là tout à l'heure.

— Ben, pas vraiment tout à l'heure. Mais tu peux être content d'avoir un ami comme Splendid. Ce qu'il peut parler, ce garçon-là... et inventer.

— Inventer ? Je veux dormir.

Oh, c'est une maladie riche. Et remplie d'images et de mots. De grandes eaux calmes, les matinées fraîches, il se laisse couler et remonte au bord d'une berge, se laisse emplir par la boisson du fleuve. Mais la fièvre est réellement en train de lâcher prise, de plus en plus souvent il vient dans la cuisine, avec son père et Eva-Liisa, bientôt il peut tendre la main vers le livre qui est posé sur la chaise. Ce sont *les Aventures de Tom Sawyer*, il est ouvert quelque part au milieu.

— C'est ce livre-là que tu m'as lu ?

Splendid est dans la pièce.

— Oui, j' pensais qu' t'allais aimer…

— Même si je dormais ?

— Dormais, dormais… Tu t'agitais pas mal…

Il y a une chose, Sidner. J'espère que tu pourras m' pardonner. J' suis vach'ment désolé de t'avoir emm'né à Bergskog. Si ça s' trouve, c'est ça qui t'a rendu malade.

— Ce n'était certainement pas à cause de ça. Mais tout cela était si étrange. On pourrait bien aller le voir un jour. A cause de ça… parce que nous l'avons sauvé ?

— Ça oui, dit Splendid en se dérobant.

— Ce n'était pas vrai, c'est ça ?

— C'est sûr'ment qu' tu l'as rêvé…

Splendid tourne le dos à la pièce, écarte le rideau.

— Mais tu me l'as raconté aussi, n'est-ce pas ?

— Oui, oui, j' pensais qu' t'allais aimer.

— Et que Selma Lagerlöf nous aidait ?

— Nooon… elle… Tu sais, elle est vieille.

— Alors il est toujours dans la cage.

— Qui ?

— Eh ben… le fou, évidemment.

— Non. Non, il y est plus.

— Alors il a guéri !

Les forces de Sidner lui reviennent d'un coup, il s'assied, il rit même.

— D'ici quelqúes jours tu pourras sûr'ment r'tourner à l'école.

— Oui, et puis nous pourrons aller voir… Qu'y a-t-il, Splendid ? Pourquoi me regardes-tu si bizarrement ?

— J' te r'garde pas bizarrement.

Mais il va vers le robinet et l'ouvre en plein et fait gicler l'eau. Il se penche en dessous et frotte son visage, cherche la serviette dans le placard et s'essuie, rigole un peu.

— Il fait chaud.

— Splendid, il y a autre chose ! Qu'est-ce que tu ne veux pas me dire ?

— Non, tu sais… J' pourrais pas m'en aller maintenant ?

— Non.

— Bon… Tu sais, le lend'main du jour où j'étais allé avec les lapins. Quand t'étais malade…

— Ouii ?

— Eh ben y s'est pendu. Y s'est pendu, Sidner. Et j' savais pas si t'allais supporter ça. Et moi non plus… moi non plus.

III

— La vérité ! répondit Marc Chagall avec un petit sourire. Tu ne l'atteindras pas de cette façon. Passe au-delà de l'imaginaire, là-bas tu trouveras quelque chose de vrai.

Nous nous tournions le dos, chacun face à son chevalet. J'avais quinze ans et mère m'avait sorti dans les plus verts pâturages de la peinture : des collines provençales scintillaient derrière un champ rempli de coquelicots épanouis. Elle-même était assise sous son ombrelle, vêtue d'une robe blanche à col haut, en sa double fonction de chien de garde et de modèle, une clématite bleue piquée dans ses cheveux. Moi, en Blouse Blanche de Peintre, je jouais maintenant le rôle du jeune Monet. Je travaillais depuis déjà une heure lorsque le vieux bonhomme avait surgi des pierres, de temps en temps il lorgnait de notre côté. Et, sans perdre la pose, ma mère dit :

— Ainsi donc vous peignez aussi.

— Oui, je peins aussi.

— C'est si beau, si merveilleux, par ici, dit mère.

— Hélas oui, dit le bonhomme, et j'ai été incapable de résister au spectacle que vous formez tous les deux. Si vous me pardonnez.

Mère ne dut pas comprendre, et elle répéta, pour la je ne sais quantième fois :

— Mon fils est très doué.

— Rien n'est plus dangereux que les dons, dit le bonhomme et les lèvres nerveuses de mère se pincèrent, elle contempla le paysage.

— Que veux-tu peindre ? me demanda-t-il en regardant ma toile.

— La vérité, répondis-je en un de mes coups de pinceau mensongers. C'est alors qu'il me répondit avec un petit sourire. Mais jamais je ne dis à mère que celui qui m'avait répondu s'appelait Marc Chagall.

Le chemin de fer avait été inauguré au début du siècle, avec des drapeaux partout et force verres de punch. Patron Björk était monté à côté du chauffeur et adressait des signes de la main à tous ceux qui se bousculaient auprès du remblai tout au long de la vallée de Fryksdalen, la fumée cinglait leurs visages mais ils étaient venus quand même pour célébrer cette fête qui n'allait pas tarder à ruiner les nombreuses gens qui vivaient du charroi. Le syndicaliste Branting avait remarqué cette faculté qu'avaient de nombreux travailleurs à célébrer leur ruine, et il en avait parlé dans ses discours, mais le progrès suivait son cours et ce jour-là on admirait le canotier blanc du Patron, son gilet, d'un blanc immaculé lui aussi, au moins au départ de Kil. Sa chaîne en or brillait de contentement et il lissait ses moustaches courtes, car sans son dévouement jamais on n'aurait réussi si vite à faire se faufiler le chemin de fer entre les fermes et les maisonnettes, le long des champs prospères et au travers des forêts dont Björk était le propriétaire. C'était un homme d'affaires habile : il avait parcouru le Norrland du temps de sa jeunesse, y avait vu les scieries se développer et en avait tiré beaucoup d'enseignements. Si à ses débuts il avait dû se contenter de pain et de lard, il était rapidement passé au rôti de veau et était maintenant capable d'engloutir aussi bien des immeubles que des forêts ; il n'avait pas tardé à devenir propriétaire de la moitié du Värmland, s'était fait construire une résidence au beau milieu du bourg, un véritable manoir avec des montants de barrière en fonte et un mât au drapeau planté au milieu de sa pelouse ronde et portant haut les couleurs de la nouvelle classe des petits-bourgeois. Il avait fait construire l'hôtel, et sa scierie grandissait d'année en année. Sunne florissait. Les usines étaient nombreuses, les ateliers d'artisans de la rue Longue et de la Grand-Rue résonnaient de coups de marteaux, de rires et de gémissements, on se serait cru dans une casbah. Des magasins s'étaient ouverts, oui, pour le magasin de Mortimer Åberg on pouvait carrément parler de Grand Magasin, et qui n'avait rien à envier aux beaux magasins de Karlstad. Ola, qui avait conduit son premier taxi en 1905, possédait maintenant un grand établissement de transports automobiles ; le salon d'exposition automobile de Gyllner s'était agrandi et plusieurs jeunes gens avaient eu pour premier emploi la mission de se rendre à Göteborg pour en ramener des voitures neuves. Le train pour y aller et retour seuls, un paquet de sandwichs et quelques œufs durs dans une boîte en aluminium sur le siège, tels des rois revenant dans des carrosses neufs et étincelants.

Björk et ses gendres possédaient tous des voitures ; Valborg, une de ses filles, avait même son permis de conduire et au début cela avait fait sensation de voir une femme au volant. Elle assemblait toujours beaucoup de monde autour d'elle quand elle parcourait les deux cents mètres jusque chez Åberg le traiteur. Selma Lagerlöf s'y rendait aussi parfois, souvent en attelage, mais elle ne tarda pas à entrer en pourparlers avec Gyllner pour l'achat d'une Volvo.

Et la population augmentait : beaucoup de poseurs de rails qui avaient travaillé au chemin de fer étaient restés là pour devenir chefs de gare ou employés en tout genre. Le jour de l'inauguration, des gares étranges et curieusement peintes en jaune s'étalaient au long de la ligne comme un chapelet de perles, au milieu des rudbeckies plantées depuis peu ; on entendait parler avec les accents de Scanie, de Blekinge ou du Småland. Les premiers au revoir criés par des ouvriers nerveux qui venaient de revêtir l'uniforme furent récompensés par le punch du Patron en personne qui descendit de la locomotive, verre et bouteille à la main, des orchestres jouaient, les enfants claironnaient et l'on jeta des fleurs dans les wagons par les fenêtres ouvertes. Les frères danois Per et Pop se fiancèrent avec les jumelles Edel et Esther au milieu du pont du chemin de fer, ils s'embrassèrent même en public, mais il s'agissait bien d'un grand jour, du commencement d'une nouvelle époque.

Et les années passaient. Certes on buvait toujours du punch, mais plus le long de la ligne de chemin de fer : après cette belle invitation à danser, la plupart avaient été obligés de retourner à leur charrue, à la vaisselle ou au cochon à engraisser. Les temps en quelque sorte n'étaient plus aussi fastes, de gros nuages s'assemblaient vers le sud, l'une des usines de la route de Torvnäs brûla, une autre cessa soudain de payer les salaires, le propriétaire d'une troisième disparut un beau matin et les machines se turent.

On lisait les journaux et on savait que la nourriture manquait un peu partout. Dans la Grand-Rue une dame perdit une bouteille de mélasse qui se brisa sur les pavés et l'on put voir à l'instant trois garçons se coucher à plat ventre par terre pour lécher. Si l'on voulait s'amuser, il fallait aller à l'hôtel. Là on pouvait danser au son de musiques étrangères stimulantes :

> *Wish I could shimmy like my Sister Kate*
> *She shivers like the jelly on a plate*
> *My mammy wanted to know last night*
> *Why all the boys treat Sister Kate so nice.*

Et, plus tard dans la nuit, des airs lents, mélancoliques, qu'Aron, les doigts las et le regard vide, posait sur le phonographe sous le palmier en pot :

> *Do you know what it means*
> *To miss New Orleans*
> *I'll never forget that old town.*

Ces jours-là, ils étaient nombreux à se presser devant l'hôtel et à murmurer, une masse grise qu'Aron était forcé de voir chaque fois qu'il ouvrait la fenêtre pour chasser l'odeur des cigares du Patron.

Car Björk participait de plus en plus souvent aux fêtes, même si maintenant il y avait moins d'hommes d'affaires et plus de petites amies. On jouait à former des tableaux vivants, on organisait des bals masqués, tapait la carte au poker et buvait encore plus de punch. Björk commençait à avoir l'air fatigué, son ventre avait augmenté de volume, et il tapait les fesses de femmes de plus en plus jeunes.

Un matin, après une fête, il frappa à la porte d'Aron, blême et crevé il se tenait là et voulait parler. La chaîne en or, qui avait coûté tant d'arbres à la forêt et tant de dos tordus aux ouvriers, était la seule chose qui brillait en lui.

— On pourrait descendre là-bas, dit-il en indiquant la cave à vins.

Il verrouilla la porte derrière lui, déboucha une bouteille, but quelques gorgées et s'affala sur une chaise :

— Ce matin, il y a un inspecteur du tribunal de commerce qui est passé dans le train de Torsby, dit-il. Ce n'était pas à ce genre de choses que le train devait me servir. Puis il regarda autour de lui dans la cave : Il te faudrait un meilleur éclairage ici, je veillerai à ce que ce soit fait. Maintenant, il faudrait que tu montes à Torsby par le prochain train pour aller t'occuper de ce personnage. Il examina la rangée de bouteilles d'eau-de-vie : Remplis un tonnelet d'eau-de-vie et offre-le-lui, avant qu'il commence à parler avec les gens. Organise une fête et arrange-toi pour qu'on ne revoie plus ce monsieur. Vingt litres devraient suffire pour faire une bonne fête.

— Je ne bois pas, dit Aron.

— Non, tu ne bois pas, je l'avais oublié. Mais ce n'est pas toi qui devais être… Pour être franc : les affaires ne marchent plus très bien. C'est difficile dans cette branche. Si les ouvriers se mettent à réclamer plus d'argent, je ne tiendrai pas le coup longtemps. Voilà la vérité et il faut que je m'en accommode. Je suppose qu'il va falloir que j'envoie quelqu'un avec toi. Quelqu'un qui boit. Asklund boit, lui, non ?

— Mais c'est un socialiste !

— Oui, mais il *boit*, lui.

— Tu achètes les gens, Johan.

— Oui, je les achète. J'achète cher. Björk éclata d'un rire d'ivrogne. Tu te rends compte, être payé pour boire ! Quel employeur proposerait cela ? Il pourra même rester chez lui le lendemain, s'il en a envie. Va le chercher à la scierie. Mais fais attention à ce qu'il ne finisse pas tout avant d'être arrivé.

— Et si je refuse ?

— Tu ne le feras pas, Aron. Nous autres employeurs sommes encore en mesure de donner des ordres. Serais-tu du côté des ouvriers ? Je ne l'aurais pas cru.

— C'est une trahison.

— Admettons. En tout cas l'inspecteur doit s'adresser aux ouvriers de la scierie de Hedsäter à onze heures. Trouve-le avant. Il loge certainement à la Tanière de l'Ours.

— Il n'a certainement pas les moyens de se l'offrir.

— Alors il habite chez l'un des ouvriers. Laisse Asklund renifler le tonnelet et il arrivera aussi vite que le diable.

— Et si l'inspecteur aussi est tempérant ?

— Il ne l'est pas. Il n'avait pas l'air sobre quand il est passé avec le train, c'est pourquoi je te dis tout cela.

— Tu es vraiment capable de ça, Johan ?

— Ce n'est pas difficile. Tout peut s'acheter. Toi, peut-être pas, mais en ce cas tu n'es pas intéressant. En affaires on n'est pas obligé de compter avec les gens d'exception, nous pouvons en faire abstraction. Et s'ils deviennent par trop nombreux, ils ne sont plus des gens d'exception, alors c'est une autre situation politique qui s'instaure et nous n'y sommes pas encore.

— Elle est en route.

— Exact. Mais moi aussi je suis en route, tu vois. Je m'en vais, je quitte la vie, je quitte cette branche. Je ne suis pas assez bête pour ne pas le comprendre, je sais lire les journaux. Mais j'ai l'intention de continuer encore un moment, je ne veux pas voir l'œuvre de ma vie s'évaporer. Pour parler d'autre chose : ils étaient bons, les disques que tu as achetés. Viens, montons les passer, rien que pour toi et moi. Ça aussi c'est un ordre.

La salle de bal est vide. Aron souffle sur l'aiguille, pose le bras sur le sillon, reste silencieux et écoute :

> *Though if I want to be up-to-date*
> *I had to shimmy like Sister Kate*
> *Although I tried't was all in vain*
> *But Sister Kate couldn't be blamed*
> *She made me dance till I got sore feet*
> *I will be glad when it's all complete.*

Le voyage à Torsby fut un véritable choc pour l'amour-propre d'Aron. Il se retrouva sur la plate-forme en bout de wagon, tenant dans ses bras le tonnelet d'eau-de-vie qui clapotait et regardant défiler les riches forêts du Patron et il pensa que ce serait facile de s'en débarrasser, mais à ce moment le contrôleur passa et commença à discuter avec lui. Il envisagea de vider le tonnelet dans les cabinets et de le remplir d'eau ensuite mais les cabinets étaient occupés et bientôt ce fut Torsby. Il erra dans les rues et au bout d'un moment se retrouva dans le cimetière. Un orgue jouait dans l'église, les portes s'ouvrirent et un convoi funèbre sortit, comme ondulant. Aron recula mais le convoi le suivit, l'accula de plus en plus loin, jusqu'à un mur devant lequel était creusée une tombe. Les vapeurs du mal émanaient du tonnelet, il ne voulait pas qu'on le vît chargé ainsi et, désespéré, il le laissa tomber dans la tombe où celui-ci se coinça en travers. Il réalisa trop tard que le cercueil n'allait pas pouvoir être posé à plat au fond de la tombe. Qui était-il donc pour ne pas avoir osé dire non au Patron ? Quels autres actes vils était-il donc prêt à commettre ? La réalité était trop dure, pensa-t-il, et il s'en échappa.

Aron se mit à lire la Bible et laissa Dieu l'entourer. Un jour, il lut le passage qui parlait des disciples fauchant le blé le jour du Seigneur. Ce récit devint pour lui le centre des Evangiles, leur centre de lumière. Il y découvrit tant de points communs avec Solveig et lui : c'était là que se trouvait le point central de l'amour et de la tolérance, il remuait ce côté paysan qu'il y avait eu en lui, il était loin de ce qui restait trop littéral, trop abstrait, et rayonnait de cette lumière qui avait enveloppé la vie de Solveig et la sienne. Aron alla s'asseoir dans l'allée de Gylleby, sous le pin de l'amour – un endroit où il était souvent allé pour se retrouver seul. Il ferma alors les yeux et laissa la lumière du jour jouer sous ses paupières, Solveig vint, tout près de lui, il sentit même ses cils chatouiller sa joue. Quand il rouvrit les yeux pour reprendre sa lecture, il vit les lettres se détacher soudain du papier. Effrayé et fasciné à la fois, il les vit perdre toute relation entre elles, être aspirées hors de la page, partir en dansant et aller s'installer partout dans l'herbe, à la cime des arbres, dans le ciel qui pâlissait avec le soir. Et Aron se mit soudain à rire et jeta la Bible loin dans un fossé : elle avait fait son devoir maintenant. Il avait reçu le signe. Il ne s'agissait que d'être attentif.

Il suivit du regard ces lettres qui montaient en tourbillonnant vers le ciel et, lorsque la nuit vint, il comprit que ce qu'il avait auparavant pris pour des étoiles étaient les lettres de l'alphabet d'autrefois : un texte capital était tracé là-haut, un rébus, et Solveig se trouvait dans ce texte, était la force de cohésion. Un jour elle lui permettrait de comprendre.

Et il vit d'autres choses qui venaient peut-être d'Ezéchiel : dans la vallée couverte d'os de squelettes, dans la plaine emplie de tourments et de lamentations, il arrivait à la distinguer au-delà des lettres, à demi visible, vêtue de sa robe en coton bleu et blanc qui, légère comme un rideau, voilait ses seins chauds. Et il se prit à espérer que parmi tous les autres morts elle seule gardait encore ses couleurs, que sa robe était encore bleu et blanc, que l'aura dorée qui entourait ses pommettes brillait encore. Elle vivait, mais très, très loin.

Aron était persuadé qu'il arrivait à garder secrète sa nouvelle conviction, mais elle suintait par moments, et provoqua la frayeur de Sidner, puis celle d'Eva-Liisa : "Que tu parles bizarrement, papa", dit-elle en le regardant, étonnée.

Que disait-il donc ? Rien de particulier. Mais c'était comme si les conversations – les échanges de paroles pauvres et futiles au-dessus de la table de la cuisine – avaient pris une autre dimension, un autre temps. La conversation n'existait plus seulement ici et maintenant, brusquement une suite de mots venus de loin arrivait à s'y glisser, un sourire qui n'avait rien à voir avec la lessive, la cuisine ou le raccommodage des chaussettes, occupations dont tous trois essayaient de se charger en commun. Aron s'était mis à sourire.

— Faut qu'il ait quelque chose à faire, dit Splendid. Quelque chose qu'arrête de l' faire penser à elle.

— Mais c'est ça qui est difficile, répondit Sidner après avoir raconté et permis à Splendid de vérifier lui-même la situation.

— J' vais en parler à mon père.

Et Aron fut ainsi invité chez le père de Splendid, et ce fut là qu'il vit l'énorme poste de radioamateur. C'est un bon passe-temps, dit le petit bonhomme en tournant les boutons.

— As-tu déjà entendu parler des émissions de radioamateurs ?

Et ils finirent par persuader Aron de rentrer dans le club des radioamateurs de Sunne que le père de Splendid avait fondé. On se rassemblait dans la serre de Fälldin, l'horticulteur. On avait monté une antenne le long du mât aux couleurs et, dans cette serre embrumée de chaleur humide, sous la lettre du gouvernement qui les autorisait à détenir un poste, c'était un embrouillamini de fils et d'écouteurs, de tasses de café et de petits pains au lait.

Piaillements et craquements leur parvenaient d'Europe, parfois même d'Amérique ou d'Afrique. Ils étaient assis dans la chaleur, sur des chaises posées à côté des plants de tomates courbés par leur poids, des rangées de géraniums, de chrysanthèmes ou d'œillets d'Inde, ils tournaient et tripotaient des boutons et dehors la neige s'amoncelait, montait haut contre les vitres.

Un jour ils reçurent un message d'étonnamment loin, en provenance de Nouvelle-Zélande. On fit passer l'enveloppe pour que tous voient les timbres, puis Sleipner l'ouvrit, but une gorgée de café et lut à haute voix, mais si vite que très peu comprirent.

— Ne fais pas l'important, dit Fälldin, l'horticulteur, qui voulait qu'on en terminât rapidement avec la lettre. C'était l'émetteur qui l'intéressait, pas les lettres, il voulait savoir à quel niveau de réception les signaux leur parvenaient, quelles améliorations ils pouvaient apporter, le contact proprement dit n'était qu'une confirmation du bon fonctionnement de son appareil.

Pour Aron c'était tout autre chose. Son regard plongé dans l'obscurité, au-delà du vitrage, avec le crépitement du poêle derrière lui, l'odeur de terre humide et de laine mouillée, il se trouvait arraché à son propre corps. Le lointain le rapprochait de Solveig.

Cette lettre était si extraordinaire, c'était un signal qui parvenait après avoir franchi des distances incompréhensibles, elle confirmait quelque chose qu'il savait, et que sans cesse il avait su devoir arriver : les lamentations piaillantes et crépitantes venaient en effet de l'espace, et Solveig se trouvait dans l'espace. Ecouter, c'était comme se recueillir et Aron savait mieux que tout autre interpréter les signes, se les approprier. Souvent il s'irritait contre Sleipner ou Fälldin qui faisaient disparaître un signal en tournant les boutons, au moment où il avait commencé à comprendre le message codé.

L'expéditeur de la lettre – ou plutôt celui qui l'avait dictée – était un éleveur de moutons de Nouvelle-Zélande. Il vivait dans une ferme avec sa sœur Tessa. Ils possédaient quatre cents moutons, mais pendant l'été, qui tirait à sa fin – Vous entendez ça ! soupira Sleipner –, il avait le temps de s'occuper de ce nouveau hobby. Auparavant il avait réussi à entrer en contact avec l'Australie et les Indes, mais ce contact établi était plus que ce que jamais il n'avait osé espérer. Serais très heureux de pouvoir continuer à établir le contact, peut-être surtout ma sœur, qui écrit ces lignes puisque ma propre main, à la suite d'un accident, est devenue patte folle. Je devais monter une clôture. Signé Robert Schneideman, avec l'aide de Tessa.

— Quelqu'un veut-il la lire lui-même ?

Fälldin parcourut rapidement les lignes. Contact établi, point final. Juno Lanz, magasinier chez Jolin, le fabricant, tourna la lettre dans tous les sens, il ne comprenait pas l'anglais mais est-ce qu'on pouvait lui donner le timbre ?

— Non, dit Fälldin. Je trouve que nous devrions garder les lettres dans une boîte. Il pourrait y en avoir beaucoup à la fin, et nous serons en mesure d'établir un grand réseau de liaisons. Si on commence à prendre les timbres, les lettres vont finir par se déchirer.

— On peut le décoller en le faisant tremper, dit Juno. J'ai fait ça plus d'une fois.

— Mais ça fait disparaître le texte.

Aron déchiffra la lettre, c'était assez facile, il se racla la gorge :

— Et qui sera chargé de répondre ? Car il faut quand même que nous répondions ?

Fälldin rajouta du bois dans le poêle.

— Je trouve que tu pourrais le faire, dit-il à Aron. Tu connais l'anglais.

Fälldin souffla bruyamment :

— A des gens comme ça on peut écrire n'importe quoi.

Et il avait dit ce qu'il avait à dire.

— Non, ce n'est pas vrai. Les contacts lointains comme ça, il faut en prendre soin. Beaucoup.

Il ferma les yeux et en lui-même feuilleta le vieil atlas, celui que Solveig et lui avaient si souvent regardé le soir sous la lampe avec les enfants. Il se souvenait d'elle leur montrant les Etats américains, marquant les voyages qu'elle avait faits par de petits points sur la page, à peine visibles. Là, il y a un moulin sur le fleuve, oui, c'est un fleuve si bleu qu'on a du mal à le croire, très large, au courant lent, nous étions assis là un soir, papa, Sleipner et moi... C'était juste avant qu'il nous quitte, je devais avoir cinq ans, nous pêchions et nous avions allumé un feu sur la rive, maman et lui ne disaient rien et j'avais peur, je ne comprenais rien, je ne comprends toujours pas...

Ouvrir l'atlas, c'était comme se laisser glisser dans les airs, près du sol on laissait la page devenir transparente, les signes se transformaient en réalité, en forêts, en ravins, en montagnes, un jour ils feraient un long voyage ensemble...

Fälldin boudait parce que personne n'avait rien dit de son appareil. Comme s'il avait espéré qu'ils l'embrasseraient ou au moins le contempleraient avec un peu de respect. Quand Aron rentra chez lui ce soir-là, il amenait avec lui toute la Nouvelle-Zélande. Il portait les océans qui séparaient les continents, il portait la nuit et le jour qui les séparaient.

Il écrivit une lettre. D'abord en suédois, puis à l'aide du dictionnaire et de questions furtives à Sleipner qui lui dit :

— Je comprends que tu es en train de faire la lettre. Tu as raison d'écrire. Tu as besoin de quelque chose pour t'occuper l'esprit. Et qui sait, cette femme-là est peut-être quelque chose pour toi.

Chers amis DX,
Cher Robert et chère Tessa,
Cette lettre vous parvient d'une Suède sous la neige, elle s'amoncelle, épaisse, tout autour de nos maisons, il fait froid et les étoiles scintillent durant de longues nuits et, telle une étoile filante, votre message nous est parvenu de l'autre bout de la terre.

C'est étrange que cela se soit passé. Moi, qui vous écris ces lignes en partie à la demande de mes camarades mais aussi beaucoup de mon propre chef, je suis un être très seul, depuis que ma femme est morte dans un accident, je vis encore trop en elle, rien jusqu'ici n'a pu me faire penser à autre chose, bien que j'aie mes deux enfants, un garçon et une fille, et un travail dépourvu de sens, je sers d'homme à tout faire dans un hôtel. Auparavant j'étais fermier, je possédais une petite ferme que nous exploitions ensemble, mais je n'ai pas eu la force d'y rester seul, pas eu la force de continuer à vivre dans le passé, puisque chaque pièce, chaque recoin de la maison était empli de sa présence.

Je ne suis désormais que la moitié d'un être, peut-être cela remplirait-il mes journées de savoir que de temps en temps il y aurait une lettre à aller chercher, un pays lointain auquel rêver, une autre sorte de connaissance pour combler mon vide. Je n'ai que trente-cinq ans, mais c'est comme si j'avais perdu prise sur l'existence, ou plutôt : comme si celle-ci avait perdu prise sur moi. Si vous pouviez m'aider d'une façon quelconque, ma gratitude serait grande.

Bien à vous
Aron Nordensson

Quelques mois passèrent, le soleil du printemps se montra, la neige fondit, les journées s'allongèrent, et Aron, qui vivait avec sa lettre, sa première ouverture vers l'extérieur, commençait presque à croire qu'elle s'était perdue en route, ou bien que ses exigences avaient été trop grandes vis-à-vis de ces gens inconnus, lorsqu'un jour, au début du mois d'avril, il put sortir de la boîte aux lettres une enveloppe longue et mince.

Taihape, avril

Cher monsieur Aron Nordensson,

La pluie tombait à verse quand votre lettre est arrivée. J'étais sortie tondre les moutons avec mon frère et j'étais trempée jusqu'aux os, quand j'ai vu le facteur. Ce n'est pas souvent que je reçois des lettres. Encore moins de si loin et j'avais presque oublié que j'avais écrit les quelques lignes de la part de mon frère qui, ai-je compris, sont à l'origine de votre lettre.

C'est une lettre ouverte, presque choquante. Comme de me dire que soudain je connais, mais connais vraiment, un être humain. Je sais si peu de chose sur eux. Toute ma vie j'ai vécu dans cette ferme, depuis que mes parents sont morts dans le naufrage d'un bateau. Quelques fois par an je me rends à Wellington avec mon frère pour les affaires, mais je me sens à l'écart à Wellington, je suis une campagnarde et les propos d'affaires ne m'intéressent pas. Je lis beaucoup, par contre, ce qui semble irriter mon frère. Il dit que cela m'éloigne des tâches de la ferme, que ça me donne des idées, et c'est peut-être vrai.

Je me sens timide en vous écrivant, vous m'avez accordé votre confiance et je ne sais comment y répondre. Moi-même, je n'ai aucune expérience – à part la mort de mes parents – qui puisse être comparée à la vôtre. Mais quelles sont les souffrances qui peuvent être *comparées* ? Toutes sont uniques. Pour chacun ses épreuves sont toujours les plus grandes. D'un autre côté : j'ai peut-être tort de méconnaître les enseignements de ma propre vie. Mais il me semble – dans la mesure donc où ils existent – qu'ils n'ont jamais été mis à l'épreuve.

La solitude est-elle un enseignement ? Traverser les champs tôt le matin, s'occuper des pâturages, chercher des vers parasites, changer de pâturages, se taire en compagnie de son frère dans une cuisine silencieuse, voir sa solitude, est-ce un enseignement ? Robert est aigri, je crois que cela vient de sa main, ce n'est pas du tout comme il m'avait obligée à l'écrire, à cause d'un accident récent. Sa main est depuis longtemps coupée, il porte une prothèse qu'il essaie de dissimuler dès que nous avons de la visite. Son dos silencieux fait partie de ma souffrance. Ses regards en coin, sa jalousie. (Il faut que je puisse être sincère avec vous, de toute façon nous ne nous rencontrerons jamais, nous ne pouvons pas nous juger mutuellement, vous ne pouvez pas me juger, c'est simplement bon de pouvoir enfin, enfin après tant d'années, trouver quelqu'un à qui écrire *tout*.) Oui, il a lu votre lettre sans joie, avec méfiance même. (C'est moi en réalité qui l'avais incité à répondre à votre carte la première fois.)

J'ai vingt-deux ans, je ne suis jamais allée avec un homme, mais mon désir en est si grand que parfois je voudrais mourir, la seule fraîcheur que je puisse trouver est à l'église, où je me rends souvent. Mais mes désirs ne sont pas coupables, ils sont quelque chose qui m'est refusé. C'est étrange que je me confie à vous, un *homme* que je n'ai jamais vu, et il est rassurant de savoir que vous vivez de l'autre côté de la terre, les joues me brûlent quand j'écris ces mots, à côté du fourneau, avec la pluie qui tombe presque à l'horizontale sur les champs, une pluie si dense que je dois faire un effort pour distinguer le dos de mon frère là-bas dehors, penché au-dessus d'un box de moutons (l'une de nos brebis a mis bas il y a une demi-heure).

La Nouvelle-Zélande me condamnerait si elle connaissait mes pensées. C'est un pays à l'esprit étroit et sans joie, les gens sont fermés, repliés sur eux-mêmes, insatisfaits. Je sens souvent que je n'ai pas ma place ici, que je suis déguisée, que mon nom n'est pas mon nom, que mes pensées, mes rêves véritables ne devraient pas être admis dans le moi que je suis. Peut-être en va-t-il ainsi pour toutes les femmes des environs : muettes, nous épiant, chacune prisonnière en son esprit.

Non, j'ai dû lire trop de livres. Mon frère a raison : ça m'a donné des idées peu convenables, mais qu'ai-je à perdre à vous écrire, en secret, et c'est en secret que je dois envoyer cette lettre, un jour où j'aurai affaire au magasin... Je dois m'arrêter, mon frère arrive...

(Trois jours plus tard.) Ce n'est que maintenant que j'ai l'occasion de continuer. Bien que tant de temps soit passé, je ne regrette pas ce que j'ai écrit, vous êtes une ouverture pour moi, mes nuits ont été emplies de cette conversation possible, la première de ma vie. Comme un fleuve dans le noir, auquel j'ai pu abandonner mes pensées dans une bouteille qui me quitte pour vous rejoindre. Vous êtes la première personne qui m'ait parlé, ouvertement, de *tout* votre être. Durant trois jours j'ai à peine pu dormir à cause de cela, je vous ai *vu*. Mais qui êtes-vous en réalité ? Existez-vous ? Ou êtes-vous un rêve ? Tous les autres – et ils ne sont pas nombreux –

parlent pour ainsi dire à travers des barrières d'enclos à moutons, quand ils me parlent, quand ils se parlent entre eux, des mots rétrécis, pressés à travers un grillage, à travers du fil de fer barbelé, à travers des fils électriques, des mots qui s'accroupissent, des façades de mots, je suis confuse, me comprenez-vous ? J'ai si peur, si peur maintenant que je vous écris. Les mots gonflent, enflent dans ma bouche. N'abusez pas de moi, ne me trahissez pas et écrivez en Poste restante, c/o Mrs. Winther en qui je peux peut-être avoir confiance.

Votre
Tessa Schneideman

La chaleur qui saisit Aron ce jour de printemps où il lut la lettre fut suffocante. Celle-ci était écrite sur un ton bien supérieur à celui de sa propre lettre. Il ne s'était pas ouvert ainsi. Il ne lui avait rien *offert*. Il emmena la lettre avec lui partout où il allait, il dormit avec la lettre sous l'oreiller, elle était une flamme qui éclairait son visage.

Et il répondit et reçut une réponse.

Taihape, mai

Cher Aron Nordensson,

Soleil aujourd'hui. Tout au long du chemin vers le village où ta lettre attendait. Après la pluie, les chardons que les moutons laissent brillent d'un mystérieux éclat bleuté. J'en coupe souvent et les fais sécher dans la maison. Ce chardon-là est la fleur de la Nouvelle-Zélande, du moins c'est mon impression. Piquant, hostile, mais beau de loin.

Je ne sais pas pourquoi j'ai eu confiance en Mrs. Winther à la poste, mais il y a quelque chose dans ses yeux qui me dit qu'elle ne dénoncera jamais tes lettres. Nous n'avons jamais parlé de ma manière de vivre, mais je crois que les gens savent. Quand je lui ai demandé si je pouvais recevoir du courrier à la poste, elle a simplement incliné la tête et m'a regardée de ses yeux bons et chaleureux. Comme si elle avait derrière elle sa propre expérience payée cher. Beaucoup de femmes viennent peut-être chercher secrètement des lettres chez elle, toutes les femmes peut-être, et certains hommes même, ceux qui habitent encore chez leurs parents, ceux qui grandissent.

Nous avons un voisin, un fermier qui partage sa ferme avec ses deux sœurs. Ils sont maintenant âgés tous les trois, conservateurs, renfrognés, en un mot bornés comme les gens en général. Mais un jour j'ai entendu dire que cet homme, dont les yeux sont aussi hostiles que les chardons, était du temps de sa jeunesse revenu d'Australie avec une femme. Elle était veuve, avait deux enfants et il expliquait qu'il voulait se marier avec elle.

Ses parents se sont opposés à ce mariage et ils l'ont mise à la porte.

Quelle est la vie d'un homme comme lui ? Avec ceux qui sont concernés, car ses sœurs restèrent vieilles filles, bien entendu, car telle est la coutume, n'est-ce pas ?

Je l'observe souvent en cachette pour essayer de discerner son sort, mais c'est impossible : il reste lisse comme de la glace.

Je l'observe parce que sa situation est aussi la mienne :

Oui, j'ai eu un homme. Un. Nous nous sommes fiancés, je me suis donnée à lui (je n'ai pas osé en parler dans ma première lettre, j'en savais si peu, mais maintenant j'ose tout, je *dois* tout oser) *une* fois, je n'avais pas honte alors, je n'ai pas honte maintenant non plus, ce fut la seule fois où j'ai senti *la vie*. Quand je suis rentrée la bague au doigt, quand je l'ai tendue joyeusement à Robert, il m'a frappée avec sa prothèse, un coup violent sur la joue, puis il m'a arraché la bague, m'a traînée aux latrines et l'y a jetée. Tu peux aller la rechercher là-dedans, m'a-t-il crié.

C'était il y a quatre ans. Mon "époux" reçut des menaces et s'enfuit d'ici, tout ce que je possédais de volonté et d'énergie m'a abandonnée, j'agissais comme une morte, et le faisais encore lorsque ta première lettre est arrivée. Peut-être étais-je bien exaltée, mais ta lettre fut un véritable choc.

Je ne supporterais pas une autre séparation de ce genre. Mrs. Winther l'a-t-elle lu dans mes yeux ? Ont-ils un éclat inquiétant ? Sont-ils désespérés ?

D'une certaine manière je redoutais une réponse de toi. Cette existence d'un correspondant ouvre trop d'écluses, réveille en moi des pensées que je me suis interdites. Il faut que tu saches que si tu continues, tes lettres seront ce pour quoi je vivrai, chaque promenade pour me rendre à la poste auprès de Mrs. Winther se fera comme sur des éclats de verre, même si je sais qu'il faut attendre plusieurs mois entre chaque lettre, pendant ces journées qui les séparent je formule, même si tu ne peux pas le remarquer, des phrases, des visions dont je voudrais te faire part, mais en cet instant même (c'est typique !), elles se sont estompées, je ne possède plus aucun langage. Toute ma vie je suis restée en jachère, jamais je n'ai pu me servir de moi-même. Non, jamais on n'a fait appel à moi. C'est pourquoi j'ai peur que cela se remarque sur moi, que l'on me voie et que Robert s'en rende compte et me punisse. J'attire peut-être aussi les regards des hommes, l'absence de courant qui fut en moi durant ces années me rendait invisible.

Celle que l'on voit maintenant – si tel est le cas – celle qui maintenant pointe son visage en moi, est un être terriblement vulnérable, je ne puis m'expliquer davantage.

Ta
Tessa Schneideman

Aron Nordensson et Alfons Nilsson avaient commencé à se fréquenter. Par les belles journées de juin, il arrivait que Splendid mît son père dans un chariot, le conduisît à la forêt de Broby et là, dans une clairière, ils écoutaient les oiseaux.

Près d'un marécage, la faune était très riche en espèces rares.

Un soir, un gorge-bleue y vint et se mit à chanter un chant très beau et très désespéré, les jumelles circulèrent et Alfons Nilsson dit :

— Il ne devrait pas se trouver ici. Exactement comme moi. La probabilité statistique de voir un gorge-bleue ici est cependant plus grande que la probabilité de mon existence.

La clairière était en hauteur, on avait une belle vue sur la vallée en contrebas, sur les maisons et les cimes des arbres. Merles, pinsons et mésanges gazouillaient et laissaient tomber sur eux leurs trilles, comme une chaude pluie d'or.

Le petit paquet Nilsson ferma les yeux et sourit :

— Nous sommes tous les deux des hommes avec un passé, Nordensson. Cela n'empêche pas qu'une journée aussi belle que celle-ci ait aussi sa valeur.

— Mais tu trouves que ça valait le coup de survivre ? Vraiment ?

— La question est posée, Nordensson, et j'ai une réponse : regarde les gosses. Regarde comme ils jouent bien ensemble. Combien ils ont à se donner.

— C'est surtout ton Splendid, je crois, qui donne à Sidner. Sidner est tellement replié sur lui-même que parfois je crains pour sa raison.

— Laisse-lui le temps. Et ce n'est pas vrai ce que tu dis : en ce moment ils stockent des expériences, ils établissent une base pour leurs vies.

— Je suis un si mauvais père pour les miens.

— Nous nous sentons tous comme cela parfois. Chut ! Il chante encore !

Le gorge-bleue en haut d'un arbre. Le calme sur l'herbe, Aron allait écrire tout cela à Tessa. Parler du petit homme-canon dans son chariot, de l'expression de contentement sur ce qui restait de son visage, de la détresse de son propre fils.

— Mais ma vie s'écoule, Nilsson. Et je donne si peu.

— Ça, on n'en sait jamais rien soi-même. Qu'est-ce que tu crois que j'ai donné *moi* à ma femme, avec ce corps ? Peut-être quelque chose quand même. Elle avait peur des hommes, elle était infirmière, elle voulait soigner, puis elle a trouvé quelqu'un à soigner, un être abominable.

— Pourquoi es-tu devenu un homme canon ?

— Quand on est né dans le Småland, on doit finir homme-canon. Je devenais tout bizarre là-bas dans la forêt, à n'avoir aucune vue, à ne pas voir où je me trouvais dans l'existence. Ça a commencé comme ça, il fallait juste que je *franchisse* les cimes des arbres. Et j'ai lu l'histoire d'un gars qui s'était écrasé et...

— Même après ça ?

— Mes parents étaient comme la mousse, à ras, bornés, opprimés. Ils me disaient : Alfons, émigre plutôt en Amérique, ou deviens maçon, mais ne va pas nous tuer avec ces bêtises. Un jour, des forains sont passés et je les ai suivis, ai commencé l'entraînement. Ça devient comme une drogue. Tu devrais sentir comment c'est de voler, d'être propulsé en l'air, ça dure dix, quinze secondes, et puis c'est fini, mais de toute manière tu as fait *quelque chose.* Tu es apparu comme quelque chose de différent. Tu sais qu'on parlera de toi ensuite.

Taihape, juillet

Cher Aron,

Mrs. Winther m'a invitée à prendre le café aujourd'hui, je suis arrivée juste avant la fermeture,

168

elle m'a fait un signe de tête pour m'inviter à la suivre dans son logement privé. J'ai compris tout de suite qu'il y avait une lettre pour moi. Voyant mon excitation, elle m'a dit : Je sors un instant, tu peux rester ici pour la lire, personne ne te dérangera. J'ai fondu en larmes. Personne, je te le dis Aron, personne dans mon existence ne m'a jamais parlé ainsi droit dans les yeux. Comme la vie est cruelle, comme elle pourrait être bonne. De qui et de quoi les hommes ont-ils une telle crainte ? Est-ce de leur propre vie ? Est-ce la crainte de nos gigantesques possibilités ? Quand elle est revenue, elle est restée derrière ma chaise et m'a caressé les épaules, et elle ne m'a pas dit : Ne pleure pas. Mais au contraire : Profites-en et pleure maintenant, tant que tu voudras. Quelle est belle ta lettre sur l'été suédois ! Je pouvais distinctement vous *voir*, cet homme-canon et toi, assis dans l'herbe à écouter les oiseaux.

Oui, j'ai pleuré une partie des larmes que vingt-deux ans de ma vie ont accumulées, larme après larme j'ai pleuré, dans le salon propre et frais de Mrs. Winther, avec des rideaux de tulle et des fleurs aux rebords de toutes les fenêtres, avec les odeurs montant d'un jardin bien entretenu. Je repose ma vie sur tes lettres, sur leur odeur. Comment es-tu ? J'ai failli dire : de l'extérieur, puisque je crois connaître ton intérieur, l'important, le vrai.

Tu m'as ressuscitée d'entre les morts.

(Quelques jours plus tard.) Aujourd'hui, en cette mi-juillet, il y a du givre sur les vitres. Vers le nord, des nappes de brouillard s'étendent sur les cimes de la forêt, nous sommes les enfants des brouillards. Certes, ce sont les Maoris qui s'appellent comme ça, mais je suis l'une d'eux, pas de naissance, mais par désir. J'appartiens aux opprimés. Je suis *pakheha* – cela veut dire blanc – mais à part la couleur de ma peau qu'est-ce qui m'unit à Robert, aux voisins des fermes alentour ? Les Maoris ont une notion – le *tapu* – des règles de tabou que les Blancs tournent en dérision, mais combien de tabous n'avons-nous pas autour de nous ? Oui, bien plus que les Maoris seraient jamais capables d'inventer.

Ce matin, je suis redescendue chez Mrs. Winther. Je voulais l'aider pour sa lessive. Robert marmonnait qu'il y avait assez à faire chez nous, mais j'ai invoqué qu'elle souffrait du dos. Il ne me croit pas. Il ne croit personne, ni rien. Pour lui tout est excuses, mensonges. J'ai passé le portail au moment où les brumes se levaient, les petits cochons, noirs et rayés, avaient froid, mais le soleil commençait à scintiller dans les feuillages et du givre brillait sur les arbres. Dans une clairière quelques ménures voletaient, la queue en éventail – nous avons aussi des clairières ici. Je suis restée là un instant et j'ai creusé dans la mousse avec mes doigts gelés, je ne sais pas pourquoi j'ai fait cela. Quelqu'un dit que lorsque l'on creuse dans la mousse, la neige vient.

Qui sommes-nous, nous les *Pakhehas*, sinon des perdants ? Nous sommes venus ici, nous avons pris la terre des Maoris, les avons "christianisés" : et maintenant nous voilà prisonniers avec notre terre, nos objets que nous gardons jalousement, nous habitons un pays qui n'a pas encore pénétré notre moelle épinière, nous sommes des étrangers, car les Maoris ont déjà donné des noms aux montagnes, aux fleuves, aux villages, à tout ce qui devait nous façonner une histoire. Si tu demandes à Robert ou à moi ce que tel ou tel nom veut dire, nous ne le *savons* pas. Nous n'avons pas d'histoire en commun avec des noms tels que Maungapohatus – le pays Urewera. Ce que racontent ces noms, nous ne le savons pas. Les touristes qui viennent ici – ils ne sont pas nombreux mais il en vient quelques-uns – reçoivent toujours la même réponse : c'est une invention des indigènes. Pour nous cela n'a ni ombre ni résonance. Nous répondons avec mépris "invention" car nous sommes las de ne pouvoir nous-mêmes emplir nos visages de légendes et de souvenirs. Juste avant nous l'histoire s'arrête, et ne va pas t'imaginer qu'elle se poursuit en Angleterre, le crime est trop important. Notre langue est si laide, remplie de jurons, de simplifications et de prises de distance. C'est la langue amère des forçats qui suinte jusque dans mes, dans nos nerfs, une langue dépourvue de fierté, qui nous maintient prisonniers dans une façon de penser abjecte. Si tu réagis contre elle, tu dois soit te vendre pour retourner en Angleterre, à Oxford ou Cambridge, soit devenir un romantique des Maoris. Les juifs qui vivent ici ont, du moins je l'imagine, leurs propres traditions, même si elles se dissolvent, leur particularisme auquel se rattacher. Cela les rend conscients de leurs particularités, de leur identité. Nous, nous n'avons rien d'autre que la religion de la négation, et elle nous dessèche.

Tout ceci j'ai pensé que je devais te le raconter. Je ne suis pas instruite, même si j'ai lu un peu, ma vie n'est grande que de quelques hectares, mais je sais voir les montagnes au-delà. A Wellington j'ai pris l'autobus, mon regard ne savait où se poser, je sentais le mouton. Je ne crains pas de te révéler mon manque de connaissances, Aron, car celle qui évolue ici dans ces loques n'est moi qu'en partie. Il existe en moi un autre être, qui ne commence à être visible que maintenant, grâce à toi.

Je t'embrasse
Tessa

A cette lettre était jointe une rose pressée, elle sentait encore.

Un jour, une autre lettre arriva. Elle était adressée à l'hôtel pour demander la réservation d'une chambre. Aron ouvrait ce genre de courrier dans la cuisine, en compagnie de la Reine des Sauces et de Mme Jonsson. Ces instants matinaux emplis d'un bavardage paisible sur les achats, les réservations ou des potins détendus sur ce qui s'était passé la veille au soir, étaient le meilleur moment de la journée. Fidèle à son habitude, Aron lut la lettre à haute voix :

Je voudrais par la présente demander la réservation d'une chambre dans votre hôtel pour les nuits du 17 et du 18 de ce mois. Le tournage d'un film qui doit être réalisé dans votre région m'amène à avoir besoin d'un endroit où me retirer, incognito de préférence.
Salutations, Fridolf Rhudin
comédien

Il y eut un grand calme, comme celui qui précède un tremblement de terre. Puis la lettre fut arrachée aux mains d'Aron, la Reine des Sauces se laissa tomber à table en face de lui, lut, puis elle fut prise de fou rire :

— Qui doit être réalisé dans votre région ? Eh ben, il est trop drôle le Fridolf ! Que c'est chic ! Dire qu'il va venir ici, mon Dieu ! Et son rire roula jusque dans la salle à manger où se trouvait Stina Ohrström, la fille anguleuse au menton pointu. Sa serpillière dégoulinante à la main, elle entrouvrit la porte.

— Fridolf Rhudin va venir ici ! Chic, chic ! Et à nouveau elle se mit à rire. Regarde ça, Stina, comme c'est drôle ce qu'il écrit.

Stina, qui se méfiait de tout ce qui était écrit, regarda les lignes d'un air inquiet, se tourna vers Aron.

— Tu crois qu'on aura droit à quelque chose ?

— Comment ça ?

— Qu'il va raconter une de ses histoires. *Le Chien solitaire* par exemple ?

— Tu ne sais donc pas lire, dit Aron. Il a besoin d'un endroit pour se retirer. Et de préférence incognito, tu comprends ? Elle n'y comprenait rien, elle essora résolument la serpillière par terre, se précipita pour aller chercher son manteau et disparut dans les rues, ses lèvres étaient tendues et sèches.

Aron se dit qu'il allait être difficile de protéger leur client. Ce fut d'abord Patron Bjork qui téléphona pour faire savoir qu'il avait besoin d'une chambre en cette même fin de semaine justement, "pour réfléchir au calme à certaines choses". Juste après ce fut un coup de téléphone du député Persson qui devait se rendre à Karlstad pour une remise de prix à un concours hippique et "aurait aimé loger près de la gare". Et lorsque ensuite Göte Asklund fit justement un saut pour réserver une chambre lui aussi, cela voulait dire qu'il savait ce que toute la ville savait. Göte n'était qu'un gros tas de tabac à priser imbibé d'eau-de-vie qui se penchait sur le comptoir :

— Tu trouves que ma place n'est pas dans ton hôtel, hein, dis-le ?

— Si, si, mais ça coûte cher.

— Ton patron devrait entendre ça, toi, tu refuses de l'argent. Lui qui en a besoin. Regarde, dit Göte et il jeta son portefeuille sur le comptoir : Vas-y, Aron, compte, prends ce qu'il te faut, mais moi j'aurai une chambre. Et il se pencha jusqu'à Aron et saisit les pans de sa veste. Tous deux tremblaient d'autre chose que de colère. Tu sais que je suis fort, Aron. Que je pourrais te tordre le cou et à tout ton hôtel. Mais je fais pas ce genre de choses, hein, je suis honnête, moi, tu le sais bien ?

— Oui, Göte.

— Toute la racaille, je pourrais lui tordre le cou, hein ?

— Je sais, je sais. Mais tu es ivre maintenant.

— Mais samedi je ne le serai pas. Alors j'aurai une chambre. Jamais je n'ai fait de mal à une mouche, jour et nuit je travaille, et personne ne me bat au travail, tu le sais, hein ? Il s'affala devant le

comptoir. Tu sais, bobonne elle achète des vêtements avec tout ce que je gagne. Et maintenant
elle va faire des études aussi, qu'elle dit, mais
alors j'ai dit que alors là non, pas question que tu
fasses des études. Il se redressa en titubant et
s'étala sur le comptoir, se lança dans les confi-
dences : Etudier, les bonnes femmes ! Non mais,
Aron, tu sais ce qu'elles font ? Il pointa l'index
sur le visage d'Aron. Elles vont à Karlstad, les
bonnes femmes, elles y restent toute la semaine,
elles rentrent que le vendredi et alors elles font les
yeux doux en disant qu'elles font des études. Tu
sais ce qu'elles font, Aron ? Elles font la bringue !
Des manteaux neufs et des robes neuves à n'en
plus finir. Une machine à entretenir, voilà ce que
je suis. Mais je vais me flinguer, Aron. Tant pis
pour elle et ses robes neuves.

— Pense à tes enfants, Göte.

— Je prendrai la petiote avec moi quand j'irai
me flinguer. Ça lui évitera bien des misères. Mais je
veux d'abord causer avec Fridolf ! Samedi je ne
boirai pas, dit-il en s'endormant sur le comptoir.

Göte Asklund n'était pas seulement honnête, il
était malin aussi. Le samedi après-midi, la salle à
manger de l'hôtel était pleine de clients, dans toute
la salle il ne restait qu'une place de libre, en face de
Patron Björk, assis à la table de la fenêtre du
milieu. D'un côté il y avait le député Persson, le fils
du magnat des harnais, de l'autre le journaliste

Edvardsson, mâchouillant déjà son crayon. A chaque table étaient installées des personnalités solennelles, la plupart des hommes en costume sombre et chemise blanche. Certains avaient eu la générosité d'emmener leur femme. "Pour changer un peu du samedi à la maison", dit un père de famille. Un autre baissa la tête : "A cause de ce temps magnifique", mentit-il. Et un troisième expliqua : "Je passais par hasard et je me suis dit : Pourquoi ne pas m'offrir un petit extra maintenant que je suis seul ?" Bien que sachant tous que les tables étaient réservées depuis plusieurs jours. Pour être aussi pleine, la salle à manger était étonnamment calme. Personne n'avait commencé à manger, personne ne s'était bu un seul schnaps et ceux qui lisaient le journal n'avaient pas tourné une page depuis une demi-heure. La Reine des Sauces et Mme Jonsson piétinaient anxieusement à l'entrée de la cuisine, faisant régulièrement un tour devant le buffet froid avec tous ses raviers et plats étincelants pour y déplacer une assiette par-ci, un bouquet de fleurs par-là, et lorgnant sans cesse sur l'entrée.

De temps en temps une oreille se dressait. Quelqu'un déglutissait bruyamment, un petit enfant qui n'avait rien dit reçut l'ordre sec de se taire. Toutes les fenêtres étaient ouvertes ; on avait entendu le train arriver et les barrières se baisser dehors dans la rue. Puis, enfin ! la porte s'ouvrit et l'on entendit des pas dans l'escalier. Patron Björk recula un peu sa chaise, réfléchit, il y avait beaucoup de marches d'escalier, un instant tous ses sens restèrent en éveil. Puis il recula sa chaise complètement, serra sa serviette dans la main, la jeta en travers de l'assiette et se hâta de sortir de la salle à manger. On vit son sourire s'élargir de plus en plus et il commença à ouvrir ses bras en un large geste de bienvenue.

— Soyez le… dit-il et il se retrouva soudain en train de serrer la main du grand et fort Göte Asklund qui, tout aussi endimanché que les autres bourgeois, était apparu sur le seuil. Sa chemise immaculée brillait, ses cheveux pommadés étaient lisses et coiffés en arrière.

— Pas possible, dit ce dernier, affichant un air décontenancé. Puis il se tourna vers le couloir. J'avais raison, tu vois ce que je te disais, Fridolf. C'est plein ici.

— Nous le boirons dans la chambre alors, Göte, entendirent-ils, et c'était la voix de l'acteur, et qui n'avait pas l'air drôle du tout. Patron Björk faillit s'étaler sur le seuil.

— Nom de Dieu, Asklund… Monsieur Rhudin… Et, plus loin encore dans le couloir : Monsieur Rhudin.

— Je crois que Rhudin voudrait qu'on lui fiche la paix, dit la voix de Göte Asklund. Sa journée a été fatigante.

— J'ai réservé une place pour vous, monsieur Rhudin. La table à côté de la fenêtre. Je m'appelle Björk, cet hôtel est pour ainsi dire le mien.

— C'est de lui que je te parlais, dit la voix de Göte.

— J'avais pensé vous *offrir* le dîner. Monsieur Rhudin…

— Très aimable mais… nous préférerions… Une porte s'ouvrit puis se ferma. Un instant de silence. Puis le bruit de la porte et à nouveau Patron Björk fut sur le seuil, regardant la mer de clients – puis la commande de Göte Asklund :

— Pourrions-nous avoir deux thés dans la chambre, s'il vous plaît ?

Ce fut un dîner très pénible. Les quarante clients ne pouvaient guère se lever et partir maintenant qu'ils avaient passé commande. La consommation d'alcool fut extrêmement réduite, on chipotait en se regardant à peine, l'enfant qui se plaignait que les pommes de terre étaient trop chaudes reçut une gifle.

— Est-il vraiment un si bon acteur, après tout, chuchota le député Persson au bout d'un moment. Je veux dire, en tant que comique ça peut aller. Je suppose.

— Après tout, dit Edvardsson le journaliste, un comique n'écrit même pas ses propres textes. Je veux dire, répéter ce que quelqu'un d'autre a écrit…

— En tout cas il n'est pas question d'*art*. "Je sais bien ce que ça donne : ça nous donne un bâtard comme tous les autres" ou "Aujourd'hui nous avons eu un petit accident sur le tapis du salon"… Je veux dire, qu'y a-t-il de vraiment comique dans des phrases comme ça ? Quand on regarde d'un peu plus près ?

— Moi, je n'écoute jamais la radio, dit Björk. En tout cas pas les programmes de variétés. C'était mieux avant.

— Oui, c'est bien vrai, dit le député en jetant un regard dédaigneux par la fenêtre : de nombreux visages tournés vers l'hôtel le fixaient. Je ne comprends pas, dit-il en tirant le rideau, que les gens puissent être curieux à ce point. Simplement parce qu'un comique paysan passe par ici. A la tienne, Björk.

Vers minuit, il ne restait plus que le personnel. Stina Ohrström, après avoir débarrassé les tables, vint avec son seau et s'assit dans la cuisine, prit l'un des canapés qui restaient du buffet et que lui tendait la Reine des Sauces. Sidner était assis en pyjama à côté d'Aron qui remplissait des papiers pour le lendemain. Mme Jonsson comptait les pourboires et glissait les pièces jaunes dans une tirelire pour l'armée du Salut.

— Tu as réussi à avoir son autographe ? demanda la Reine des Sauces en étalant quelques cuillerées de mayonnaise sur un morceau de pain. Mme Jonsson frissonna.

— Pour qui me prenez-vous ? Je suis une femme convenable. Et, pour être lavée de soupçons aussi terribles, elle fit cliqueter quelques pièces blanches de dix öres dans la tirelire.

Ce fut alors qu'on frappa à la porte et que Fridolf Rhudin pointa sa tête.

— Excusez-moi de vous déranger. On peut entrer ?

La Reine des Sauces fit signe à Stina Ohrström de libérer la chaise.

— Vous êtes sûr que nous ne... Je veux dire... les clients ne doivent pas avoir le droit de venir ici ?

Göte Asklund se tenait derrière lui, les mains croisées sur son ventre, aussi net et propret qu'auparavant.

— Ce n'est pas facile d'être populaire, expliqua Göte à ceux qui étaient assemblés là. Souvent ça ne vaut pas le prix que ça coûte. On ne dit pas tout dans les journaux.

Tout comme Fridolf, il alla serrer la main de chacun et, du fait des paroles remarquables qu'il venait de prononcer et avec tant de vigueur, personne n'y vit quoi que ce soit d'étrange. Ils avaient devant eux un homme libéré.

— Nous pouvons vous servir quelque chose, monsieur Rhudin ? Un petit alcool ? Une bière ?

— Un verre de lait comme celui-ci m'irait très bien.

Stina Ohrström s'était hissée sur la paillasse de l'évier, elle balançait ses jambes et comprenait qu'elle participait à quelque chose d'incompréhensible pour elle. Pour ne pas laisser voir combien ses joues étaient crispées, elle se cura les dents du bout de l'index.

Fridolf regarda autour de lui.

— J'ai toujours aimé les cuisines. C'est le meilleur endroit d'une maison. Mon père était...

— Tailleur, dit la Reine des Sauces en lui tendant le verre. Stina Ohrström fronça les sourcils. Ça, c'était bien dit, et elle, qu'est-ce qu'elle pourrait bien trouver à dire. Pour avoir dit quelque chose. Pour plus tard.

— Oui, c'était à Munkfors. Quand même... que des choses puissent nous marquer à ce point-là !

— La popularité coûte cher. Göte Asklund regardait autour de lui, scrutant chacun. Voilà quelque chose qu'il voulait inculquer aux ignorants...

Stina Ohrström se tordait les mains entre les genoux. Ça, elle aurait été capable de le dire. Presque. Elle y avait pensé en même temps que Göte. Presque. Elle regarda Fridolf qui buvait, le verre dans ses deux mains. Peut-être pouvait-elle dire quelque chose là-dessus ?

Que le lait froid c'est bon.

Ça ne pouvait déranger personne. Il n'y avait qu'à le dire, tel quel. Comme ça elle aurait au moins dit ça.

— Rien ne vaut le lait froid le soir, dit Fridolf en reposant son verre.

— Non, soupira Stina Ohrström, mais personne ne l'entendit. Maintenant elle allait être obligée de trouver autre chose.

— Göte, comment as-tu réussi à connaître... M. Rhudin, demanda la Reine des Sauces.

— J'ai marché jusqu'à Amtervik où je suis monté dans le train. J'avais besoin de me confesser, si je puis dire.

— Et tu es resté sobre toute la journée. Elle lui tapota le bras.

— Quand on rencontre un homme aussi bien que Fridolf, on n'a pas besoin d'alcool. Alors ça devient *intéressant.* Tout. Tu sais que je chante...

— Oui, on le sait.

— Et ce n'est pas terrible. C'est de ça que je voulais parler à Fridolf.

— Une conversation très intéressante que nous avons eue, intervint Fridolf.

— J'arrive bien à tenir le ton, tu l'as dit. Mais ce à quoi j'ai réfléchi, c'est pourquoi je ne suis rien devenu. Et que Fridolf, lui, est devenu quelqu'un. Que les choses peuvent tourner si différemment. Bien que tout ait été pareil pour nous deux au départ. Son père, comme le mien, était tailleur.

Stina Ohrström essayait de suivre. Impossible de savoir combien de temps il allait rester là, Fridolf. Elle n'avait toujours pas réussi à dire quelque chose. Peut-être qu'il fallait que ce soit quelque chose sur les films ? Ou la musique ? Puisque les autres parlaient de musique. Qu'elle n'aille pas interrompre, mais participe, en quelque sorte.

— Je vous sers encore du lait ?

Cette Reine des Sauces, elle gâchait tout !

Elle se jeta en bas de la paillasse et arriva la première à la porte du garde-manger, écarta d'une tape le bras grassouillet de la Reine des Sauces et tendit la main vers le pot :

— C'est moi, coupa-t-elle, puis elle saisit le pot et l'amena au-dessus du verre de Fridolf, mais il fit un geste pour décliner.

— Merci, ça va comme ça.

Voilà qu'elle s'était ridiculisée. Lorsqu'elle eut reposé le pot elle pensa qu'elle aurait pu dire : Mais un demi-verre, peut-être ? Ou elle aurait pu dire aussi : Rien ne vaut un bon lait froid le soir. Quoique... Elle regarda les étagères, le dos tourné à la cuisine. Elle déglutit. Advienne que pourra ! Elle ne pouvait pas rentrer sans avoir *rien* dit. Maintenant que personne ne parlait. Elle ouvrit la bouche...

— Et qu'avez-vous répondu à cela ? demanda Sidner, qui jusqu'à présent n'avait fait qu'écouter.

— A quoi ? Ah oui, pourquoi ça tourne si différemment. J'ai dit qu'il devait y avoir une grande part de hasard. Dans mon cas...

— Tu as dit plus que ça, Fridolf, interrompit Göte. Tu as dit qu'il fallait s'abandonner.

Fridolf fronça les sourcils et son regard tomba sur Aron qui était resté tourné vers ses propres images, et il lança, au beau milieu de ces images :

— Il faut s'abandonner, oui. Lâcher tout et s'abandonner. L'abandon est la seule chose qui compte, finalement.

— C'est un long voyage, dit Aron.

Mais maintenant Stina Ohrström en avait eu assez. Personne n'avait vraiment envie de l'écouter. Renfrognée et maussade, elle grommela à l'adresse du garde-manger :

— Je savais bien que ça donne qu'un bâtard comme tous les autres. Elle alla chercher son manteau et, sans daigner les regarder, elle quitta la cuisine.

Cher Aron,

Où trouve-t-on le courage ? me demandes-tu. Le courage de continuer à vivre ? Je ne peux que te répondre ce qui me donne le courage, à moi : tes lettres. Depuis deux ans maintenant elles me maintiennent à flot.

Suis-je en train de mentir – j'ai si peur des mensonges, car j'ai décidé une fois pour toutes d'être totalement franche avec toi – suis-je en train de mentir donc, puisque j'avais quand même vécu avant que nous ayons commencé à nous écrire ? Non. Je ne vivais pas alors. Tu m'as ressuscitée d'entre les morts.

Je te vois dans le lever du soleil au-dessus des montagnes. Dans la rosée sur l'herbe, oui, même dans l'herbe rase parmi les crottes de mouton, dans le crissement de la mousse couverte de givre je t'entends. Dans les livres que je lis.

Tu sais, à la bibliothèque j'ai trouvé quelques livres d'un Norvégien qui s'appelle Knut Hamsun : *Pan, Victoria, La Faim, Les Fruits de la terre.* Sur la carte j'ai vu que tu n'habites pas loin de la

Norvège. Quels livres ! Il y a en eux quelque chose qui est bien connu de mon âme, même si la chute des feuilles est différente, si ces changements de couleurs au printemps et en automne ne sont pas les nôtres. Les as-tu lus ?

La nuit, dans mes rêves, je te confonds avec les personnages de ces livres. Tu es seul, tu marches dans les forêts, tu chasses un oiseau, tu es silencieux et renfermé, mais pas de la *même* manière que les hommes d'ici... Oui, dans les livres que je lis tu me maintiens à flot, par ce fait qu'il existe d'autres mondes.

Si nous nous rencontrions ! Comment cela se passerait-il ? Tu dis que tu parles l'anglais beaucoup moins bien que tu l'écris, que sans le dictionnaire tu serais perdu comme un enfant. Quelle importance ? J'ai vu ton intérieur et je l'aime. Si nous nous rencontrions ? Je ne sais pas mentir : c'est cela que j'espère. Que tu viennes me libérer. Je pose ma joue contre la lettre, peut-être sent-elle l'agneau et la laine.

Ta Tessa

Dans cette lettre une fleur jaune qu'elle appelait kowhai.

Cher Aron,

Je ne sais pas si je dois rire ou pleurer, mais je ris. J'avais pensé t'envoyer une surprise, c'en est bien une, n'est-ce pas ? Quand je me suis désolée auprès de Mrs. Winther de ne pas posséder une seule photographie à t'envoyer, elle m'a dit qu'il y avait l'appareil-photo de son mari, elle s'est proposée pour acheter une pellicule mais m'a expliqué qu'elle ne savait pas photographier. Elle a soixante-dix ans, petite, boulotte et désemparée et, comme tu vois, elle ne savait vraiment pas le faire. Il vaut mieux en rire en tout cas.

Nous nous sommes mises au milieu des draps qui séchaient dans son jardin. La première fois qu'elle allait appuyer sur le bouton, la sonnerie a retenti dans le bureau de poste et elle s'est tournée, de sorte qu'au lieu de moi tu vois des draps, des draps néo-zélandais. Ils ont sûrement un certain intérêt eux aussi, Aron, j'ai rêvé que nous reposerons ensemble dans de tels draps. A l'arrière-plan, c'est la moitié de l'entrée du salon de Mrs. Winther, où j'ai pleuré tant de fois, si tu y entrevois un filet d'eau, ce sont mes larmes. La photo suivante est aussi un drap, en gros plan. Le vent l'a soulevé au moment même où elle appuyait. Mais je suis derrière. Et la troisième photo, qu'en penses-tu ? Cette partie de moi, te plaît-elle ? Je te montrerai un morceau à la fois. Peut-être t'enverrai-je la prochaine fois mes doigts ou une oreille ? Que préfères-tu ? Les dernières images, surexposées, montrent divers morceaux du ciel, des plates-bandes et encore des draps. En cherchant bien tu pourras deviner ma silhouette. Cela aussi c'est moi : une silhouette vide que tu peux remplir avec ce que tu veux de tes bons désirs. Essaie en tout cas, mon bon, mon gentil

Aron, je suis présente partout sur ces images, soit à gauche ou à droite, soit au-dessus ou en dessous.

Embrasse mon menton.

Je t'aime
Tessa

Elle avait joint une mèche de cheveux, sombres, doux.

*

Aron sourit, car cette lettre était pleine de bons signes. De très bons signes, et qu'il n'était certainement pas seul à pouvoir interpréter. Le soleil brillait sur les draps mais elle était là, derrière. Il était encore trop tôt pour révéler quoi que ce soit.

Aron se tenait au fourneau et faisait bouillir du linge quand elle fit sa première visite. Il l'avait bien entendue tâtonner à la porte mais il voulait se montrer malin et faire comme s'il n'avait pas entendu. Avant qu'il n'ait eu le temps de dire ouf, elle fut derrière son dos, ses doigts glissèrent sous sa chemise.

— Ne te retourne pas, dit Solveig.

— Je savais bien que tu viendrais, lui répond-il et il sort le linge blanc de la lessiveuse avec une cuillère en bois.

Et Solveig lui entoure la taille de ses bras.

— Personne ne me croira, dit-il en riant.

Solveig respire à travers sa chemise, appuie ses lèvres contre lui.

— Tu dois apprendre à vivre comme ça.

— Puis-je te regarder maintenant, Solveig ?

Mais elle le maintient fermement tourné du côté de la cuisinière.

— Il n'est pas encore temps.

— Pourquoi as-tu tant tardé ?

— Oh, tu sais, il y a beaucoup de choses à faire là-bas... Mets le linge dans l'eau de rinçage maintenant, il a l'air propre.

— Tu peux voir cela à travers mon dos ?

— Bien sûr, tout ce temps n'est pas passé sans laisser de traces.

— Pourquoi as-tu disparu ?

Elle rit :

— C'était pour rire seulement. Je trouve ça si beau, de tout voir.

— Mais tu ne m'as pas laissé te rejoindre. Et *où* es-tu allée ?

Soudain elle parle d'une voix dure :

— Tout ce que tu veux, Aron. Mais *ça*, tu ne dois pas le demander.

— Je sais.

Il veut s'enfoncer entre ses bras, kilo après kilo se fondre en son corps.

— Il faut savoir bouger quelquefois. Mais toi aussi tu deviendras un grand voyageur. Si tu veux me revoir, j'entends.

— Solveig.

Son nom a le goût de la bruyère en été, des forêts de pins.

— Veux-tu me demander encore autre chose ? Je dois m'en aller maintenant.

Il prend peur, passe son poids d'une jambe sur l'autre, doucement, pour qu'elle ne disparaisse pas.

— Non. Je ne veux pas que tu partes.

Il se retourne, la cuillère à la main, mais elle a déjà disparu dehors, la porte de la cuisine est ouverte et Sidner est là, qui le regarde.

— Ça sent le brûlé, papa, qu'est-ce que tu fais ?

Une manche de chemise fume sur la cuisinière, il se précipite et la retire, la cuisine est pleine de vapeur.

— Je comprends, dit Aron qui n'arrive pas à lâcher la cuillère, ni à baisser le bras ou à s'éloigner du fourneau, Sidner le pousse.

— Qu'est-ce que tu comprends ?

Non, Sidner, pas encore. C'est trop tôt. Elle l'a dit elle-même. Ils sauront tous en temps voulu. Mieux vaut mentir un peu.

— C'était personne. Il sent un sourire rusé s'installer au coin de sa bouche. C'était absolument personne. Il faut savoir plaisanter quelquefois, Sidner. Et il dit ça très distinctement.

Et il devient tout content de redécouvrir le langage et l'accueille en répétant :

— Il faut savoir le faire quelquefois.

Comme s'il avait traversé, était passé maintenant.

Tout cela va s'arranger bientôt.

La réalité est si nette. Des angles précis et clairs à toutes choses. La cuillère, par exemple, on peut la poser sur la paillasse. On peut vider l'eau de rinçage, remplir avec de l'eau propre, la vider, remplir, la vider.

Il fait un signe de tête encourageant à Sidner :

— C'est vite fait. Le rinçage.

Mais comme Sidner fronce les sourcils – oui, il est toujours de l'autre côté, lui – Aron est obligé d'ajouter, comme pour l'aider à ne pas se sentir totalement à l'écart :

— Quelquefois.

— Mais qu'est-ce que tu dis, papa ? Car il est en train de regarder la chemise brûlée.

— Quelquefois, répète Aron en souriant, mais il comprend au même moment que ce n'est pas le mot qu'il faut. Tout à l'heure il convenait. Maintenant il ne convient plus. "Quelquefois" reste suspendu au-dessus de la cuisinière, ça a l'air si dur, si tranchant, alors il l'efface avec la main en l'air et sourit à Sidner :

— On a vite fait de s'oublier parfois.

C'est déjà mieux. Ça n'a pas été difficile à dire, et maintenant il veut montrer à Sidner que ce n'est pas par hasard qu'il arrive à s'exprimer avec autant de facilité, tout content il fait des variantes :

— Et vite fait de se cacher aussi.

Comme une musique. Comme lorsqu'on change les rapports des tons entre eux.

Mais non.

On pouvait se trahir de cette façon. Dénoncer Solveig ! Il lui avait promis de ne rien dire, il était en train d'être infidèle, il fallait qu'il annule ce qui était déjà fait, *balaie* sa gaieté qui était un *signe* révélateur. Il enfonce sa tête entre ses mains, va vers la nappe de la table, se baisse en gardant le silence, pour supprimer le scintillement, c'est facile, c'est trop facile même, il s'enfonce, il faut qu'il affiche quelque chose dans des *tons tout à fait différents.*

— Nous devrions aller faire un tour un de ces jours, pour ramasser des champignons, Eva-Liisa, toi et moi. Cueillir des baies. Pour en avoir pour l'hiver. Pour que tout soit en ordre ! Tu entends ! Il faut que tout soit en ordre, Sidner. Pas comme ça.

Et il agite sa main au-dessus de la table, de sorte que la salière roule par terre.

Sidner vient à côté de lui, pose la main sur son épaule.

— Que s'est-il passé ?

Aron lève les yeux.

— Comme tu as grandi, Sidner, mon garçon.

— Va te reposer, papa. Je peux m'occuper du dîner.

— Tu peux ? Il neige, dehors ?

— Mais on n'est qu'en septembre !

— Oui. Si. Mais il fait si froid.

C'est passé maintenant. Rien que le monde habituel à nouveau. Il se dirige vers la fenêtre et pose son front contre la vitre.

Le corps est en place. Le silence à nouveau en place.

— Nous devons rester solidaires, nous trois.

— Mais c'est ce qu'on fait, non ?

— Tu trouves ?

— Oui, papa. Je trouve qu'on vit bien ensemble.

— Tu es devenu si grand, depuis que je t'ai vraiment regardé. C'est à peine si je te reconnais.

— Je sais. Je mesure un mètre soixante-quatorze, je suis presque le plus grand de la classe.

Sidner en a terminé avec l'école, il a fait sa première communion et s'est acheté un chapeau, il a obtenu un emploi dans la droguerie de Werner Nilsson et son salaire est de cinq couronnes par jour. Il se tient derrière le comptoir et vend des peintures, de la colle, des articles de ménage, des herbes.

Il s'agit pour l'instant d'un commerce florissant et il s'y passe toujours quelque chose, qui élargit davantage le monde de Sidner.

"Pour qui supporte le poids de la curiosité, écrira-t-il plus tard, le monde est un champ d'expériences qui s'accroît sans cesse. Mais qui peut le supporter, et qui ne le supporte pas ? Quels sont les mécanismes qui en empêchent certains et offrent à d'autres ce don ? Je n'en sais rien, car durant une longue période je ne savais pas moi-même si je voyais réellement, si je devenais complice ou si je ne faisais que traverser le monde comme un zombi sourd, muet et refermé sur lui-même."

Werner Nilsson, le propriétaire, s'occupait surtout des vitrines puisqu'il avait été formé à la Haute Ecole des arts décoratifs de Stockholm. Excellent

dessinateur il avait travaillé aussi bien à Copenhague qu'à Stockholm, où il avait réalisé la décora-
tion du Moulin Rouge des salons du Berns. Il parlait
volontiers des grandes villes, pas seulement à Sidner, mais aussi à ses clients, il en parlait même si
longuement que nombreux étaient ceux qui disaient
qu'on n'allait chez Werner que quand on avait tout
son temps.

A cette époque déjà, il était un bien étrange
homme d'affaires, car jamais auparavant Sidner
n'avait entendu parler de quelqu'un qui *donnait*
des choses en disant : "Ça n'a aucune valeur !" Ou
qui déconseillait un achat alors que l'article était
encore abondant en stock, en disant : "Faites-le
vous-même, ça revient moins cher." Le magasin se
trouvait dans la Grand-Rue, au centre du bourg.
Pendant les heures calmes de la matinée, il se tenait
à sa fenêtre et regardait les chariots ou la voiture
d'Ola-Mobile qui tournaient au coin.

Ola, dit Ola-Mobile, était le premier à être venu à
Sunne en voiture, c'était en 1908 et il s'agissait
d'une REPIO. Aujourd'hui on compte une vingtaine
d'automobiles à Sunne et quarante-huit mille dans
toute la Suède, trois cents personnes ont déjà trouvé
la mort dans des accidents de circulation mais une
automobile reste une curiosité, surtout quand elle
est conduite par Franz Lindborg, le vétérinaire. Alors
l'engin avance en zigzaguant, monte et descend des
trottoirs et parfois le voyage se termine contre un
réverbère. Ce n'est pas toujours amusant et ses
virées entrent bientôt dans l'histoire. Un jour le

journal local finit par être obligé de dire ce qui était déjà l'avis de beaucoup :

"Hier, près de Rottneros, une fillette âgée de cinq ans a été percutée par M. le vétérinaire Franz Lindborg, qui conduisait son véhicule automobile de la façon que l'on sait. La fillette souffre de fractures aux deux jambes et, malgré les tentatives de plusieurs personnes accourues sur les lieux pour l'arrêter, Lindborg a continué sa course, probablement dans un état d'ébriété avancé. Nous espérons que ce permis dont M. Lindborg abuse vivement depuis longtemps lui sera enfin retiré."

C'est justement en parlant d'une de ces virées du vétérinaire que Sidner est pour la première fois initié à la philosophie de la vie de Werner, car celui-ci en a une. Il est couché dans sa vitrine, en pantoufles de feutre, et monte des mannequins de cire pour le Dimanche des Vitrines – sa vitrine est la plus belle de la ville – et Sidner, qui tient de Splendid l'art de lire à haute voix, lui fait part de l'accident du vétérinaire.

— C'est le Diable, dit Werner en souriant. On ne peut rien contre le Diable.

Et comme Sidner demande des explications, Werner s'assied dans sa vitrine et expose sa manière de voir les hommes :

— Il existe deux forces, deux puissances. Le Bon et le Diable. Entre eux, c'est une lutte éternelle. Si le Diable entre dans ton corps, tu es perdu. Si tu veux étudier le Diable, tu n'as qu'à regarder pas mal de gens : le juge Francke, par exemple, ou

B. P. Nilsson, Berg de la rue de Rive, Almers, tu sais, Almers qui habite Brobyäng, Lindberg de Salla, Olson, Eriksson... Oui, oui, seulement à titre d'exemple. Dans le café il y a le Diable, dans l'alcool et le tabac. Un jour moi-même j'ai laissé pénétrer le Diable en moi, c'était ma sœur qui m'avait amené une Thermos, elle... (Werner regarde autour de lui dans le magasin et baisse la voix)... elle aussi, elle a le Diable. Elle avait confondu le café et le thé, j'en ai bu une gorgée et ensuite je n'étais plus moi-même de plusieurs jours.

— Etait-ce au printemps ? demande Sidner.

Werner hoche énergiquement la tête.

— Juste après Pâques ?

— Oui. Alors tu t'en souviens.

A cette époque Sidner avait été forcé de commencer à boire du thé. Une grande tasse avant le travail, que Werner prépare dans son bureau. Lui-même en boit un litre tous les matins, avec acharnement, souriant d'un air nerveux tandis que ses yeux parcourent la pièce, la tasse à la bouche, puis il ferme les yeux, se concentre, comme s'il vérifiait que le thé remplit vraiment chaque partie de son corps, le calfeutre contre la ruse et les pièges du Diable. Quelle quantité en boit-il le soir, personne ne le sait. Et ce n'est pas du thé normal, mais un mélange de feuilles de groseillier, de menthe, de sauge et de plantain.

Werner regarde Sidner de plus près.

— Il faut être debout quand on boit, Sidner. Alors l'illumination a lieu plus vite.

Il fait une démonstration avec ses yeux, ses sourires et ses regards au plafond.

— Tu sens ?

Sidner fait oui de la tête, il a vite très envie de pisser. Mais c'est bon, il n'y a rien de mauvais là-dedans.

Puis le rituel s'élargit :

— Quand on boit, il faut se tenir à la fenêtre et regarder l'arbre là, dehors, pour que le corps prenne conscience de sa place dans le monde.

Ça aussi c'est bon, l'arbre est beau au printemps, quand les feuilles tendres font jouer la lumière sur les pavés de la cour. C'est beau aussi l'hiver quand ses branches sont couvertes de neige et que toute la cour est blanche et lisse comme une couverture d'enfant. Il ne faut pas balayer la cour d'ailleurs, ce qui a toujours suscité les protestations du voisin qui tient le magasin de vêtements.

Sidner ressent l'effet du thé. Il veut appartenir à la partie dorée, illuminée, de la société.

— Tu lis le journal, reprit Werner, et qu'est-ce que tu découvres : le Diable, page après page. Les accidents, la méchanceté. Tu es sûr que tu ne bois pas de café ? Sidner ment et Werner l'examine de pied en cap.

— A vrai dire, je me demande. Mais tu es jeune encore.

Et le visage de Werner est presque caché derrière l'énorme tasse d'un litre, avec son joli dessin représentant un château entouré d'un jardin. Il l'enferme dans son coffre-fort quand le rituel matinal est terminé.

Il y a de la fébrilité dans les mains de Werner qui sans cesse remuent entre les pots de peinture, les pinceaux et les bouteilles de térébenthine. Elles volent au-dessus du bureau, mettent de l'ordre, enlèvent, posent les crayons parallèlement au sous-main vert, elles époussettent, elles frottent et font briller. Un désordre incroyable règne néanmoins partout.

Mais quelque part, pense Sidner, Werner doit avoir enterré un trésor, car il sourit toujours de son sourire mystérieux, qu'il n'interrompt que lorsque le client a le Diable.

Tout comme Fanny, Werner sait écouter. Quand il écoute, il regarde de côté, de biais, en arrière. La voix ne parvient toujours qu'après un instant, une voix de certitude qui rend Werner sûr de lui, qui l'ouvre à ses clients, aux commis et aux gens de la rue.

Mais jamais un triomphe aussi éclatant, un sourire aussi large que lorsqu'un jour un paquet arrive, qu'il défait devant Sidner. Là, dans le papier de soie, un morceau de métal. Il y a un timbre français sur l'enveloppe.

— Du pechblende, dit-il. Mme Curie.

Au cours des années où Sidner travaille chez Werner, des changements se produisent. Pendant un séjour à Copenhague, Werner a rencontré un astrologue oriental qui apparemment a eu sur lui une influence décisive et qui lui a dressé son horoscope dans lequel il y a tout bonnement écrit : "Avant d'atteindre la cinquantaine tu accompliras quelque chose de décisif pour toi."

Il y avait une femme là-dessous, mais elle avait été rejetée depuis qu'il avait découvert qu'elle aussi était pleine du Diable, oui, c'était peut-être même elle qui la première avait démontré l'existence du Diable, nombreux sont ceux qui l'affirment, elle lui avait soutiré de l'argent, l'avait ridiculisé en public et l'avait rendu encore plus enclin qu'auparavant à écouter d'autres voix que celles de ce monde.

Et les années ont passé et d'ici peu il aura cinquante ans. Mais un mois avant son anniversaire, il lit dans une petite annonce que le manoir de Fyrberga est à vendre. C'est un grand bâtiment avec deux ailes, à quelques kilomètres au sud de Sunne, il est en mauvais état, a besoin de réparations et personne n'en veut. Mais Werner l'achète et cela aura une influence décisive sur le reste de sa vie.

A la suite de cet achat le nombre de Diables augmente de façon catastrophique à Sunne et dans les environs car l'achat engloutit toutes les ressources de Werner, les créanciers frappent à sa porte et la maison périclite. Toute l'existence de Werner se résume bientôt en l'écriture de lettres dans lesquelles il accuse l'humanité de méchanceté et de désir de persécution. Il rassemble des preuves, il découvre le Diable dans leurs visages "vendredi dernier, lors de votre passage dans ma boutique". C'est à Sidner que revient la responsabilité du magasin, car Werner prépare le monde à de grandes découvertes qui vont faire de lui celui qu'il est en réalité. Avec ses chats – treize, quinze, vingt bientôt –, il ne quitte pas l'étage supérieur de son manoir, sur une table, avec un compas gigantesque, avec du papier et des crayons, il divise un atome.

De nombreuses fois Sidner avait contemplé le rideau de tulle en forme de sablier sur la porte de Fanny Udde, mais il avait toujours hésité lorsqu'il s'était agi d'appuyer sur la poignée et d'entrer. Mais, maintenant qu'il portait chapeau et pantalon et avait grandi d'au moins dix centimètres, il rassembla enfin son courage.

La clochette chinoise tinta. Il faisait sombre dans le magasin et il lui fallut un instant pour découvrir Fanny sur le fauteuil derrière le comptoir, avec son énorme chignon et les yeux qu'elle leva sur lui alors qu'il hésitait sur le seuil. Son chapeau à la main, il s'inclina légèrement.

— Puis-je entrer ?

— Sidner. Mais, cher Sidner, comme c'est gentil de venir. Je me suis souvent demandé pourquoi tu ne…

Il regarda autour de lui.

— Pas de clients aujourd'hui ?

D'homme d'affaires à femme d'affaires. Lui-même venait de fermer le magasin de Werner une demi-heure plus tôt, on était samedi après-midi et il savait par expérience que le flot de clients avait cessé pour la semaine.

— Oh, dit-elle, je n'ai pas à me plaindre. Approche un peu que je te voie !

Il s'approcha du comptoir et posa son chapeau à côté de lui, repoussa les cheveux de son front.

— Ainsi tu oses venir ici seul ?

— Oui, je... Splendid n'est pas là ? se sentit-il obligé de demander après une si vilaine insinuation. Je croyais que...

— Il y a longtemps qu'il n'est pas venu. Tout le monde abandonne la vieille dame.

— Vous n'êtes pas vieille.

— Et tes cheveux sont tout propres aussi. Laisse-moi les toucher.

Il se pencha au-dessus du comptoir.

— Tu es impossible, Sidner, viens ici, de ce côté. Je ne peux pas me pencher si loin.

Il obéit et vint près d'elle.

— Comme ils sont doux et bons. Les femmes aiment ce genre de choses. Dans la nuque aussi. Penche-toi un peu que je puisse te toucher. Tu as tellement grandi depuis que je ne t'ai pas vu. Et tu sens bon aussi, mais ce n'est pas ça qui manque dans ton magasin. Il n'y a que le meilleur qui soit bon !

Elle lui sourit en sentant.

— Les vieilles femmes aiment ça. Car tu penses bien que je suis vieille ?

— Non.

— Oh si, tu dois sûrement le penser ?

— Non, c'est vrai, je ne le pense pas.

— Sois sincère, maintenant, Sidner. Il faut toujours être sincère avec moi. Toujours. On ne peut pas s'entourer de flatteurs. Le monde en est plein, n'est-ce pas ?

— Je n'y ai jamais pensé.

— Mais tu t'en rendras compte. Dis-le-moi sincèrement maintenant, où trouves-tu que je suis la plus vieille ?

— Je ne sais pas.

Il aimait les petits tressaillements nerveux de ses lèvres, les jolis pointes des coins de sa bouche, ses étranges yeux gris qui tentaient en vain de retenir le présent, mais qui très souvent s'envolaient par la fenêtre parmi les rêves.

— Mon visage ?

— Mais, madame Fanny, je ne le pense pas du tout.

— Tu vois bien que j'ai des rides ? Tu ne les sens pas ?

— Non. Il voulut reculer et s'en aller mais elle saisit un de ses poignets.

— Comment pourrais-tu le sentir, quand tu restes sans bouger les mains. Il faut que tu sentes.

Il fit ce qu'elle demandait. Sa peau était si lisse qu'il s'exclama :

— Pas de rides du tout.

— Comme tu as de belles mains. Je les ai remarquées dès la première fois où tu es venu. J'ai pensé que ces mains-là avaient quelque chose de particulier. Des mains un peu craintives et cependant curieuses. Des mains qui sentent qu'elles doivent examiner le monde. Est-ce mon corps ?

Sidner avala sa salive. Etait-ce ainsi que Splendid passait ses moments chez elle ? Il se surprit à penser que Splendid venait presque toujours de passer chez Fanny quand ils se retrouvaient. Que c'était ici, et de cette façon, qu'il acquérait une partie de ses connaissances sur le monde. Parlait-elle aussi de cette manière avec tous ses clients ? La chaleur l'envahit quand à nouveau elle saisit ses mains, les posa sur ses seins, les courba autour d'eux.

Il ferma les yeux.

— Alors ?

— Non. Mais je ne sais pas. Je n'ai jamais…

— Alors je peux te dire qu'ils ne sont pas vieux, *eux*. Mais alors, qu'est-ce, vilain garçon ?

Jamais il n'avait pensé qu'elle était vieille, mais il fallait qu'il dise quelque chose pour mettre fin à cette scène pénible.

— Ce sont peut-être vos cheveux ! Quand vous les portez rassemblés de cette façon.

— Ah, je comprends. Ravie et gracieuse, elle se renversa en arrière dans le fauteuil en osier et partit en rêves par la fenêtre. Les mains de Sidner brûlaient encore quand elle demanda, presque en un chuchotement :

— Jusqu'où crois-tu qu'ils descendent ?

— Aux épaules, au moins.

Elle se pencha vers lui.

— Devine encore.

— A la taille ?

Cette fois-ci il put la voir rire aussi, un grand rire large dont elle profita pour lui saisir à nouveau la main, la guider le long de sa colonne vertébrale et la presser sur un endroit au bas du dos.

— Tu ne l'aurais pas cru, n'est-ce pas ?

— Sont-ils *si* longs ? Jamais je n'ai vu de cheveux aussi longs.

— Jamais. Non. Ils ne sont pas nombreux à les avoir vus. Mais un jour, Sidner. Un jour tu...

Ce fut alors que la clochette chinoise tinta et ils s'écartèrent précipitamment. Fanny indiqua du doigt et il disparut derrière une paire de doubles rideaux doux, lourds et enveloppants. Il se retrouva dans son appartement privé, les yeux encore presque fermés, abasourdi par l'odeur de parfum et de femme. Jamais il n'avait vu une pièce aussi étrange. D'ici, il distinguait Fanny d'une autre manière : là, c'étaient plusieurs photographies de Sven Hedin, et là ses livres : *D'un pôle à l'autre, Du Turkestan au Tibet, Dans les steppes d'Asie.* Et là, au milieu de la pièce, un énorme piano à queue noir. Oh, ses mains tremblèrent, il courut au tabouret et sans réfléchir se mit à jouer *Von fremden Ländern* de Schumann, c'était comme de poursuivre sa fuite par une autre porte. Il rejeta sa tête en arrière et se laissa emporter. Jamais il n'avait joué sur un tel instrument ! Les notes l'emmenèrent loin et il lui fallut un moment avant d'entendre les voix dans le magasin, basses et calmes, quelques répliques encore et il reconnut la voix de Selma Lagerlöf.

— Ça me fatigue tant de faire la tournée des magasins, mais il faut bien en faire une de temps en temps, aurais-tu une chaise pour moi ?

— Bien sûr.

— Si je ne te dérange pas, ma petite Fanny ?

— Pas du tout. Comment était-ce à Stockholm ? Avez-vous transmis mes amitiés, Selma ?

— A qui ? Ah oui, c'est vrai. Sven Hedin. Ma petite Fanny !

— Et qu'a-t-il dit ?

— Dit ? Eh bien… il te retourne ton salut, il a demandé comment tu allais.

— Comment était-il habillé ? Portait-il son costume blanc ?

La voix de Selma se fit très tranchante :

— Fanny ! Sven Hedin est un vieil homme. Je ne pense pas qu'il possède encore un seul costume blanc.

Les joues de Sidner devinrent brûlantes et il ne voulut plus rien entendre, il frappa durement un accord sur le piano, puis un autre et au bout d'un moment il entendit à nouveau la voix de Selma :

— Qui est chez toi ?

— C'est le fils d'un voisin… Vous savez, Selma, sa mère a été tuée par des vaches… N'est-ce pas qu'il joue bien ?

— Fanny !

— Il n'a que seize, dix-sept ans, il…

— Fanny ! Qu'allons-nous faire de toi… Mais cela ne me regarde pas.

Que voulait dire Selma ! La chaleur se répandit jusqu'au bout des ongles de Sidner, il ne comprenait rien, il ne *voulait* pas comprendre. Il joua doucement et légèrement pour pouvoir être en même temps dans la conversation et dans la musique.

— En tout cas il porte un chapeau !

Ce fut comme s'il avait vu Selma le toucher du bout de sa canne, le pousser un peu et le faire tomber de l'autre côté du comptoir.

— Oui, oui, tu vis dans ton monde. Mais il a l'air d'un garçon intelligent.

— Très beau, mais timide.

— Il devrait s'en aller d'ici, dit Selma.

— Dois-je lui demander... d'arrêter ?

— Je veux dire quitter Sunne. Ce n'est pas un endroit pour les gens de talent. Et tu devrais penser à ta propre réputation ; donne-moi ma canne, Fanny. Je vais rentrer à Mårbacka maintenant. A propos... cet automne il devrait faire une tournée de conférences, s'il en a la force. Strömstad, Göteborg et je ne sais où. Si tu veux réellement *voir* ce vieux bonhomme.

Sidner retourna à la musique, il laissa Fanny rester longtemps à le contempler, appuyée contre le piano.

— Vous avez vendu quelque chose ? demanda-t-il avant que le dernier accord ne se fût évanoui.

— C'était seulement quelqu'un qui voulait voir des rideaux. De ces gens qui courent les magasins sans jamais rien acheter.

— Il faut rester aimable avec eux aussi. Quel piano fantastique ! Jamais je n'ai joué sur un piano comme celui-ci. Vous jouez vous-même, madame Fanny ?

— Je ne sais pas jouer.

— Mais alors pourquoi…

Elle se dirigea vers la fenêtre et pinça une feuille de géranium.

— C'était mon mari.

— Mm ?

— Capitaine de cavalerie. Il avait certaines idées sur ce qui convenait à son rang. Il voulait m'éduquer.

— Je ne savais pas que vous aviez été mariée.

— Je ne le savais pas non plus.

Elle s'assit sur le tabouret à côté de Sidner, il y avait comme une fraîcheur sur eux maintenant, les paroles de Selma restaient entre eux, il refusait de fermer les yeux pour ne pas se mettre à sentir le poids de ses seins et le petit creux des reins.

— J'étais si jeune, Sidner. Une jeune fille seulement. Il était beaucoup plus âgé que moi. Je préfère ne pas en parler.

— Je ne veux pas vous y obliger.

— C'est bien. Il y a tant de choses que tu ne comprendrais pas.

— Mais je comprends, cria-t-il presque. Soudain. Comme s'il avait des droits sur elle. Soudain. Comme s'il avait fait partie de ce salon avec ses rideaux de velours, ses fauteuils verts, les appliques au-dessus des tableaux, le piano à queue. Je ne suis pas un gamin.

A nouveau il franchit le seuil de la musique, la regarda avec défi tandis qu'il s'éloignait dans les espaces purs et silencieux. Il joua une sonate de Beethoven, un mouvement lent, et quand il tourna les yeux vers elle, ce fut avec les yeux de la musique qu'il la vit, uniquement. Ici, dans cette pièce, tous les horizons étaient loin, ce qu'il y avait d'humain en lui et en elle était comme des points, loin sur une étendue de glace. Il allait et venait dans le temps propre à la musique, dodelinait lentement de la tête, écoutait au-delà d'elle, du lieu et de l'instant, tandis que le crépuscule se dessinait de l'autre côté des fenêtres et que Fanny obéissait aux lois de la musique, restant immobile et transportée tant qu'il joua, tout en tortillant un fil du châle vert qu'elle portait sur ses épaules.

— Oui, dit-elle quand il eut fini de jouer, mais elle ne le regardait pas, ses yeux étaient dirigés sur ses genoux. Tu pourras revenir jouer ici quand tu voudras. Vraiment, quand tu veux.

— Avec plaisir, madame Fanny, dit-il et il se leva et sortit en franchissant les lourds rideaux odorants.

Eh oui, dit un jour la Reine des Sauces dans la cuisine de l'hôtel, tandis qu'il aidait à préparer des canapés pour un mariage. Le capitaine de cavalerie Udde était en réalité professeur d'équitation. Et encore ! trente ans de plus que Fanny. Ils sont arrivés ici quand elle était très jeune. Il a acheté la maison et le magasin puis il a traversé la rue pour entrer dans l'hôtel et il y est quasiment resté jusqu'à sa mort. Il arrivait pour le déjeuner et restait jusqu'à ce qu'on le porte dehors. A la fin, l'alcool et les rhumatismes lui interdisaient de faire ne serait-ce que les cinquante mètres pour rentrer chez lui. Mais au milieu de la rue il y avait un massif de verdure, avec des reines-des-prés même. On y avait mis une chaise pour le capitaine. Et là il dormait ou racontait des histoires sur Gävle ou Stockholm. Jusqu'à ce qu'une nuit le gel l'emporte. La seule chose qu'il a laissée derrière lui, à part une pile de factures, c'était une grille de mots croisés où il n'avait écrit qu'un mot. Je l'ai vu moi-même, dit la Reine des Sauces, j'étais là et c'est moi qui l'ai porté chez lui. EN COLÈRE, cinq lettres. Il l'avait trouvé. FÂCHÉ, c'était.

Un jour, au mois d'août, Fanny demanda à Sidner s'il voulait bien l'accompagner pour un voyage en automobile à Strömstad.

Sven Hedin devait y faire une conférence, afin de rassembler de l'argent pour une nouvelle expédition dont le but était d'explorer des régions inconnues de Chine et de l'est du Tibet. Le gouvernement avait certes accordé une subvention mais la contribution du public procurerait un supplément utile à l'expédition. Ce serait le dernier grand voyage d'exploration. Après cela il faudrait que l'homme aille dans l'espace ou à l'intérieur de lui-même pour découvrir quelque chose de nouveau. D'ici peu les connaissances sur notre terre seraient complètes, les dernières cartes dressées. Sven Hedin était un explorateur audacieux. Dans le désert de Gobi, il avait bu du sang d'agneau et de l'urine de chameau. Ses hommes étaient morts, ce qui l'affectait moins que les sacrifices d'animaux tués pour le bien de l'homme pour ainsi dire. L'ombre de Hedin était grande. A Sunne, dans le Värmland, deux adolescents nommés Sidner et Splendid avaient, quelques années plus tôt, à défaut d'agneaux et de chameaux, bu du sang de coq. Ne disposant pas de désert non plus, ils en avaient découvert un derrière le chantier de taille de Torin et Sleipner. Dissimulés dans les orties et les rejets d'aulnes, ils crachaient et lâchaient force jurons.

Sven Hedin avait choisi sa vocation le jour où Nordenskjöld, par un jour de grand vent en 1880, était revenu à Stockholm à bord de la *Véga*. Il n'était qu'un petit garçon à l'époque, tenant la main de ses parents dans la rue Fjällgatan et qui regardait filer avec le vent les fumées des feux d'artifice tombés à l'eau.

Sidner lui aussi allait peut-être prendre de grandes décisions s'il pouvait entendre Sven Hedin à Strömstad.

— A moins que tu ne sois déjà trop âgé, Sidner. Tu portes un chapeau et tu es pratiquement gérant de ton magasin. (Elle l'examinait de pied en cap.) Tu es si grand et si beau.

Il avait dix-sept ans et détourna son regard.

— Il faudrait que j'en parle à papa d'abord ?

— Dis-lui de venir me voir.

— Il n'a rien à se mettre, je suppose, dit Aron, le regard perdu loin au-delà des rouleaux de tissu et des modèles de robes.

— Je m'en occupe, vous savez, monsieur Nordensson. C'est toujours embêtant, quand on n'a pas d'enfant soi-même, si on a besoin d'un coup de main pour la voiture et des choses comme ça.

— Sidner ne connaît rien aux voitures.

— Si, papa. Splendid et moi…

— Ce sera un grand moment pour votre fils. Il faut mettre à profit la curiosité des jeunes, la développer avant qu'il soit trop tard. Oh, Sidner, pourrais-tu aller préparer une tasse de thé pour ton père ? Aron sursauta. Etait-il déjà à ce point chez lui ici, son garçon ? Aron déclina l'offre. Les tissus, les vêtements, l'odeur insistante des parfums malmenaient ses sens. Mais pourquoi en faire une histoire. Sidner était son propre maître. Aron avait d'autres chats à fouetter. C'était lui qui bientôt aurait besoin des conseils de son fils. Un courant était en train de l'emporter. C'était lui qui avait besoin qu'on le retînt.

— C'est entendu alors…

Fanny possédait une Volvo vert sombre.

La capote était baissée et les fanions claquaient sur le capot luisant. Sidner était assis à côté d'elle, fier, elle avait le permis de conduire à la fois pour Volvo et Ford. Le ciel était clair et saturé des odeurs de la fin de l'été. Les mains de Fanny étaient belles sur le volant, des bijoux scintillaient autour de son cou, aux lobes de ses oreilles pendaient deux lourdes pierres rouges. Au bout de quelques heures, ils s'arrêtèrent dans une auberge :

— Commande ce que tu veux.

Sidner n'était pas ignorant des plats raffinés. En fait, il était même plutôt las du saumon en gelée, des croustades et de la crème glacée, puisqu'il en avait souvent mangé dans la cuisine de l'hôtel. Il connaissait aussi les bonnes manières. La Reine des Sauces les lui avait enseignées : et quelquefois il avait joué pour elle de petits sketches, imitant l'entrée des clients dans la salle à manger. La scène la plus appréciée était l'entrée de Patron Björk qu'il avait presque faite sienne compte tenu de l'accueil bruyant et ravi que la Reine des Sauces lui réservait. Il frottait rudement ses mains l'une contre l'autre, se dandinait un peu, s'inclinait profondément à droite puis à gauche, pointait sa tête dans la cuisine : "Alors, mes petites cocottes, qu'avez-vous fait de bon pour aujourd'hui ?"

Sidner examina soigneusement le menu.

— Une truite meunière et de l'eau minérale.

— Tu te conduis en véritable homme du monde.

— C'est très gentil de votre part, madame Fanny, de m'inviter à ce voyage.

Elle prit une bouchée de blanc de dinde piquée sur sa fourchette. Puis elle se pencha au-dessus de la table et effleura sa joue d'un doigt.

— J'ai l'impression d'être terriblement vieille quand tu me dis madame. Appelle-moi Fanny.

— Merci, dit-il en rougissant.

— A moins que tu ne trouves cela trop... difficile ?

Si elle n'avait pas fait cette pause, il n'aurait peut-être pas hésité.

— Je... ne sais pas encore. Ça passera sûrement.

Mais il resta silencieux ensuite. Il l'était, c'est vrai, la plupart du temps. Lui-même se voyait comme quelqu'un qui *parlait*, pas quelqu'un qui bavardait, comme Splendid. Ses phrases avaient des limites, étaient correctes, il ne connaissait pas tous ces petits mots qui coulaient de la bouche de Splendid. En tant que responsable de magasin, il était entré dans le langage par l'intermédiaire de phrases comme : Je vous remercie, à votre service, au plaisir. Son corps était comme son discours : pas de gestes inutiles, pas de mouvements imprécis de la tête ou des mains. Il enviait la façon de parler de Splendid : comme si de cette manière on avait été plus près des choses. Les mots avançaient en tâtonnant, flairaient, reculaient, se trompaient, recommençaient. Ses propres phrases se dressaient là, prononcées et trop nettes, impossibles à rendre inaudibles.

Un grand vertige s'abattit sur lui : en ce moment même il perdait quelqu'un. Il fut soudain conscient qu'il était en train de devenir adulte.

— Voilà que j'ai jeté l'embarras entre nous. Tu es devenu bien distant, Sidner.

— Je pensais à Splendid. C'est lui qui m'a présenté à... toi. Il mériterait plus un voyage comme celui-ci. Il est pauvre, son père est malade.

— J'aime énormément Splendid, je veux que tu le saches. Et, avec une soudaine vivacité : Tu ne penses quand même pas que je t'ai forcé à venir... ?

Sidner mangea un morceau de poisson et regarda son assiette.

— Non, non. Mais il a été si... gentil avec moi. Depuis notre première rencontre. Je n'ai jamais rien pu lui rendre.

Mauvais mot : "a été". Et comme si le moment était venu d'un cadeau d'adieu.

— Vous avez certainement été très bons l'un pour l'autre.

— Je n'aurais pas dû venir, murmura-t-il. Mais alors elle lui prit la main, par-dessus les assiettes :

— Ce n'est pas dangereux d'être avec moi. Pas dangereux du tout.

Quand ils arrivèrent à l'hôtel du Centre à Strömstad, Sidner resta à l'écart et laissa Fanny s'occuper des chambres. Une affiche était accrochée sur la porte vitrée. La conférence aurait lieu à 19 heures au parc municipal. Ensuite, ceux qui le désireraient pourraient participer à un souper en compagnie du docteur Hedin, souper dont les recettes iraient intégralement à la réalisation de son entreprise.

Sidner porta les valises en haut. Fanny se dirigea vers une porte et l'ouvrit. Sidner posa les valises par terre dans la chambre.

— Et ma chambre ? C'est quel numéro ?

Fanny se tenait devant le grand miroir et retirait son chapeau, elle le regarda dans la glace.

— Ils n'avaient que celle-ci. Elle fit un geste des bras. Tu peux dormir ici. Après la conférence tu pourras tranquillement aller te coucher dans le grand lit. Je ne vais certainement pas beaucoup dormir en ce qui me concerne.

Elle retira une épingle de ses cheveux, la tint entre ses lèvres.

216

— Sinon, je peux dormir dans la voiture.

— Mon cher enfant, dit-elle. Il regarda autour de lui : de lourds rideaux rouges devant les fenêtres, un couvre-lit jaune sur le plus grand lit qu'il eût jamais vu.

— Savez-vous, madame Fanny... Hedin sait-il que tu viens ?

Elle hocha la tête et retira encore quelques épingles. Ses bras étaient relevés, elle tendait son dos et le regard de Sidner se porta sur un point au niveau des reins : bientôt ses cheveux abondants allaient y tomber.

— Je crois que je vais sortir me promener et visiter la ville.

— Oui, pourquoi pas. C'est une jolie petite ville. Attends... tiens, voilà quelques couronnes si tu te sens l'envie d'une pâtisserie.

— J'ai ce qu'il faut. Il recula vers la porte.

— Je le sais bien. Mais c'est moi qui t'ai fait venir. Reviens à six heures et demie. Je crois que je vais prendre un bain pendant ce temps.

Sidner serra son chapeau et sortit.

Jamais il n'avait vu la mer auparavant...

L'odeur d'algues et de mazout le frappa quand il fut au bord du quai. Quelques grands bateaux pénétraient dans le port, leurs voiles affalées sur le pont. Des moteurs pétaradaient, des estivants en costume de lin blanc se promenaient et un train entrait en gare. C'était ici le terminus de la ligne de chemin de fer. Il se sentit loin. Il sentit la Norvège toute proche, son corps entier le chatouillait de possibilités. Pour trente öres il acheta un sachet de cerises presque noires. Au loin, un orchestre jouait quelques valses viennoises, il trouva un kiosque avec des cartes postales et continua jusqu'à un rocher à l'entrée du port, où il avait aperçu un café. De là, la vue était magnifique : on pouvait voir jusqu'aux îles Koster. De nombreux bateaux s'y rendaient ou en venaient. Au sud-ouest c'était l'ouverture vers la mer libre. L'horizon dégagé, que rien ne bouchait. Il commanda un café et un pain aux raisins, écrivit l'adresse de Splendid. "C'est comme de se trouver à l'étranger ici, au bord de la mer. Bientôt je vais aller écouter la conférence de Sven Hedin. Nous habitons un…"

Le mot "nous" déchira la phrase et toucha quelque chose au fond de son estomac. Il mordit dans le pain aux raisins, essaya d'avaler.

Alors les vomissements le prirent. Il courut derrière quelques buissons et vomit. Il y eut des taches sur son costume, et sur la carte qu'il tenait à la main.

Fanny faisait les cent pas dans la chambre lorsque, juste avant sept heures, il frappa à la porte. Elle était magnifique dans une longue robe de velours vert, avec un chapeau blanc à large bord, ses yeux étaient maquillés de lignes bleues, elle sentait merveilleusement bon.

— Mais enfin, Sidner, je me suis terriblement inquiétée.

Il regardait par terre.

— Je me suis perdu, mentit-il. Je me suis dépêché tant que j'ai pu.

— Et regarde-toi. Tu es tombé ?

— Non, non. Il passa vite à la salle de bains et plongea son visage sous le robinet, se coiffa, se brossa pour enlever les plus grosses taches. De la chambre elle l'appela :

— Il faut qu'on se dépêche.

— Vas-y toi, j'arrive.

— Non, nous irons ensemble, toi et moi.

Le parc municipal se trouvait en face de l'hôtel ; beaucoup de monde se bousculait autour d'eux. Un homme était en train d'installer un haut-parleur, des enfants soufflaient dans des trompettes, au loin, on entendit la sirène d'un bateau à vapeur. Fanny glissa la main sous son bras.

— Nous formons un beau couple, tu ne trouves pas.

Il n'eut pas la force de lui sourire. Il fit semblant de s'intéresser à un mouvement dans la foule un peu plus loin.

— N'est-ce pas lui qui vient là ?

Mais ce n'était pas lui. Ils étaient installés à leur place et attendaient déjà depuis un quart d'heure lorsqu'une voiture arriva. Les portières s'ouvrirent, tout le monde se leva quand le docteur Hedin en sortit. Quelqu'un lança un applaudissement.

— Qu'il est vieux, ne put s'empêcher de dire Sidner.

— Ouii, dit Fanny, comme si un émerveillement fabuleux s'était abattu sur elle. Ses yeux s'élargirent, elle se mordit la lèvre et serra la main de Sidner. Ouii.

— Mais nous savions bien qu'il l'était.

— Ouii. Oui. Nous le savions peut-être. Sa voix n'était plus qu'un soupir sourd, mais Sidner pensa qu'elle aurait tout aussi bien pu crier. Crier très fort et sans se retenir. Elle passa ses doigts sur ses sourcils. J'ai la nausée, Sidner.

Leurs yeux se rencontrèrent.

Sidner se retournait dans la solitude de son lit. Il faisait trop chaud pour dormir, bien que les fenêtres fussent ouvertes sur le parc. De la salle à manger lui parvenaient des bruits et des rires, mais il en avait l'habitude chez lui, cela n'aurait pas dû le déranger. Parfois il espérait que c'était la voix de Fanny que l'on entendait dans un rire en cascade mais il en doutait. Il avait été obligé de la forcer à assister à la soirée, elle avait cherché sa main et ses yeux et n'avait pas dit un mot. C'était comme s'il l'avait menée à une exécution. Il ne comprenait pas ce qui s'était passé. Mais quelque chose n'allait pas. Il se tournait et se retournait, changeait de place les oreillers, les poussait par terre, les reprenait. Quand il se leva pour aller uriner, il se regarda attentivement dans la glace et il haït Fanny de lui avoir fait cela. Retourné dans son lit, il sombra dans un assoupissement agité et bientôt se retrouva dans les déserts, il passait à cheval des cols très élevés en compagnie de Sven Hedin et de Fanny, ils arrivaient devant l'empereur de Chine et l'empereur dit à Sidner : Enlève ton chapeau.

Il fut réveillé par la présence de Fanny devant lui, nue, tout près. Ses cheveux étaient défaits maintenant ! Ses yeux étaient comme deux puits profonds, mais dépourvus de tout sourire. Elle se tenait là, parfaitement immobile, et il réussit à proférer un Non, puis encore un, avant d'être englouti en son obscurité et de s'y trouver irrémédiablement prisonnier. Elle ouvrit les draps et, sans le lâcher du regard, déboutonna lentement la veste de son pyjama, retira son pantalon, et son sexe cria quand elle le caressa et se coucha sur lui, les jambes écartées. Il avait la bouche sèche, il passa un bras derrière son dos et, bien qu'ils fussent allongés presque immobiles, il comprit qu'une sorte de mort était en route, marchait sur eux à une vitesse inouïe. De plus en plus fort ils furent pressés l'un contre l'autre, vers cette limite où soudain, vague après vague, la lumière l'envahit, il sombra, elle sombra, tout en chuchotant sans cesse dans le dialecte de ses yeux clos : C'est si horriblement bon, si horriblement bon. Et, longtemps plus tard, après avoir basculé dans un sommeil brodé du chant des oiseaux du parc tout proche, il entendit ses pleurs effrénés.

Comme l'avait dit le grand Bouddha : Cette nuit-là, ô moines, tout était en flammes.

L'ange Splendid a maintenant achevé sa mission et Dieu le rappelle là où il a été créé.

C'est un dimanche matin de septembre. Aron, Sidner et Eva-Liisa prennent leur petit déjeuner quand on frappe à la porte, et voilà Splendid sur le seuil. Lui aussi s'est acheté un chapeau maintenant, il le tient à la main.

— Bonjour, dit-il puis il se tourne vers Sidner : Est-ce qu'on pourrait aller faire un tour, toi et moi ?

— Pourquoi ? demande Sidner.

— J'aimerais.

— Je ne sais pas, dit Sidner bien qu'il sache qu'il doit obéir. Un silence funeste plane sur les paroles de Splendid.

— Mon Dieu, mais tu es impossible, Sidner, dit Eva-Liisa. Elle se tourne vers Splendid. Il est comme ça depuis… oui, depuis qu'il est allé à Strömstad. Il ne fait que rester assis.

— Je sais. Mais ce serait bien si tu venais.

— Vas-y, dit Eva-Liisa, et elle échange un bref regard avec Splendid.

Dans la rue, la circulation est intense.

Il prend son chapeau sur la patère, le met, se tourne vers la cuisine avec un dernier regard angoissé.

— Messieurs les garçons ! ironise Eva-Liisa.

Splendid ne rompt pas le silence avant d'être arrivé à Solbacka.

— En fait, il n'y a qu'une chose que j'ai à te dire, Sidner. On va déménager.

— Que dis-tu ?

— A Karlstad. Papa est malade et faut qu'il aille à l'hôpital. Ça s'ra plus facile pour nous.

Sidner s'assied sur le bord de la route et regarde le lac.

— Et moi, alors ? s'entend-il soudain crier.

— Tu t' débrouilleras sûrement. Y a des voyages qu'on doit faire tout seul, si j' peux dire.

— Qu'est-ce que tu veux dire ?

— Tu le sais bien toi-même.

— Il est très malade ton père ?

— Oui. Y dit qu'y va bientôt mourir.

— Tu as peur ?

— Bien sûr qu' j'ai peur. J'aimerais tellement qu'y m' voie voler, au moins une fois. Mais…

— Et *lui*, il a peur ?

— Non, y dit qu'il a vécu d' la grâce depuis qu'y s'est écrasé. Y dit que Dieu il lui a donné des oiseaux à écouter et qu' ça lui a suffi. Y dit qu'il a r'çu d' l'amour tant qu'il a pu en r'cevoir. Et quand on peut dire ça, c'est sûr'ment qu'on a pas peur.

— La vie va être triste sans toi.

— C'est pareil pour moi. Mais on s' donnera des nouvelles, hein, on l' fera. Mais y a autre chose !

J' voudrais qu' tu m'apprennes à jouer. A l'église ou chez toi, ou les deux d'ailleurs. J'avais pensé qu' ça s'rait bien d' jouer pour le vieux qui souffre.

— Il faut du temps pour apprendre.

— Ça devrait pas être nécessaire. Y doit pas y avoir *tant qu' ça* d'accords à savoir, quand même. Si tu pouvais faire ça pour moi, j' t'en s'rais fichtrement r'connaissant. Ça pourrait être comme un… cadeau d'adieu, si on peut dire comme ça.

— Bien sûr. Tu y arriveras, c'est certain. Tu sais tout faire. Tu sais tout. Sidner est plein de rage et il ne se soucie pas de le cacher. Et si je te disais ça : Quand tu rencontres une femme. Qui est belle et attirante à souhait. Et que soudain elle… te veut, en quelque sorte. Et qu'elle te prend aussi. Si tu comprends ce que je veux dire.

— J' t'écoute.

— Et ensuite… qu'elle ne veut même pas te parler, te traite comme un courant d'air. C'est quoi, ce genre de chose ?

— Ça, c'est des trucs compliqués.

— Elle devient complètement transformée. Pas fâchée ni rien…

— Tu racontes comme un pied. Mais si c'est d' Fanny qu' tu parles, y faut qu' tu saches qu'elle s' débrouille mal avec la réalité. Mais ça, c'est pareil pour toi.

Il doit y avoir fort à faire dans la vallée des morts, pensa Aron lorsque les visites de Solveig eurent cessé depuis un long moment.

Mais un jour elle revint. Aron était en train de remplacer la vitre de la porte de l'hôtel que quelqu'un, à la suite des violences du dernier club du jeudi, avait fait sauter d'un coup de poing. Il s'était installé dans la cave à vins, qui servait désormais aussi d'atelier. Il remplaçait la vitre, la découpait au diamant, plantait les clous et mastiquait. Et soudain il sut qu'elle était là, derrière son dos.

— C'est bien, dit-il. J'ai attendu. Comment as-tu fait pour me retrouver ici ?

Il sentit les doigts de Solveig se raidir.

— Excuse-moi. Tu me trouverais n'importe où, bien entendu.

— Oui, c'est vrai. Ma vision de l'existence est plus vaste que la tienne.

Sa voix était dure et elle avait raison.

— Pourquoi t'es-tu mariée avec moi, alors ?

— Je ne sais pas, répondit-elle.

— As-tu trouvé quelqu'un d'autre ?

— Oh, bien sûr. Elle fouinait partout et examinait les outils, souleva les rabots et ses doigts touchèrent des lames tranchantes.

— Attention de ne pas te couper.

— Ce n'est pas grave. Elle appuya un poinçon sur son doigt, si fort qu'il s'enfonça profondément. Regarde, Aron, pas de sang ! Pas de sang du tout ! Il y avait une note de mépris dans sa voix, qui bloqua tout ce qu'il avait pensé raconter. Mais qu'est-ce qu'il voulait lui communiquer en fait ? Ses jours qui n'en finissaient jamais ? Les lettres qu'il écrivait ? Oui, l'espérance qui avait pointé à l'horizon telle une voile qui se rapproche de la côte et ensuite disparaît au large. Etait-ce de ça ou de la lessive qu'il fallait parler ? Des sous-vêtements déchirés des enfants, de tous les boutons qui manquaient dans l'existence ?

Ou bien Solveig savait-elle tout de la neige, du parquet sale, du chapeau neuf de Sidner et des premiers souliers vernis d'Eva-Liisa ? Dans ce cas il n'était qu'un conteur inutile, et il était aussi parfaitement inutile de parler du monde – d'ailleurs, lui-même n'avait jamais servi à rien. Elle jouait bien du piano sans lui. Sa présence auprès d'elle n'avait fait que retarder la musique, l'avait gênée quelques minutes, l'avait hachée menue. Quant aux mots qu'il avait fini par prononcer, n'avait-il pas fallu qu'elle le *traînât*, au lieu de jouir elle-même de ses propres vagues d'exubérance ou de celles des autres. Combien de fois n'avait-elle pas dû *l'attendre* ? Toute la vie de Solveig n'avait été que cette attente, rien d'étrange si elle s'impatientait. Si elle revenait, c'était bien entendu pour voir s'il s'en sortait ! Elle était envoyée comme une sorte d'inspectrice du royaume des morts. Elle venait comme un patron, comme Björk, c'était d'ailleurs totalement hypocrite de l'appeler par son prénom, le Björk, ça ne les avait pas rapprochés, il allait s'arranger pour que ça change ; mais les affaires marchaient mal pour Björk en ce moment, elles traînaient la patte, certes le portefeuille paraissait bien rempli, mais le portefeuille n'était que la première peau, un portefeuille bien rempli ne pouvait rien contre la situation internationale, la situation internationale, Solveig, tu t'en soucies ? Ça te fait quelque chose que je saigne maintenant ? Je me suis coupé sur un éclat de verre, regarde ! Mais ça, ce n'est certainement rien à rapporter au conseil des morts. On ne va pas exhiber tous ses petits bobos. Il ne faut pas en demander trop.

Si au moins elle avait pu être tout à fait évidente ; comme autrefois lorsqu'elle venait à l'étable, au petit matin, quand la rosée ne s'était pas encore évaporée, et que les traces de ses pieds se voyaient distinctement. C'était quand elle lui apportait le café, il était assis à côté d'elle, lui dans ses vêtements sentant l'étable, elle fraîche et propre comme un verre d'eau, le fichu sur les cheveux ; parfois il glissait jusqu'à ses yeux, et elle regardait *en haut*. Tu t'en souviens, Solveig ? Ce matin où tu es arrivée avec le journal sorti de la boîte aux lettres. Charles Lindbergh a réussi ! Ce matin-là. Nous appartenions à nous-mêmes alors ; Björk ne pourra jamais comprendre pourquoi ça fait si mal dans la main d'ouvrir la porte de l'hôtel, pourquoi ça fait si mal dans la nuque de s'incliner ; là-haut dans la forêt nous ne nous inclinions pas, Solveig.

Elle était assise en face de lui, dans le tas d'éclats de verre de la vitre brisée.

— Parle-moi de Bergström, de ses mains du dimanche, si gauches, si empotées.

— Tu portais Eva-Liisa, nous étions assis sur le rocher et buvions du café. Mais tu y étais toi-même.

— J'ai oublié. Il faut que tu me racontes, pour que je puisse ramener un peu de couleurs... là-bas.

— Bergström avait mis son costume du dimanche, et il était là devant nous avec ses chaussures cirées, les mains sur le ventre, brossées, propres et presque lisses, il papillotait des yeux et se raclait la gorge. "Ben, tu vois, Aron, je voulais savoir si ça t' dirait de v'nir à la Clairière à deux heures. Si ça t' convient." Et puis il s'est tourné et la forêt l'a englouti comme en une seule bouchée et tu as dit : "Il ne m'a pas invitée, moi." A deux heures, j'y suis allé. Dans la bonne forêt fumante c'était plein de paons de jour et de vanesses. La première chose que j'ai remarquée dans la Clairière, c'étaient ses mains : Bergström était debout à l'ombre des sapins, comme pétrifié, ses mains étaient ce qu'il y avait de plus distinct en lui. Et soudain la forêt s'est mise comme à cracher des voisins, tous sauf moi en costume du dimanche, personne ne savait vraiment pourquoi on était venu, tous étaient gênés par leurs mains puisque c'était dimanche et qu'ils ne pouvaient pas les cacher dans un travail ou un autre, et nous nous sommes serré la main et c'était comme si nous n'osions pas nous connaître, nous regardions Bergström en douce, il s'était très nettement mis seul et à l'écart, au-dessus de nous dans l'ombre.

Mais ensuite il s'est éclairci la gorge : Bon, ben voilà… a-t-il dit. Voilà que je… comme s'il allait se frayer un chemin à la hache dans le langage broussailleux des discours solennels. Il a pris un nouvel élan : Voilà un certain temps que je… Et, comme il avait trébuché sur ce "Voilà un certain temps que je", il a été obligé de recommencer : "Oui, depuis longtemps j'avais envie de…" Mais il n'arrivait pas à se sortir de ce début-là non plus et, mécontent d'être obligé de reprendre le sentier des paroles ordinaires que nous empruntions tous pendant la semaine, il a fini par se débarrasser de toute la grandiloquence : "Voilà, les gars, comme vous savez ça fait un moment que j' travaille à monter une roue de moulin par ici et maintenant qu'elle est pour ainsi dire terminée, j'ai pensé qu'on pourrait…" Mais, comme s'il avait quand même fallu trouver quelque chose d'*important* qui aurait justifié les costumes du dimanche et cette solennité qu'il avait comme réclamée en allant proposer ses invitations, vêtu lui-même de son costume du dimanche, il a fermé les yeux et pincé les lèvres pour dire : "Que nous pourrions célébrer cette journée en…"

Puis il s'est mis à déglutir et a rejeté son désespoir sur eux en s'excusant d'être incapable de s'éloigner du quotidien : "Bon, ben les gars, allez-y voir vous-mêmes…" Et, se cachant sous un grand geste en direction du ruisseau, il est sorti de l'ombre, a traversé la Clairière et nous nous sommes écartés, nous lui avons fait de la place pour qu'il puisse nous montrer la rivière en amont et en aval. Et là, soigneusement rangées entre les pierres, toutes avec les bouchons tournés du même côté, il y avait une série de bouteilles d'un demi-litre sur lesquelles l'eau qui dansait jetait de jolis reflets, et Bergström m'en a montré spécialement pour moi : "Puisque tu ne bois pas, Aron, il y en a pour toi, là… de la petite bière", un grand tonnelet, tu t'en souviens, Solveig ?

Ce jour-là ce fut une beuverie, tout le monde par terre et des taches d'herbe sur les costumes, une fête qu'aucun d'entre nous n'oubliera jamais. Longtemps après la tombée de la nuit, les rires résonnaient encore. Nous sommes sortis de la forêt en nous tenant tous bras dessus, bras dessous. Moi aussi j'avais été contaminé par leur gaieté. Mais comment pourrais-tu te souvenir de tout cela, Solveig. Tu dormais dans le lit. Notre grand lit large.

— Que tu as vendu, Aron !

La voix provenait de quelque part à côté d'elle. De sa droite.

— Et la maison aussi, tu l'as vendue !

Cette fois-ci la voix venait de gauche. Sans timbre, froide. Elle le méprisait. Peut-être l'avait-elle toujours fait. C'était lui qui avait mendié sa compagnie. C'était comme ça, bien sûr. Il l'avait empêchée de retourner en Amérique. "Et si nous y partions, Aron ? Si nous achetions une maison ?" "Tu le veux ?" "Non, mais parfois je me demande, c'est tout, comment ce serait d'y retourner. Si on reconnaîtrait les choses. Marcher sur les sentiers d'autrefois, aller voir les voisins." "Tu le voudrais ?" "On repense à ce qui a été, c'est inévitable." "Alors tu regrettes… ?" Et n'avait-elle pas répondu avec un peu trop d'ardeur : "Non, pas du tout, il ne faut pas croire ça, j'adore tout ici, nous formons un tout."

Elle était sûrement repartie là-bas : elle les avait leurrés avec la mort et l'enterrement. Dès qu'ils étaient sortis du cimetière, elle était partie, s'était habillée et avait disparu. En Amérique une grande maison l'attendait : dans un océan de maïs elle avait caché un tracteur. Il y avait des érables à sirop, n'était-ce pas ainsi qu'elle les appelait ? Ou des érables à sucre ? Elle y avait un mari aussi. Ils se tenaient l'un contre l'autre, dans la cour, et parlaient en américain. Il hésita mais dit :

— Je voulais seulement rappeler que j'existe.

Solveig et son mari dirent quelque chose qu'il ne comprit pas et l'homme sortit un dictionnaire de sa poche et le tendit à Aron. Aron le feuilleta fébrilement mais les mots n'étaient pas classés par ordre, il lui aurait fallu un temps infini pour construire une seule phrase. Mais ils étaient courtois, ils l'invitèrent à s'asseoir à une table de jardin, il y avait du papier et un crayon, ils l'encouragèrent de la tête, se penchèrent au-dessus de lui. Mais ensuite Solveig bâilla, fit un signe à l'homme et ils disparurent dans la maison, les stores furent baissés, ce fut la nuit. Personne ne répondit quand il frappa à la porte. Il s'en alla et arriva à la mer. Il y avait un bateau sur la plage, fait d'une carcasse et d'un pont en plomb, lisse et bombé. Le capitaine se tenait près de la passerelle : "Si vous voulez aller en Suède, sautez à bord." "Mais vous, alors, vous ne venez pas ?" Le capitaine hocha la tête : "Il n'y a plus de place. Un de plus et nous coulerions." Et il fit partir le bateau d'un coup de pied et bientôt la mer devint grosse. Ce fut une tempête. Il n'y avait pas le moindre boulon, pas la moindre fente où on aurait pu accrocher les doigts. Les vagues les ballottaient dans tous les sens, ils étaient seuls sur l'Atlantique, il s'agrippa solidement à l'étau, cogna son front contre l'établi. Solveig !

— Dis-moi que tu reviens...

— Alors il faut que tu me réveilles ! Il regarda autour de lui dans la cave, mais elle n'y était pas.

Seulement sa voix. Elle l'avait mise à l'intérieur de lui. Et pour y arriver c'était très loin.

Plus tard, dans la même semaine, elle vint dans l'appartement. Elle portait un filet à provisions. Aron fut désespéré de la voir arriver juste à ce moment : ils venaient de manger, les assiettes étaient collantes de couenne de lard et de macaronis trop cuits. Il avait honte. "Ce n'est pas toujours facile d'inventer des plats. Les enfants semblent si indifférents, c'est si difficile à vivre. J'aurais dû acheter des bougies", dit-il.

— Je dérange, alors ?

— Ce n'est pas le meilleur moment. Quand tu veux, mais pas maintenant, pas avant que j'aie eu le temps de mettre de l'ordre.

— Vous n'avez plus besoin de moi ?

Aron essaya de la saisir mais se cogna contre le chambranle.

— A qui tu parles, papa ?

Mais il ne voulait pas parler aux vivants en ce moment. Leurs paroles étaient trop grossières, trop nettes. Elles étaient gênantes. Plus tard, il expliquerait à Sidner. Il entendit les pas de Solveig qui descendaient l'escalier, il ouvrit la porte :

— Attends !

— Mais il n'y a personne !

La main de Sidner était sur l'épaule d'Aron. Aron voulut se dégager, il rencontra le regard de Sidner, le garçon était plus grand qu'Aron maintenant, le temps avait passé si vite, lui-même rétrécissait, devenait de plus en plus petit, il essaya de retirer la main d'une tape.

— Entre, papa. Dis-moi ce qui se passe ?

Il se laissa tomber à la table.

— Tu es triste pour maman ? demanda Eva-Liisa. Il fit oui de la tête et se frotta les yeux.

— Papa, dit Sidner. Ecoute-moi maintenant. Il s'est passé quelque chose d'horrible. Björk est fini, il a fait faillite. Ce matin. Tu sais, les Norvégiens qui voulaient lui acheter son bois, il avait négligé leur offre et s'est adressé à des Français à la place. Mais ils n'ont pas pu payer. C'est fini pour lui.

C'est fini pour la scierie, pour l'hôtel, pour tout. Les ouvriers sont à la scierie en ce moment, tu devrais y aller aussi.

— Je ne comprends pas.

— Oh si, tu comprends. Tu le dois. Je veux au moins que tu dises que tu le fais. Ton emploi est terminé. Je veux que tu comprennes au moins cela.

Aron regarda son fils. C'était un nouveau fils. Il savait s'y prendre. Il s'était glissé dans le vrai monde. Il s'en sortirait bien, Sidner. Aron dut sourire, tout en reniflant ses dernières larmes. Il voulut tendre la main et le remercier : désormais sa propre responsabilité était terminée. Il pourrait relâcher tout, *s'abandonner*, comme avait dit Fridolf.

— Qu'est-ce que j'ai à faire là-bas ? Je ne travaille pas à la scierie.

— Tu fais partie de ses employés. Tout le monde perd son travail. La police ne va certainement pas tarder à venir fermer la cave à vins, pour que Björk n'aille pas voler dans ses propres réserves. Elles appartiennent aux créanciers maintenant. Ils disent qu'il n'y a pas grand-chose d'autre à saisir que l'alcool. Tu es probablement au chômage, papa.

— Ça s'arrangera pour moi, dit Aron. Il nous reste de l'argent de la maison, ça suffira pour un moment encore. Ne t'inquiète pas, toi.

Ce fut comme si une tempête passait sur la ville ce jour-là ; tel un château de cartes, les scieries, les maisons et les rêves d'avenir s'écroulèrent. Une semaine plus tard Björk quitta son grand manoir et vint s'installer dans la petite cabane de la cour qu'il avait fait construire pour des ouvriers occasionnels, il y avait une pièce et une cuisine, il n'y faisait pas froid, Björk survivrait sans problème.

Les lettres de Tessa furent de plus en plus chargées de fleurs, feuilles et mèches de cheveux.

Bientôt de petits paquets enveloppés dans du papier kraft se mirent à arriver. Des boîtes remplies de cailloux, de gravier, de sable brillant : "Ce matin j'étais assise ici et je pensais à toi, les pieds dans le sable." "Ce sont des brindilles qui flottaient dans le ruisseau ce matin."

Aron retira tout, sauf la photo de Solveig, de la commode de la chambre et étala le sable dessus, disposa les cailloux en un motif, planta les brindilles comme des arbres dans ce paysage qui prenait forme. Il y eut une espèce de drapeau aussi : "Un morceau de la robe que j'aurais aimé porter aujourd'hui après avoir reçu ta lettre. N'ai pas osé à cause de Robert, c'est pourquoi je t'en envoie un morceau pour tes yeux à la place."

Sidner et Eva-Liisa assistaient solennellement aux cérémonies devant la commode lorsque Aron y versait le contenu des paquets. Emerveillés, ils y voyaient la Nouvelle-Zélande se concrétiser morceau par morceau. Vinrent s'y ajouter des squelettes d'oiseaux, un bout d'écorce de "l'arbre kauri", des coléoptères, des araignées. Il y eut des plumes couleur turquoise et jade de rolliers et de martins-pêcheurs, il y eut des poissons séchés aux écailles qui brillaient encore, "plage en vrac".

"Tout ce que j'ai vu, je veux que tu le voies."

Une bouteille d'eau de pluie, une tasse de thé ébréchée, des touffes de laine. Un éclat de la table à manger, un morceau de son drap.

Du sang.

"Tout est en route vers toi."

Une orange séchée.

"J'aurais dû la manger. Mais elle voulait te rejoindre."

La fourchette "puisque de toute façon elle échappe à ma main quand je veux manger".

Le matin de la veille de Noël, ils allumèrent les bougies sur la commode et les flammes jetèrent leur lueur sur le paysage des antipodes qui brillait et scintillait car au centre se trouvait le contenu du dernier paquet de Tessa : un petit bijou, d'une valeur telle que "nous pourrions acheter une petite ferme avec". Ce pendentif avait la forme d'un bateau en rubis et jade avec, sur le petit mât, un diamant que les flammes dansantes des bougies faisaient scintiller quand quelqu'un bougeait dans la pièce. Sidner et Eva-Liisa avaient eu le droit de le tenir dans leurs mains, puis Aron l'avait suspendu dans une branche de l'arbre kauri, l'arbre sacré.

"Désormais je ne possède rien qui soit moi-même, désormais je ne suis qu'attente. Quand tu seras ici, tu passeras ce bijou autour de mon cou, alors je serai à toi en un amour éternel. Ma mère me l'a donné un jour il y a très longtemps. Elle me disait que je ne devrais le porter que lorsque j'aimerais."

— Voilà le signe, dit Aron, et ce fut comme si tout l'air de la pièce la quittait.

Cher Aron,

Lourdeur et fatigue. J'ai regagné le fond de ma vie, car j'ai compris : venir ici est irréalisable. Cela coûte cher, il te faut penser à tes enfants et à ton travail. Et que se passerait-il ici ? Entre toi et moi ? Entre Robert et toi ? Tu sembles nourrir de si grandes espérances. Il y a aussi beaucoup de choses que je ne comprends pas dans ta lettre, quand tu parles de signes, du déguisement que je porte. Autre chose encore : il faut que tu m'aimes, et tu ne sais pas qui je suis en fait.

Hier, quand j'ai reçu ta lettre, j'étais encore belle. Je me suis regardée dans le miroir dans la chambre de Mrs. Winther, me suis pavanée, me suis comportée en vraie fofolle. Mais j'aimais ce que je voyais. J'aimais mes seins, mes cheveux (ils sont assez sombres), mes yeux (ils sont marron), j'aimais mes lèvres, mes épaules, tout ce qui est pour toi.

Mais aujourd'hui, quand je suis revenue des parcs à moutons, quand j'ai vu la réalité, quand Robert m'a accueillie sans rien dire et d'un regard morne

– je me demande s'il ne comprend pas tout, et comment pourrait-il manquer de le faire – alors j'ai su d'un coup que tout ceci finira mal, oui, j'ai vu le fusil sur le mur et j'ai failli pousser un cri. (Je sais que je suis très exaltée. Mrs. Winther m'en a parlé, ce côté de mon caractère l'inquiète même sincèrement, elle me répète sans cesse de ne rien espérer. "Tu ne dois pas t'emballer, Tessa. C'est le plus long voyage que l'on puisse entreprendre sur terre, beaucoup de choses peuvent se passer, n'espère pas trop.")

Aujourd'hui je suis à nouveau laide, me cache, je sais que je devrais parler à Robert, mais je ne suis pas assez forte. (Mrs. Winther riait et disait : "Vous pourrez toujours venir vous réfugier ici, chez moi, vous cacher au grenier jusqu'à ce que vous puissiez prendre un bateau pour l'Australie.") Mais je te vois grimper la colline, te vois à chaque seconde de la journée, nous nous serrons, nous nous embrassons.

Ta Tessa

Aron allait donc partir pour la Nouvelle-Zélande.

Il remplit une serviette de deux changes de linge, d'une chemise, d'une brosse à dents, un savon et un dictionnaire.

— J'achèterai le reste, on ne sait pas comment ils sont habillés de l'autre côté de la terre.

— Et puis tu nous ramèneras une nouvelle Solveig, dit Sleipner qui offrait la fête d'adieu chez Beryl Pingel.

— Tu ne sais pas à quel point tu as raison, sourit Aron. La seule chose qu'il craignait était qu'elle eût adopté une nouvelle langue au cours de son séjour au royaume des morts. Qu'elle eût appris tant de choses nouvelles que lorsqu'elle le *verrait* elle penserait qu'il ne faisait pas l'affaire. Mais cela, il valait mieux qu'il le gardât pour lui-même. Il était très important que ceux qui restaient fussent calmes. Le choc serait suffisamment grand pour eux quand Solveig reviendrait. Il faudrait expliquer. On allait être obligé de leur apprendre un tas de choses sur les "autres dimensions".

— Je serai certainement obligé de la protéger et de m'arranger pour qu'elle ne se sente pas trop à l'étroit. C'est qu'on va lui en poser des questions.

— *Sure,* dit Torin. *But we'll fix it.*

Il les laissa y croire. Ils étaient tous si touchants. Beryl avait fait une fournée de plus et lui avait préparé un carton plein de sandwichs, d'œufs durs et de Thermos de thé et de café, pour qu'il en ait au moins les premiers jours de sa traversée de l'Europe. Eva-Liisa, dont le corps de fillette commençait à se transformer en celui d'une femme, tint à lui montrer sa chambre ; elle donnait sur le verger. Un papier peint bleu, une table de chevet avec une lampe dessus.

— Tu ne trouves pas ça joli ?

— Si, c'est très joli. Es-tu sûre que tu te sentiras bien ici ? Tu sais ce que t'a dit Sidner, tu pourrais très bien continuer à habiter à la maison.

— Je veillerai sur lui, dit-elle avec fierté. Elle ouvrit la porte d'une penderie et en sortit une robe. C'est Beryl qui me l'a faite. Elle a vingt-huit boutons dans le dos.

— Mets-la, que je te voie. Que je puisse en parler à… elle.

Il ne fallait pas se trahir.

Elle revint au bout d'un moment, pour elle il ne s'agissait plus simplement d'enfiler un vêtement, elle rougissait légèrement.

— Je vais avoir de nouvelles chaussures aussi, elle me l'a promis. Qu'est-ce que tu en penses ?

Beryl apparut derrière elle, son large visage ridé par un grand sourire, les bras croisés sur la poitrine.

— Toutes les dépenses, commença Aron, tu me les noteras.

— Bah, dit Beryl. Tu sais bien que ça me fait plaisir de coudre pour quelqu'un parce que… je n'ai personne d'autre.

— Mais je te paierai.

— Mon argent ne fait que s'accumuler. Je ne vais quand même pas le léguer à l'église. Ça fait tant plaisir d'avoir une si gentille fille à la maison, j'aurais volontiers pris Sidner aussi, mais il se débrouille seul maintenant. Un beau jeune homme, et qui a grandi !

— Il se débrouille bien. Et nous serons bientôt de retour…

Une nouvelle fois il a failli dire : Solveig et moi… Et alors…

— Bon, maintenant, ça ferait du bien de manger un morceau.

Aron trouve très drôle d'avoir dit ce genre de phrase et il répète :

— Ça ferait vraiment du bien. On ne se nourrit pas qu'avec du vent. Les betteraves rouges, c'est pas mauvais, dit-il en riant. Et les pommes de terre aussi, ajoute-t-il en se servant copieusement. Des phrases si nettes.

"J'aurais dû comprendre ces mots comme un avertissement, devait écrire Sidner bien des années plus tard, dans une de ses lettres de Nouvelle-Zélande, mais je n'avais moi-même aucune expérience de ce que cette Netteté signifiait. Certes nous pensions tous qu'il se comportait avec une gaieté

243

surprenante, mais il y avait tant de remue-ménage ce jour-là. L'immensité du voyage, l'impression d'être abandonnés, mêlés aux conseils pratiques et aux espoirs hésitants. Nous pensions aussi comprendre que ce voyage était nécessaire à Aron. Peut-être l'était-il d'ailleurs."

Puis le train quitta Sunne ; les paysages coulèrent à travers Aron. Jour après jour il resta assis, immobile. Il pleuvait sur l'Allemagne, il faisait nuit en Suisse, un matin d'une clarté soudaine se leva sur l'Italie. C'était bon de ne pas avoir à parler à qui que ce soit. Le simple fait de devoir montrer son billet aux contrôleurs, il le ressentait comme des interruptions douloureuses de cet état d'illumination dans lequel il était plongé. Ce qu'il voyait n'était que la terre sur laquelle lui comme d'autres vivaient enchaînés, évoluaient dans des pièces étriquées, avec de petites pensées étriquées. "Ça ferait du bien de manger un morceau." Un monde touchant. "Deux fois deux, quatre."

Il s'en était suffisamment occupé maintenant. Les outils dont il s'était servi étaient rangés à leur place. Ceux qui continuaient à vivre là-bas ne pourraient pas dire qu'il avait laissé du désordre. Il avait rangé tous les clous avec les têtes dans le même sens. Il lui avait fallu du temps pour ça, mais quelle importance avait le temps ? L'essentiel était que la terre fût une piste d'atterrissage pour Solveig. Que ce voyage fût un effort soutenu par son amour pour elle, qu'il se rendît digne de l'amour de Solveig, de la volonté qu'elle avait de revenir. Là-haut, dans le ciel nocturne de son voyage, il voyait les mille millions d'atomes se rapprocher de plus en plus les uns des autres, il les voyait se densifier en formes, en bras, en jambes, en cheveux, en yeux. Tout allait se concentrer en une seule : là-bas, sur la terre de Nouvelle-Zélande, elle allait apparaître et retirer son déguisement de Tessa. Les retrouvailles n'allaient peut-être pas être faciles. Il fallait être réaliste. Des lambeaux de voyage resteraient collés sur elle, formeraient un filtre pour le langage qu'elle avait parlé autrefois. Il lui faudrait apprendre à écouter patiemment les expériences qu'elle avait vécues. Ne pas être pressé.

Ne pas faire de mouvements inopportuns qui pourraient l'effrayer et l'inciter à repartir ; ça pouvait se passer si vite. La mort était certainement quelque chose de très riche comparée à la vie ici-bas. Celle-ci on l'apprenait vite, les variantes étaient réduites, les mots peu nombreux, les souhaits bien limités.

Non, il resterait calme. Si elle manifestait le moindre signe de vouloir se retirer, il la suivrait. Comme lors d'une des excursions qu'ils avaient faites ensemble.

Un petit panier à provisions. Une couverture.

Oui, il avait eu raison de partir : il aurait perdu toute dignité en continuant à vivre de cette manière. La fatigue s'était trop inscrite sur son visage pour qu'elle ait eu envie de le reconnaître au pays, lui ou celui qu'elle préférait en lui, celui avec qui elle avait réellement voulu vivre. Car il n'est pas vrai que nous possédons un moi réel, pensa-t-il ensuite, nous en possédons plusieurs, certains forts, d'autres faibles, il n'existe en nous qu'un chaos bouillonnant de volontés et de non-volontés. Parfois l'une d'elles s'avance et prend le commandement, et celle qui avait eu le commandement au cours des années passées avec Solveig n'était pas celle qui avait guidé ses pas dans le couloir de l'hôtel, à la cuisine, dans la cave à vins, dans l'humidité. Cette volonté-là ne l'avait pas bien sollicité. Car c'était bien de cela que la vie devait être formée : de sollicitations, d'exigences. Les champs, ceux qui étaient leurs champs, avaient été une de ces exigences, de larges carrés de blé et d'avoine, une récolte qui montait du sol et les saluait chaque printemps, qui le réclamait. Alors ses mains étaient pleines de force ; pour la moisson il avait besoin de chaque muscle de ses mains, il avait besoin de ses yeux fixés au bord du fossé quand il rentrait le soir ; et alors il n'y avait pratiquement pas de place pour ces *pensées* qui s'imposaient quand le travail à l'hôtel l'obligeait à réparer en vain les dégâts causés par les inepties des autres. Balayer après les fêtes, réparer des portes, essuyer des vomissures aux toilettes, mois après mois assister à la déchéance de Patron Björk ! Non, il ne se retrouverait jamais lui-même dans de telles conditions. Et quand il pensait à Sidner, il se sentait bien, ici, si loin en Italie, c'était bon de pouvoir l'entendre dire : "Mon père est en route pour la Nouvelle-Zélande." Cela procurera à Sidner davantage de lumière, davantage d'espace, d'autres pensées. Grâce au voyage d'Aron il allait pénétrer plus avant dans la connaissance, dans l'amour, dans le désir d'une vaste vie.

A Gênes, il écrivit une lettre :

J'espère que tu me pardonnes ce voyage, mais depuis longtemps, comme tu l'as certainement remarqué, j'étais en train de perdre tout ce en quoi Solveig et moi avions foi. Ceci peut ressembler à une fuite de tout ce que je ne supporte pas, mais il n'en est rien. Peut-être le comprendras-tu un jour.

Ici, à Gênes, il fait chaud. Les rues sont bordées de palmiers, la Méditerranée brille d'un bleu-vert, ce n'est sûrement pas la même couleur que celle que tu as vue à Strömstad au cours de ton étrange voyage. Tu étais si renfermé et silencieux au retour, j'espère que rien de mal ne t'y est arrivé. Le bateau, qui s'appelle le *Neptunus*, part dans trois jours, il est à quai, pour le chargement, parfois je vois ceux que je suppose être des passagers qui le regardent, je vais monter à bord demain soir et habite en attendant dans un hôtel où l'on se fait à peu près comprendre en anglais. Des gens de toutes sortes, des pauvres, des riches, de beaucoup de pays différents. J'aurais bien aimé pouvoir t'emmener. Il y aurait eu assez d'argent et... (toute une phrase rayée où il avait écrit sur son élan : c'est que Solveig est quand même ta mère, nous nous connaissons tous...).

Je t'embrasse

Ton père, Aron

Il eut une place dans une cabine pour huit personnes loin sous le pont, mais tout au long du voyage il resta un homme replié sur lui-même. La nuit il s'allongeait sur une couverture sur le pont avant et regardait la voûte étoilée – (une nuit il put compter jusqu'à trente-cinq étoiles filantes en quelques minutes) – et il sourit : c'était le passage de Solveig qui faisait que les étoiles éclataient et quittaient leurs attaches. L'univers était secoué par son désir de revenir sur cette petite terre où un navire roulait avec la houle, tanguait obstinément pour un long voyage, entre des continents, franchissant des canaux, sur une terre où un jour elle avait aimé. Le voile brumeux de la voie lactée était la poussière qui s'élevait autour de ses pieds nus, non – il ne pouvait pas dormir, il ne *devait pas* dormir – c'était un Miracle auquel il assistait. Il garda les yeux ouverts une nuit après l'autre, et les vagues clapotaient sur l'étrave, une mer phosphorescente éclaboussait en cascades et faisait scintiller aussi le monde inférieur dans lequel les étoiles se reflétaient, un goût de sel couvrait ses joues : il se trouvait en plein milieu d'un drame cosmique dont Solveig était le personnage principal.

Il se demanda si elle savait qu'il la voyait, mais bien sûr : elle n'avait pas le temps de penser à ça maintenant, c'est tout. Elle luttait. Elle se dépêchait. Elle fuyait la mort, et Aron l'aidait à avancer en lui parlant à voix basse, il la faisait approcher en fredonnant, maintenant son regard solidement fixé sur des points du ciel sur lesquels elle pouvait sans danger poser ses pieds nus.

Et les nuits étaient réelles, mais pas les journées. La forte luminosité l'irritait, toutes les *choses* qui se mettaient en travers de son chemin. Le cabestan de l'ancre, les mâts, la fumée, les visages des passagers qui parfois surgissaient devant lui et posaient des questions, essayaient d'engager des conversations. Il était irrité par les odeurs de nourriture qui s'échappaient de l'énorme salle à manger dans laquelle on les nourrissait, du riz, des tomates, des odeurs de viande, tout ceci était trop fort, il se retournait sur le ventre et essayait de fermer les yeux ; en même temps pourtant il avait peur de ce qui pouvait arriver à Solveig maintenant qu'avec son regard il ne pouvait plus assurer ses pas, la brume gênait la vue, la lumière abîmait les yeux. Les pastèques qu'ils chargèrent à Chypre lui donnèrent la nausée, la chaleur qui devenait de plus en plus forte épuisa son corps, de tout son être il aspirait à la nuit, où il pourrait de nouveau être avec elle, où tout serait clarté, cap droit sur les étoiles. Alors tout était musique : le roulis du bateau, le bruissement des vagues. Tout chantait :

Ich folge dir gleichfalls mit freudigen Schritten
Und lasse dich nicht
Mein Leben, mein Licht
Befördre den Lauf
Und hör nicht auf.

Port-Saïd : palmiers poussiéreux le long d'une plage basse. Brouhaha des vendeurs venus en barque. Le second était dur avec eux quand il faisait le tri et les renvoyait. Aux passagers groupés le long du bastingage, il criait : "Celui-là, vous pouvez lui faire confiance, il est honnête. Pas celui-là, pas lui. Allez, demi-tour, retournez au port !"

Aron regardait les choses nouvelles étalées sur le pont avant : noix de coco, tapis en poil de chameau, sacs de cuir, petits guéridons de fumeur en laiton, colliers de perles, objets en argent. Il y avait des filles aussi, qui lui chuchotaient : *"Foggie, foggie, mister, only two packets cigarettes."* Il ne comprenait pas ce qu'elles voulaient dire, il était plongé trop profondément en lui-même, même quand elles se tortillaient ou relevaient leur jupe, il hocha la tête et essaya de se retirer, et ce fut pendant cette fuite naïve qu'il fut atteint par la chaleur, une couverture étouffante d'humidité et de chaleur dont il n'arrivait pas à se débarrasser. Sa langue était comme du papier de verre, la sueur suintait de chacun de ses pores.

Pas un souffle de vent. Pas un lambeau de nuage duquel il aurait pu espérer de l'ombre. Qu'ils eussent quitté le port et passé le canal n'y changea rien, c'était comme de traverser du sable, là aussi, la mer Rouge ne valait pas mieux. Il était allongé, dos sur le pont, ou se traînait au long du bastingage.

Il n'était pas le seul à souffrir. Le troupeau des passagers si bruyants en Méditerranée et qui chaque soir organisaient des bals, buvaient, chantaient et jouaient d'instruments de tous les coins d'Europe, se taisait. Les regards ne se croisaient plus. On se desséchait, on se rétrécissait, on s'immobilisait. Les douches ne crachaient plus que de l'eau tiède et il y avait la queue à la porte, beaucoup de gens étaient malades et vomissaient, il entendit dire que quelqu'un était mort dans une cabine proche, une femme, un enfant, il ne sut pas très bien.

Aden : là il aurait pu laisser une dernière lettre pour la Suède, mais il n'avait rien écrit.

Puis ce fut plus facile. L'océan Indien apporta la fraîcheur, des vagues longues qui prenaient le bateau par l'arrière et le poussaient vers le sud-est. On ne sentait plus le tangage. Et ce fut là qu'il vit les dauphins.

Ils venaient en nombre : trente, quarante surgissaient à l'avant, jouaient dans les flots soulevés par l'étrave, une heure, deux heures, puis ils n'en pouvaient plus, disparaissaient, et une heure plus tard une nouvelle bande apparaissait. Ils semblaient rire et s'amuser follement, cela "ressemble à la liberté", comme il devait le noter plus tard pour Sidner. "Comme si leur vie n'était qu'un seul et long loisir. Comme ma vie à bord. Ce n'est pas bien. Je ne supporte pas de ne rien faire. Je réfléchis trop. L'autre jour, un Suédois s'est approché de moi et a commencé à me parler. Il m'a dit que j'avais l'air malheureux, voulait savoir s'il pouvait m'être utile en quoi que ce soit. Il s'appelle Edman, je ne savais pas que quelqu'un m'avait remarqué. Edman a une sœur en Australie, à qui il va rendre visite. Elle possède une ferme là-bas."

Aron sentit bien qu'il restait très terre à terre dans sa lettre. Le stylo censurait ses pensées les plus profondes car il tenait à réserver la surprise pour plus tard. Mais il fallait d'abord que Tessa jetât son déguisement.

— Tiens, là, dit Edman un soir, voilà la Croix du Sud. Maintenant je suis le deuxième de ma famille à l'avoir vue. Et dans la tienne ?

— Je ne sais pas.

— Tu ne sais pas ? Tu es d'une famille de marins ?

— Non, si...

Il ne voulait pas se trahir.

Mais il fallait qu'il soit net.

— Ma femme l'a certainement vue, dit-il.

— Et maintenant elle t'a envoyé pour la regarder.

Aron baissa la tête.

— A moins qu'elle ne soit partie avant toi ? Bon, excuse mon bavardage, mais le temps passe plus vite...

Edman était un homme grand et fort, il travaillait dans un chantier naval, avait voyagé un peu en Europe. Et ensuite ? De quel côté de l'humanité était-il ? Etait-il un homme à qui se fier ?

— Il y a un peu de ça... dit Aron en regardant les étoiles, pour attraper Solveig, pour entendre ce qu'elle voulait qu'il dise. Il trouvait qu'il se tirait bien d'affaire. Edman était allongé dans une chaise longue, tout juste hors de portée de la réponse, comme de l'autre côté de barreaux.

— Qu'est-ce que tu dis ? Edman n'avait pas compris.

Aron décida de rire. Solveig ne répondait pas, elle ne devait pas avoir le temps, il rit une nouvelle fois, pour faire passer du temps, mais en voyant la tête d'Edman il comprit qu'il avait fait une erreur, alors il dit vivement – comme pour s'extraire de la boue d'un marécage :

— Nous avons des enfants aussi, un garçon, et une fille.

Edman se détendit. Ce fut visible, Aron n'eut qu'à continuer :

— Un bon gars. Un peu timide, c'est vrai. Il va bientôt avoir dix-huit ans. Travaille dans un magasin. Un marchand de couleurs.

Mais il n'était pas en terrain sûr, là non plus. Quand en pensée il évoquait ces dernières années, il sentait bien que ça tanguait, ça engluait par là aussi, sa tête devint lourde et il s'allongea sur le pont, d'abord comme s'il avait simplement voulu s'étendre, nombreux étaient ceux qui le faisaient ici, le pont était couvert de gens, beaucoup allongés sur le dos, Edman pouvait le voir lui-même si ça l'intéressait, Aron tint à le lui faire remarquer.

— Il y en a beaucoup qui se sont couchés sur le pont, ce soir. C'est une belle soirée. Mais ensuite le poids à l'intérieur de sa tête augmenta et il se tourna sur le ventre et frappa sa tête contre les planches du pont. Maintenant Edman le dérangeait, maintenant il lui fallait un grand espace de silence autour de lui, et il dit :

— Je crois qu'il faut que je te demande de me laisser tranquille. Il faut que je trie... trie... Il y a si peu de place ici.

Edman se pencha en avant.

— Pourquoi est-ce que tu fais comme ça encore ?

— Encore ?

— C'est ça que j'ai remarqué avec toi. Tu cognes ta tête, tu l'as fait chaque soir, chaque nuit. Tu as du mal à dormir ? Tu as des migraines ? Je peux aller te chercher un médecin, il y en a un ici, à bord.

— Un médecin ? Que pourrait-il comprendre ?

— C'est la chaleur, je crois, dit Edman. Elle t'est montée à la tête. C'est fréquent. Une insolation. Tu aurais dû garder quelque chose sur la tête pendant le voyage. C'est ce qu'ils font presque tous.

— Il ne s'agit pas de cela. Laisse-moi tranquille un moment.

Edman haussa les épaules.

— Je ne voulais pas m'imposer.

Il quitta sa chaise longue et alla se poster au bastingage, et Aron osa à nouveau se tourner sur le dos, vers les étoiles, la voie de Solveig.

Aron avait vu très peu de l'Australie lorsqu'à nouveau il embarqua à Sydney, mais d'autant plus d'un monde qui lui était intérieur. Il y eut un pignon de maison ici, un lit d'hôtel là, une assiette glissée devant lui avec du bifteck et des pommes de terre, de l'eau fraîche à boire. Mais en face de lui il y avait sans cesse Edman, ses yeux apparaissaient comme dans un brouillard et il lui disait :

— Je ne peux pas te laisser seul avant de savoir que ton bateau est bien parti, et je me suis renseigné, tu m'excuseras, il n'y en a pas avant une semaine. Tu aurais largement le temps de venir avec moi à la ferme de ma sœur. Ce n'est qu'à quelques heures d'ici. Je te raccompagnerai à Sydney ensuite. Tu n'es pas en forme, Aron. Je crains que tu n'aies réellement attrapé une insolation là-bas, sur la mer.

— Mais il pleut, dit Aron.

— Il pleut depuis que nous sommes arrivés ici, avant-hier soir. Tu as dormi la plus grande partie du temps. Je ne sais même pas ce que tu vas faire en

Nouvelle-Zélande. En soi cela ne me regarde pas, mais tu es un drôle de gars. Sais-tu où nous habitons au moins ?

— Non. Cela n'a aucune importance. Tout n'est que signes de toute façon.

— Si je n'avais appris que tu ne bois pas, je t'aurais pris pour un véritable poivrot.

Ils habitaient à l'hôtel Impérial, près du port. Les grues se dressaient au-dessus d'eux quand ils sortaient sous la pluie, des rails de chemin de fer croisaient les rues, parfois des sonneries retentissaient quand des convois faisaient des manœuvres et louvoyaient entre les entrepôts.

— Pourquoi n'as-tu rien mangé ?

— Pas faim.

Ça, il était encore capable de le dire. C'était une phrase nette. Mais la nourriture était sans importance pour lui. Au contraire, elle pesait sur le corps, être obligé de regarder des morceaux de viande ou des légumes lui soulevait le cœur.

— Les bonnes femmes ont besoin d'hommes forts, dit Edman.

Il errait sous la pluie mais s'en rendait à peine compte, car elle ne touchait que l'extérieur de lui-même, et l'extérieur était bien loin. Là-bas, tout autour de son extérieur, des gens le dépassaient, volaient, le visage brillant, planaient entre les maisons, faisaient des loopings en l'air, certains lui adressaient des signes, il ne bronchait pas. Et il n'avait pas besoin de dormir non plus.

Apparemment ils se trouvaient à l'hôtel car Edman dit :

— Mais moi j'en ai besoin. Il y a déjà suffisamment de bruit comme ça dans la rue.

— Tu as bien raison. Le bruit est épouvantable. Mais ça va s'arrêter.

— Bon. Alors demain tu viens avec moi. Tu es incapable de te débrouiller tout seul ici. Tu es complètement cinglé.

Aron rit.

— Je pourrais certainement expliquer, dit-il. Mais je n'en ai pas le droit.

— Dors maintenant, ou essaie de te taire.

— Je peux aller m'asseoir dehors, si je te dérange. J'ai vu qu'il y avait des parcs.

— Tu restes ici. Tu ne retrouverais jamais l'hôtel.

Matin ou soir. Plus tôt ou plus tard : ils étaient assis sous des poivriers et il y avait des instants de nausée quand quelqu'un perçait la pellicule et que son corps tout entier se trouvait brusquement en pleine réalité, et que l'angoisse l'oppressait, plus forte que jamais, les voitures klaxonnaient et freinaient, les gens criaient et les coins et les bords de toutes les choses étaient si tranchants qu'il n'osait s'approcher de la réalité.

— Je déteste les villes, dit Edman. C'est l'heure du train qui va chez ma sœur. Depuis mes dix-huit ans où j'étais obligé d'en prendre pour aller travailler à Göteborg, je déteste les trains. Il tendit une boîte de sardines, coupa un morceau de pain. Aron entendit le bruit de ses mâchoires et ne l'aima pas.

— Ce qui est drôle avec toi, Aron, c'est que depuis le temps tu ne m'as pas posé ne serait-ce qu'une seule question. Sur moi. Tu ne sais rien de qui je suis ni d'où je viens.

— Non.

— En fait ce n'est pas drôle du tout, et je ne pense pas non plus que tu sois réellement celui que tu fais semblant d'être en ce moment. Il y a eu quelque chose qui a cloché pour toi. Les sardines glissèrent dans sa bouche. Aron, qui en avait refusé d'un mouvement de tête, put les voir continuer, il *vit* les sardines continuer à l'intérieur d'Edman. De la sauce tomate rouge était restée sur ses lèvres.

— C'est pas facile d'être avec quelqu'un qui se tait tout le temps, tu sais, c'est pour ça que je parle plus que d'habitude. J'ai divorcé de ma femme – ou elle de moi. Je suis un arriviste qui voulait à tout prix améliorer sa situation pour prouver à sa chère épouse qu'il était quelqu'un de valable. Mais elle n'a jamais cru en moi. Lui prouver que j'étais capable de faire autre chose que de marteler des tôles au chantier. Et puis on aurait très bien pu retourner dans la région d'où je suis – tu sais où ça se trouve, Dingle ? C'est de là que je viens, la ferme appartient toujours à ma famille, mais ça lui plaisait pas d'être paysanne. Ça ne me convenait peut-être pas à moi non plus, en fait, au début, je crois que j'étais un peu jaloux de tous ceux qui allaient à la ville et commençaient à travailler, enfin, jaloux, peut-être pas, c'était comme si c'était normal de l'être. Ici il n'y a pas d'avenir, voilà ce qu'on entendait tout le temps. Allez en ville, les gars. Il m'a fallu quelques années pour comprendre à quel point j'avais été berné. Tu ne veux pas la dernière sardine ? Du pain ? Ah bon, si je pouvais comprendre ce que tu as.

Aron trouvait étrange qu'Edman ne pût pas le voir. Toutes ses pensées étaient visibles, il était ouvert. Tout le monde était ouvert.

— Pas seulement toi, dit-il à voix haute en contemplant la sardine qui se faufilait dans le corps d'Edman.

Puis ce fut un train, un train australien très lent, qui sortit de Sydney et cahota vers le nord.

— Ma sœur est venue ici il y a douze ans. Elle était malade et elle croyait qu'elle allait mourir. Elle a acheté des terres, puis des moutons, comme tout le monde. La dernière fois que je suis allé la voir, elle en avait quatre cents. Sacrée bonne femme pour ce qui est de travailler. Elle a planté des clôtures, filé, teint, tissé. Ensuite elle a été la première de son coin à acheter un tracteur. Seule les cinq premières années. Ça te plaît, le paysage ?

— Ouii.

— Je vérifie simplement que tu écoutes, Aron. Tu verras que ça te fera du bien d'aller chez elle. L'air est bon, il a été bon pour elle.

Oui, comme je te disais, elle est restée seule les cinq premières années et ça devait cancaner pas mal sur elle, ils devaient trouver qu'elle était pas une vraie femme pour ne pas avoir d'homme.

Puis un jour un vrai monsieur est arrivé, à pied. Elégant en diable. Des gants en peau de chamois jaunes, une barbe de marin, la pipe à la bouche et une espèce de casquette de marin sur la tête. Il frappait aux portes des fermes où il y avait des femmes seules, mais elles avaient peur de lui, toutes. Vera a été la première à se montrer gentille avec lui et elle l'a laissé franchir la clôture. Personne ne savait d'où il venait mais manifestement il ne supportait pas l'alcool, moi j'ai rien à dire, ça m'arrive de boire comme un bœuf. Depuis mon divorce, mais avant aussi.

Il s'appelle Martin ce beau gars, Eslevsen, suédois lui aussi, et il s'est mis à parler poésie avec elle de l'autre côté de la clôture, Dan Andersson et Fröding et tout ce qu'ils s'appellent, moi je ne connais rien à la poésie, et il lui a écrit un poème :

> Tu viens, tu marches dans les blés,
> Au lit nous serons rassemblés.

et puis un autre que j'ai trouvé assez réussi :

> Jusqu'au cap des vents nous irons,
> Tête sur le granit dormirons.

Oui, quelque chose comme ça, puis ils se sont mariés. Quand elle enfonce les piquets de ses clôtures, lui il peint des tableaux. Quand ses brebis mettent bas, lui il écrit des poèmes. Tu verras toi-même.

Edman picotait comme un oiseau contre la vitre d'Aron mais il ne l'atteignait pas vraiment. Ce fut ainsi durant toute la semaine qu'il passa chez Vera

et Martin Eslevsen, en plein soleil, sous un canne-
lier ou sur la véranda ombragée par des arbustes en
fleur, il restait assis là et les conversations ruisse-
laient devant lui, il savait que de temps en temps ils
essayaient d'entrer en contact avec lui, tous les trois,
mais leurs paroles ne le concernaient pas. Parfois
même elles devenaient si nettes, si tranchantes,
qu'elles étaient comme un coup dans l'estomac et
qu'il devait alors s'enfuir, sur les chemins, ou dans
les collines. On venait le rechercher. On le forçait à
manger, on lui montrait la chambre où il devait dormir, et il les laissa faire, jusqu'au jour où Edman lui
dit : Maintenant c'est le départ de ton train, mais tu
vas vraiment t'en aller dans l'état où tu es ? Ce fut
pourtant ce qu'il fit.

Dans la salle à manger, ce soir-là, à peine le
bateau eut-il quitté le port de Sydney, Aron aperçut
Solveig. Elle était assise à une des tables et mangeait du bifteck, elle buvait du vin, une serviette
posée sur sa poitrine mais sa robe était très décolle-
tée et Aron, coincé dans la queue pour se servir, fut
outré, il sortit de la file, se fraya un chemin entre les
convives, de plus en plus en colère, tapa sur un bras
qui se tendait, bouscula un homme et hurla qu'il
devait passer, excusez-moi. Mais son cri avait jailli
avant l'excuse, quelqu'un se tourna vers lui et il
reçut un coup sur la bouche, un coup sec qui lui fit
perdre l'équilibre et le fit tomber sur une vieille
dame, et il vit une multitude d'ombres s'assembler

autour de lui, tandis qu'il luttait pour se relever, c'était une question de secondes maintenant, il sentait plus qu'il ne voyait que Solveig aurait bientôt fini de manger et qu'elle allait disparaître, devenir à nouveau inaccessible, cachée sous Dieu sait quel nom et, de peur, il envoya un coup de poing dans le corps le plus proche, se releva, se dégagea à force de coups – et le brouhaha augmentait dans la salle à manger –, il l'aperçut qui disparaissait par les portes vitrées, il courut derrière elle, elle montait les escaliers, il entendit des portes s'ouvrir et se fermer et sur le pont avant la rattrapa mais vit qu'il ne s'agissait pas d'elle. Que jamais ça n'avait été elle, ni cette fois-ci ni aucune autre auparavant, il déchira une par une les couches de son brouillard et se retrouva nu et seul dans le noir loin au-dessus des vagues et il sut que Solveig était morte une fois pour toutes et que lui, *ici*, n'allait jamais pouvoir l'atteindre, et le bateau se soulevait et retombait, il n'y avait pas d'étoiles, il n'y avait rien et un grand calme l'emplit, une tranquillité, lentement il marcha vers le bastingage, suspendit son veston à un crochet près d'un canot de sauvetage, défit sa cravate, la suspendit à côté, délaça ses chaussures et les posa soigneusement l'une à côté de l'autre, il plia son pantalon et l'étala sur le pont, puis il monta sur le bastingage et fit un grand saut dans le noir, dans l'eau bouillonnante, qui l'engloutit très vite.

IV

C'était un immeuble encore en construction et hors du temps. A la place des échafaudages, des tuyaux d'orgues, gigantesques instruments à vent. Le bâtiment entier était fait de musique. A tous les étages c'était un grouillement d'ouvriers, de contremaîtres, de femmes. Certains restaient immobiles et chantaient la construction montante. Quand je suis entré, c'était le soir. Je savais que j'étais en retard et ne pourrais participer à l'élaboration du bâtiment, ce qui m'emplit d'angoisse. Car je devais en être l'un des locataires. Juste après l'entrée, se tenait un chœur, l'un des membres posa un doigt sur ses lèvres et indiqua le chef d'orchestre qui se trouvait au dernier étage. C'était Torin : "Je ne suis pas une hôtesse de l'air obligée de vous servir", dit-il en pointant une tapette à mouches sur moi et sur ma femme. Il allait frapper lorsque Solveig, qui se trouvait au dixième ou onzième étage, juste au bord de l'obscurité, entonna un air d'alto. Comme une hirondelle il grimpa, se fraya un passage dans le dédale d'instruments éparpillés et de partitions, grimpa des escaliers inachevés, se lança vers le ciel obscur. J'eus honte d'avoir dérangé, et mes pensées étaient si évidentes que Torin me regarda et dit : "Ceci est un texte sur l'espoir et pas une publicité pour des couches." Le chœur me regarda avec triomphe lorsque l'air de Solveig fit se dresser des murs. "Voilà comment nous procédons", expliqua Aron. Il donnait la main à Sidner. "Mon garçon le sait bien." Soudain on entendit un haut-parleur dehors, c'était le roi du Népal qui criait : "Tous ceux qui se trouvent dans la musique doivent l'évacuer immédiatement, sinon nous tirerons avec des balles sourdes." Autour de moi, sur toutes les collines entourant la maison, des torches étaient allumées, une foule obscure se mouvait avec agitation. Ça sentait le caoutchouc brûlé et je me rendis compte que nous nous trouvions à Katmandou. "Mais nous venons d'arriver", dis-je. Ma femme me tira par le bras : "Il vaut sûrement mieux faire ce que dit le roi." "Mais nous devons habiter ici." "Ce n'est pas nécessaire, dit-elle, nous pouvons habiter chez Wilson." Elle leva les mains en l'air et sortit. Wilson s'approcha d'elle, le haut-parleur à la main. Il l'embrassa sur le front et cria : "Nous n'aurons plus de place si d'autres gens viennent chez moi." Maintenant tous ceux du chœur se bousculaient vers la sortie, je reconnus beaucoup de musiciens, de vieux amis, qui n'avaient pas voulu que je les voie, à qui j'aurais aimé expliquer mon absence, mais personne ne semblait faire attention à moi. "Attention, criai-je, vous ne comprenez donc pas que la maison va s'écrouler si vous disparaissez." Ils montraient le roi qui installait un repas à côté d'un temple de singes : des feuilles de palmiers étaient étendues dans l'herbe et recouvertes de bananes, de raisins et de papayes, de carafes à long goulot remplies de vin. "C'est dehors que se passe la fête." Lorsque je regardai autour de moi, la plupart des ampoules s'étaient éteintes, avec moi ne restaient plus que Torin, Solveig, Aron et Sidner, mais plusieurs étages nous séparaient et je sus tout à coup que les balles avaient déjà quitté le fusil du roi, une salve atteignit Solveig et Aron, je me réveillai en hurlant.

*

Je connais ces cris-là. Toi aussi tu les connais. Nous vivons de cri en cri. Mais entre eux un filet d'eau trouve son chemin. Il disparaît, il réapparaît, une fois, deux fois, trois fois peut-être dans notre vie, pour que nous puissions y tremper nos lèvres et continuer notre chemin. Si je me trouvais ici, c'était parce qu'il m'avait été donné de voir ces scintillements dans la vallée des morts. J'ai pu entendre la musique là où je m'y attendais le moins.

Les gens s'imaginaient que c'était la faute à Lars Madsén si Torin avait commencé à fréquenter le restaurant, mais ce n'était pas le cas. C'était *le père qu'il y avait* en Torin qui, timidement, était entré dans le cercle de lumière pour être adopté par les humains. Il y avait une table tout au fond, dans le coin près de la cuisine. Il s'asseyait là et se tortillait les mains ou tripotait distraitement le Livre d'or.

Ses cheveux brillaient comme un buisson en flammes et ses sourcils, blancs comme un champ de seigle au lever du soleil, se levaient et se baissaient, à la fois impatients et démoralisés, à l'entrée d'un nouveau client. Il est vrai qu'il se croyait devenu quelqu'un : il avait acheté un blazer, des lunettes de soleil et un appareil photographique. Il brossait ses manches et ses épaules pour les débarrasser des pellicules et, de temps en temps, tirait une bouffée de son cigare. Ce n'étaient pas là les manières d'un simple tailleur de pierre, mais était-il simple ? Plus le temps passait depuis l'interview, plus on oubliait que Torin n'avait pratiquement pas dit un mot, qu'en fait c'était Madsén qui avait très bien parlé et fleuri les marmonnements de Torin. Et l'image du génie qui fabriquait seul des machines dynamo-électriques, créait de fabuleux animaux de rêve en argile, de l'aviateur solitaire qui survolait les forêts dans son Tiger Moth, finit par s'installer comme une aura autour du personnage.

— Toi qui as parlé à la radio, disait-on en s'asseyant en face de lui, en regardant ses mains et en entendant tout ce que Madsén avait dit mais comme dit par Torin, et on était un peu froissé par son attitude bourrue, et en soi-même on pensait que quand il s'était agi de répondre à Madsén il ne l'avait pas ouverte tant que ça, sa gueule. Mais on s'amadouait quand il tapotait le Livre d'or et demandait une signature.

— Et voilà, encore une fois j'ai payé, disait Torin en devenant très digne et en soufflant sur des cendres imaginaires tombées sur le Livre d'or, il faut fêter ça, *you know*.

Car c'était pour cela qu'il était ici. Pour cela qu'il s'était procuré un Blazer et des Lunettes de soleil.

— *Be my guest !*

Certes le Livre d'or était apparu entre ses mains en prévision de la visite de Madsén, sur une idée de Victoria, sa belle-sœur, et le nom de Madsén était le premier, tout seul sur la première page, mais ensuite venaient d'autres histoires. Il y avait la signature de Wärme, le pasteur, celle du président de la Direction générale de l'Enfance, l'écriture souple du juge et celle de Pettersson, le marchand de drap, avec la date et tout, et d'où il ressortait que le Blazer avait maintenant cinq ans. Torin avait peut-être mal compris l'idée d'un tel livre puisqu'il le trimbalait partout avec lui, et pourtant : il les invitait dans les salons de sa Fierté, dans les secrets du Paiement, de la responsabilité de la Pension alimentaire. Signes qu'il n'était pas seul.

— Et voilà, je pars à nouveau en voyage.

Laissait aux mots le temps de s'estomper.

— Il me restait un peu d'argent après avoir Payé, *you see* ! et il prononçait le mot Payé avec de très grandes lettres, les faisait scintiller un peu au-dessus de la table et, pour en goûter la douceur une fois de plus : c'est cher de Payer.

Petit à petit on s'en lassa, on voulait poser des questions sur d'autres sujets. Le vol en avion. Les émissions de radio, les pierres tombales, et comment était-il en fait, Madsén ? Toi qui l'as rencontré ?

— Est-ce qu'il est si extraordinaire en fait ?

— Qui ?

— Madsén.

— Oh, moi j'étais en train de penser à Gary.

Torin buvait une gorgée pour faire paraître naturelle la transition.

— Il grandit, ça lui fait cinq ans maintenant.

— Ah bon.

— Un gentil garçon.

On avait envie de se dérober.

— Et où est-ce que tu dois partir, déjà ?

— *Well.* Ce sera peut-être le Göta Canal. Cent cinquante couronnes pour une cabine double. *Not very cheap but* quand même…

Il y avait de la discrétion dans cette esquive d'une discussion au sujet de Gary. On ne voulait pas le laisser s'embrouiller dans des mensonges sur des visites fictives dans sa "famille" à Karlstad, pas le laisser divaguer sur des voyages qui n'avaient jamais lieu avec "les siens". Plus d'un l'avait vu rôder là-bas autour de la maison et regarder les lumières de la fenêtre du premier étage, où elle habitait, la fille Zetterberg. Plus d'un avait fait demi-tour pour éviter de le rencontrer lorsque, tête basse, il revenait vers la gare après de tels moments. Si on le rencontrait quand même, on feignait la surprise quand on tombait sur lui dans un compartiment. Tiens, t'es allé faire un tour en ville, Torin ?

— Je suis allé rendre visite.

— C'est bien, t'as eu beau temps.

Les nuits de Torin n'étaient qu'une grande fête d'anniversaire pour le petit. Gary riait, assis sur ses genoux. Gary lui demandait de faire des animaux avec le bloc d'argile posé sur la table du jardin. Dans ses rêves, Torin racontait l'Amérique, les lucioles et les champs de maïs, les Indiens et les nègres.

— Il apprend vite aussi, mentait-il, jusqu'à le croire lui-même. Il va sûrement finir en Amérique. Ça, disait Torin en indiquant d'un geste de la main la salle à manger et la rue et la ville, ça, c'est rien pour Gary. *Sunne is just nothing, you know.*

Oui, Torin se mentait jusqu'à croire ses propres mensonges. La vantardise était le ciment avec lequel il bâtissait sa maison. Avec la vantardise il voulait colmater le monde pour ne pas le laisser s'écouler hors de lui. Ce flot noir, nauséabond, qui toutes les nuits, après les soirées au restaurant, le rattrapait quand il coupait par le jardin, qu'il se traînait à pas lourds, franchissait le chemin de fer et regagnait sa maison au bord de l'eau. Une vantardise maladroite qui ne suffisait pas, qui restait trop diluée, trop fragile et transparente. Il aurait eu besoin d'une vantardise plus importante, une tour Eiffel dans la forêt, un vol transatlantique avec Gary, un mouvement perpétuel derrière lequel se dissimuler. C'était ce qu'il avait voulu dire quand Madsén avait parlé de lui à la radio : que la petite roue à aubes dans le ruisseau, le brevet de pilotage américain, les animaux merveilleux qui avaient suscité l'envol lyrique de Madsén, que tout cela n'était que *just nothing*. Ce n'étaient que les paillassons du palais qu'il allait construire.

Mais maintenant il lui fallait racler ses pieds pour entrer dans la maison du Rien.

Dans la maison Non.

Elle était venue ici une fois, la fille Zetterberg, le chemisier à moitié ouvert, un spectacle difficile : tout ce moelleux là-dedans. Il avait été forcé de regarder droit dans le paradis, quand elle avait demandé un verre d'eau. Elle se pencha contre lui, posa sa main sur celle de Torin, chancela. Il lui dit de s'asseoir sur le canapé-lit, pas encore fait, il ramassa son slip, la vieille chemise, les chaussettes. Ça sentait mauvais, le seau pour pisser était près de la porte de la penderie entrouverte, ça sentait aigre. Torin regarda son logis comme s'il le voyait pour la première fois. Les tasses sales sur la table, l'assiette dans l'évier, le gras sur les couverts. Il regarda les mouches devant la fenêtre, celles qu'il avait l'habitude de tuer, de ramasser par les ailes et de mettre en tas, quand il n'avait rien d'autre à faire. Il était resté ici depuis la mort de maman. Resté simplement en attendant une force extérieure qui allait le ramener dans la véranda du Middle West. Car sa place était là-bas. On pouvait souhaiter toutes les directions : la Californie, la Floride, New York, on pouvait se mettre au milieu d'un champ de maïs et penser *en avant.*

La maison n'était pas faite pour des visiteurs. Quand maman était encore en vie et que Solveig était petite, alors les vents entraient par la porte et les fenêtres ouvertes – ensuite ça s'était transformé de plus en plus en atelier. La fille Zetterberg trébucha dans des fils et des outils. Il y avait là des morceaux de postes de radio, de la sciure et des bouts de planches, des revues américaines sur les avions. Elle s'allongea sur le canapé et demanda si elle avait de la fièvre. Il fut obligé de lui toucher le front, ensuite elle l'agrippa par son pantalon, et il se souvenait qu'il était en train de formuler une question : "Pourquoi es-tu venue ici…" avant d'être aveuglé par l'attouchement. Et ensuite : "Je voudrais bien que tu reviennes, *you know.*"

Mais que c'était comme si elle n'entendait rien.

Elle avait remis sa culotte et elle était partie, sans même se retourner. N'était revenue que pour annoncer qu'elle était enceinte, debout sur le seuil, avec des reniflements réprobateurs, ne le regardait pas, regardait le ruisseau dehors, et sa voix à lui, minable : Veux-tu te marier avec moi. Quoique je… Quoique tu. Quoi ? Ben. Comme du fond d'un puits : Je ne suis pas méchant.

— Si tu paies, ça suffit.

Merveilleuse Birgitta avait reçu de Dieu une âme d'infirmière. Sertie tel de l'ambre dans son corps gai et plantureux, et dont l'éclat perçait jusque dans ses yeux, illuminait ce triste monde qu'elle était obligée de contempler, et ce depuis que de trop nombreux godets de vin pendant les fêtes éclatantes des années vingt l'avaient frappée de malheur. Elle était très belle. Comme si quelqu'un l'avait arrachée à un tableau italien de la Renaissance et l'avait déposée sous les lampadaires de Sunne, et qu'elle ne fût pas encore réveillée depuis ce transfert. La tête un peu en biais, ses cheveux sombres qui tombaient sur ses épaules, les mains serrées dans son manchon, elle était là et fredonnait *My heart belongs to daddy*, avec un faible sourire qui n'était pas destiné au froid qui l'entourait.

C'était un des rares préjudices que lui avait portés son séjour aux States : il fallait qu'elle chante, et un soir, alors que sa promenade l'avait menée sous les fenêtres ouvertes de la salle à manger de l'hôtel, elle avait entendu les airs du phonographe en sortir, et elle avait été attirée vers la porte, en haut des escaliers, avait fait son entrée sous les lustres en cristal, drapée dans son boa de fourrure, elle avait écarté les bras et avait presque réussi à atteindre le niveau du chanteur du disque dans son air final. Il y eut des applaudissements, mais que savent les applaudissements ? Le chantre Jancke, qui célébrait les soixante-dix ans de sa belle-mère, regarda autour de lui dans la salle pratiquement vide en ce sinistre mois de novembre, et découvrit deux mains rouges qui étaient celles de Torin.

Qu'il écartait pour lâcher ce bruit maladroit qui voletait vers elle de ses ailes brisées.

— *Your pronunciation is very good ! Be my guest !* Merveilleuse Birgitta se tenait près du phonographe, avec son corps immense, comme une sainte, solide sur tous ses membres, ses yeux brillaient, et la dent en or, qu'on lui avait mise à la suite d'une bagarre dans les environs de la cuisine du temps où elle avait été femme de chambre, scintillait droit vers Torin. Elle fit une révérence pour la famille de Jancke, puis une révérence pour Torin, tout en se serrant plus dans son boa. Elle n'avait pas l'habitude de ce genre de choses, elle faisait partie du mobilier des rues de Sunne, dans son dos on faisait des grimaces et on sifflait bruyamment *Night and day*. Elle vivait pourtant avec la grâce : elle savait trouver les sources, les veines d'eau presque invisibles qui sourdent sous les répliques rocailleuses, sous les désirs avortés des gestes quand ils tentent les services les plus simples. Et maintenant, comme dans un brouillard, elle voyait Torin qui projetait sa voix vers elle :

— *Be my guest !*

Elle le voit, lorsqu'en vacillant elle s'approche, qui pousse lentement le Livre d'or sur la table, le tient devant lui comme un bouclier, tandis que les yeux regardent n'importe où.

— Si tu voulais écrire ici… ton nom.

— Mon Dieu, dit Merveilleuse Birgitta en prenant appui sur le poignet de Torin dont le corps devient comme de la cire fondue, il sent cette main s'enfoncer à travers sa chair et son sang, jusqu'à l'os mis à nu. Ça chauffe et ça brûle si loin dans ces creux qui lui sont complètement bouchés qu'ils en sont illuminés, il voit et en quelque sorte est aveuglé par sa propre existence. Mais ensuite il se reprend, c'est trop fort :

Que quelqu'un l'ait *ainsi* touché.

Il veut se lever et partir. Mais Merveilleuse Birgitta est appuyée sur lui et feuillette le Livre d'or et il regrette, il craint même son nom maintenant. Il s'y brûlera chaque fois qu'il le regardera.

— *You know a lot of people*, dit-elle en anglais et cela lui crée une *complicité* avec elle. Il lève le visage, elle passe l'index sur son front, parle comme quelqu'un dans une véranda il y a longtemps, avec des lucioles.

— *They laugh at me, you know.*

— *Nobody is laughing, nobody. The colour of your hair is so beautiful.* Je ne te fais pas peur, quand même ? Elle s'assied en face de lui. Tu as peur des femmes ?

— *Love is so ugly, Birgitta.*

— Non, pas l'amour. Pas lui. Tu ne l'as peut-être pas rencontré. Il faut le chercher, tu vois. Mais je suppose que je ne l'ai pas trouvé, moi non plus. Quand je t'ai vu, j'ai pensé : Voilà Torin qui se tue à réfléchir sur l'amour et tout le bataclan. Mais réfléchir est un péché. Torin, à quoi penses-tu ?

— A Gary, mon fils.

— Ah bon ! Commande-moi une bouteille de vin. Mais une petite seulement…

— Je n'ai pas le droit de le voir. Je ne suis pas assez bien.

— Et tu es d'accord avec ça ! Ça t'arrange proba-blement. Tu en jouis, en fait ? Ça te réconforte. Dis-moi si je me trompe, si je parle trop, c'est que je suis un peu pétée, je ne fais pas assez attention aux autres dans ces moments, mais je vois bien ce qu'il en est.

— *Yes, you see me.* Vas-y, parle. Il frappe à la porte de la cuisine et Mme Jonsson fronce le nez quand elle voit Merveilleuse Birgitta installée là.

— Donnez une demi-bouteille de vin à Mlle Lars-son, dit Torin.

— Elle n'en a pas encore eu assez ?

— Il fait froid dehors. Elle est quelqu'un de bien, madame Jonsson. Elle est mon invitée.

— Pourvu que vous ne dérangiez pas les Jancke, marmonne Mme Jonsson.

— Nous parlons *à voix basse*, dit Torin.

Merveilleuse Birgitta feuillette le Livre d'or.

— Mais bon sang, je suis la seule femme dans tout le livre, Torin. Tu n'as jamais… ? Suis-je réel-lement la première qui… ?

— On n'ose pas toujours. Vas-y, écris ton nom, Birgitta. Avec la date et tout. Tu es bien gentille, toi. Parle-moi encore de moi !

— Est-ce que ça sert vraiment à quelque chose de parler avec toi ? Quand es-tu content ?

— Quand je pense à Gary. Quand j'espère le faire venir ici, et nous pourrions être dans le jardin. Je lui donnerais des chocolats et de la limonade. Des masses. L'Amérique – oui, quand je pense que lui et moi nous partirions en Amérique. Quelquefois je pense que lui et moi on traverserait l'Atlantique en avion, seulement lui et moi, exactement comme Charles Lindbergh, *you know*. Merveilleuse Birgitta pose sa main sur celle de Torin et exhibe sa dent en or.

— Pourvu seulement qu'on fasse quelque chose, Torin. C'est ça qui est important. Les pensées ne jouent aucun rôle. Quel vin !

— Tu dois avoir l'habitude de ce genre de trucs, à ce que j'ai entendu dire.

— Oui, c'est vrai. Je ne pensais pas boire, j'ai bu. C'est idiot, mais parfois la vie est si horriblement froide.

Cette nuit-là, Torin ne put trouver le sommeil. Il avait laissé Merveilleuse Birgitta devant l'hôtel et l'idée ne l'avait pas effleuré qu'elle aurait pu rentrer avec lui. Pas avant de s'être retourné, là-bas, sur le talus du chemin de fer, et de l'avoir vue, toujours debout sous le réverbère, dans la neige.

Il se tournait et se retournait dans son lit et écoutait le vent de mars. La porte de l'atelier de menuiserie grinçait et il y avait des rats sous l'évier, les chats étaient partis en vadrouille. Si elle était venue et avait vu ce désordre... Non, il écarta de lui les pensées charnelles, cette fois-ci comme auparavant. Il valait mieux vivre comme ceci, pour ne pas subir la tentation. Mais il allait pouvoir installer une chambre pour Gary. Acheter des jouets. Aller chercher des gâteaux à la pâtisserie de Beryl.

Quelque part à l'étage. Il n'y était pas monté depuis plusieurs années. Tout était resté dans l'état où c'était à la mort de maman. Il quitta son lit, monta l'escalier à tâtons, s'assit sur le lit aux draps propres et y resta jusqu'à l'aube.

Le matin, il prit le train pour Karlstad ; dans un kiosque il acheta trois plaquettes de chocolat, pour avoir au moins quelque chose à offrir à Gary, si toutefois il l'apercevait ; depuis si longtemps il n'avait même pas entrevu le garçon derrière les fenêtres de l'appartement. Une bise piquante soufflait dans les rues, la neige s'amoncelait haut le long du fleuve. Tout d'abord il pensa seulement frapper à la porte et dire : "Je ne veux pas te déranger, je voulais seulement *voir* le garçon, rester un moment à le câliner. Je t'en prie, Carina", voilà ce qu'il allait dire. "Je ne suis pas méchant. Laisse-moi rester un moment avec lui pendant que tu fais ce que tu as à faire" – pour ce que ça pouvait bien être ? "Tu aimerais peut-être avoir un moment de tranquillité." Ça faisait bien – moment de tranquillité, tout comme lui-même aurait aimé être tranquille, loin des pensées qui tournaient autour de Gary et de son corps chaud de petit enfant. Pouvoir le tenir un instant ! Il emporta aussi un sac d'argile avec lui : "Regarde, dirait-il, je vais te faire un animal. Qu'est-ce que tu préfères : un rhinocéros ? Ou un éléphant ? Je vais te faire un éléphant." Non : "Papa va te faire un éléphant." Ça sonnait mieux. "Papa va te faire des éléphants pendant que maman est sortie faire les courses. Assieds-toi là sur mes genoux. Ça, tu vois, je l'ai appris en Amérique. Tu sais où ça se trouve, l'Amérique ?" allait-il demander. Et Gary répondrait : "Non, papa, je ne sais pas." "Ça se trouve loin, très loin de l'autre côté de l'Atlantique. Un jour nous irons, toi et moi, dans mon avion." "Tu as un avion papa ?" "Ouii, maman ne t'en a pas parlé ?" "Non, elle ne me parle jamais de *rien.*"

Torin ressentit un coup au cœur. N'a-t-elle vraiment jamais parlé ? Comment pouvait-elle. Mais il l'avait compris à l'expression de son visage, la dernière fois qu'ils s'étaient rencontrés, au coin d'une rue. Lui, là, les mains tendues qui lui avait demandé de pouvoir… au moins quelques minutes… une minute, Carina ! "*Pourquoi ?* avait-il demandé, pourquoi es-tu si impossible. C'est mon enfant aussi, je ne me suis jamais défilé, au contraire, je…" "Si tu n'arrêtes pas de rôder par ici, je vais voir la police."

Ainsi donc elle n'a parlé de rien, continua-t-il en lui-même en pensant qu'il devrait se fâcher, certainement, vraiment se fâcher comme il avait vu faire d'autres gens. C'est sûrement ça qui cloche avec moi : il me manque la colère. Je ne sais pas me fâcher. Je ne sais pas comment on fait. Mais maintenant je vais… je vais frapper à la porte et dès qu'elle ouvre, je crie : Maintenant ça suffit tout ça, Carina. Maintenant tu m'as suffisamment maltraité. J'exige de m'occuper de Gary, même si tu me détestes, m'occuper de lui… il en sentit le goût sur sa langue… m'occuper de l'enfant, mon enfant, au moins… de temps en temps… Il sera bien chez moi… du pain frais de la boulangerie de Beryl Pingel autant qu'il en voudra… De la bouillie et du porridge, des betteraves rouges directement du jardin de Sleipner, Victoria peut lui coudre des vêtements et moi, je lui pousserai la balançoire dans le jardin sous les pommiers. Quand lui as-tu fait faire de la balançoire pour la dernière fois dans un jardin, hein, tu peux me le dire ? cria-t-il soudain droit dans la rue.

Il se trouvait sur la place et sentit le vent lui glisser dans le cou, il avait froid aux pieds, jamais il ne faisait aussi froid aux States. Oh, si Charles Lindbergh y est arrivé, je pourrais... des bidons supplémentaires... des bidons supplémentaires, Carina, à nouveau les mots lui échappèrent, les paroles glissèrent le long du trottoir. L'odeur d'encaustique dans l'escalier le fit s'arrêter : ce n'était pas là son monde. Il sentit la puanteur imprégnée dans ses vêtements, il vit la maison où ses jours s'écoulaient, la colère s'estompa et il recula, resta tout étourdi au rez-de-chaussée, à l'intérieur mais juste à côté de la porte.

Pardonne-moi, Carina, je te comprends, je ne suis pas assez bien pour cela. Je suis un rustre, un bon à rien, un idiot. Je ne ferais qu'abîmer Gary s'il vivait avec moi. Ne me tiendrais même pas propre, et s'il tombait malade... pendant que je travaille... de la fièvre... les petits enfants ont facilement de la fièvre, non... Du sirop, oui, du sirop froid, il pourrait en acheter, ou en emprunter à Victoria, ça irait, mais toute la lessive... il n'arriverait pas à la laver suffisamment bien... Ses mains transpiraient dans ses poches autour des plaquettes de chocolat... Je peux les glisser derrière la porte par la fente de la boîte aux lettres et puis m'en aller et jamais plus... Derrière les portes, dans la cage d'escalier, il entendait les bruits de la matinée : musique à la radio, assiettes entrechoquées dans un évier. Dans un appartement quelqu'un jouait de l'accordéon, dans un autre c'étaient les plaintes de deux femmes, une odeur de bifteck aux oignons atteignit ses narines, et il devint jaloux même des plaques de laiton sur les portes ; voulut les caresser du doigt. Avec le soir les appartements seraient plus peuplés : les hommes rentreraient de leur travail, les enfants de l'école, tous auraient *quelqu'un* à qui dire bonjour, tu-as-passé-une-bonne-journée ? Certains s'embrasseraient, d'autres ne feraient que se regarder. Mais ils seraient ensemble. Des gens propres et bien. Des meubles propres et beaux. Les draps, oh, comme ils faisaient mal ces draps qui séchaient dans tous les jardins sauf le sien. L'odeur de lessive et de vent.

NON ! Il avait dit non. On n'allait pas le tromper encore une fois. C'était bien d'avoir vu la misère : avec le soir aussi les querelles allaient démarrer, les cuites, les cris. Les mômes qui jetaient les vêtements autour d'eux, les bonnes femmes qui se plaignaient de ne pas avoir reçu l'argent du ménage. Les gens collés les uns aux autres, prisonniers. Il savait bien, il avait Sleipner et Victoria tout près de lui. Ce visage acéré et pingre de Victoria, c'était comme ça qu'elles devenaient. Et Sleipner complètement éteint, quand il arrivait le matin au chantier ! Son sourire en coin : Tu sais comment elle est, Victoria... Et il s'en contentait. Jour après jour une usure continuelle de tout ce dont Sleipner avait rêvé quand il était petit.

D'un autre côté : De quoi avait-il rêvé en fait ? En y réfléchissant. Il ne voulait pas apprendre à piloter, il se fichait d'avoir été obligé de revenir ici, en Sweden, il ne jetait pas de ruade quand Victoria l'empêchait d'écouter la radio. "Tu sais comment sont les femmes…" Peut-être était-il satisfait. Peut-être étaient-ils tous satisfaits. Satisfaits et inquiets, satisfaits parce qu'ils avaient quelqu'un avec qui dormir, parce que le repas était servi, et inquiets de penser à quelque chose de plus grand. "*Freedom*, marmonna Torin en respirant l'odeur d'encaustique, *means nothing to them.*"

Mais Solveig et Aron alors ? Mais eux ils étaient des gens particuliers. Ils appartenaient à une autre espèce. Ils avaient la musique : une porte qu'ils pouvaient ouvrir et franchir à n'importe quel moment. Avec Solveig ç'avait toujours été la même chose : elle était en quelque sorte *vêtue* de musique, et c'était un habit qui n'*irritait* pas, le monde n'*irritait* pas Solveig. Elle avait réussi, presque, à introduire Aron lui aussi dans ces vêtements-là. Il commençait à y arriver, quand elle était morte. C'était Solveig qui possédait les clés de cette porte-là, elle les avait emportées, pas étonnant qu'Aron… qu'il soit parti… peut-être pour aller chercher la clé… quitté les enfants.

Soudain une porte s'ouvrit plus haut dans l'escalier et Torin battit en retraite dans la cour. Il s'accroupit dans un coin, derrière quelques poubelles qui puaient les entrailles de poisson. C'était Carina Zetterberg et Gary qui sortaient.

— Maintenant tu restes ici, dans la cour, jusqu'à ce que je revienne, tu entends ?

Gary ne répondit pas mais s'adossa contre un arbre et la regarda.

— Pas dans la rue !

Gary ne répondit toujours pas. Torin vit. Son fils, cinq ans, vêtu d'une casquette à oreillettes qui lui cachait presque tout le visage, de gros gants, un pardessus court, de longues chaussettes chaudes. Les mains derrière le dos, il se balançait contre l'arbre et regardait silencieusement Carina qui disparut dans la rue.

Torin sortit de sa cachette.

— Bonjour, Gary. Je suis ton papa.

Gary le regarda sans rien dire et se détourna.

— Tu ne veux pas me dire bonjour.

— Tu n'es pas mon père, dit Gary.

— Mais si, je le suis.

Il tendit une plaquette de chocolat. Gary la saisit vivement et arracha le papier. Gary n'était pas un bel enfant. Il tient ça de moi, pensa Torin, peut-être pas la couleur des cheveux, telle qu'on la distinguait sous la casquette, les yeux non plus. Mais la laideur, c'est la mienne. Gary mangeait le chocolat sans daigner porter un seul regard sur Torin.

— Comme tu as grandi. Fais voir si tu es lourd.

— Tu es un pauvre type, dit Gary en s'écartant quand Torin se pencha vers lui.

— C'est… maman qui t'a dit… que j'étais…

— Je le vois bien tout seul, dit Gary.

Torin n'était jamais grossier et ces mots de Gary furent comme des couteaux plantés en lui. Mais le gamin ne devait pas avoir la chance d'entendre autre chose. Les gros mots étaient peut-être son langage quotidien, Torin dit :

— Tu n'aimerais pas qu'on aille dans un salon de thé, toi et moi ?

— Non, dit Gary.

— Tu pourrais manger autant de gâteaux que tu voudrais.

— Avec des framboises ?

— S'ils en ont, tu en auras.

— Mais il faut que je reste ici jusqu'à ce que ma mère revienne. Tu es un pauvre type quand même.

— Pourquoi me parles-tu comme ça, Gary ?

— Tout le monde c'est des pauvres types. Tu as encore du chocolat ?

— Si tu me laisses te porter.

Gary se planta droit devant lui et regarda par terre. Torin le souleva et mit ses mains autour du corps fragile, il voulait rencontrer son visage, voulait le voir rire. Mais Gary était loin du rire ; il jeta sur Torin un regard implacable et tendit impatiemment la main pour avoir à nouveau du chocolat. Torin le porta dans la rue.

— Il y a une pâtisserie pas loin d'ici. Et d'ailleurs ma poche est pleine de chocolats.

Il dit cela parce que non loin il y avait une station de taxi. Il neigeait sur eux, ça glissait sous les pieds, Torin pensa : Ça amusera peut-être Gary de faire un tour en voiture. Torin portait toujours beaucoup d'argent sur lui, cela faisait partie de ce qu'il appelait la liberté, mais il avait rarement assez d'imagination pour dépenser cet argent qui finissait par s'accumuler. "Ce n'est qu'une fois dans la voiture que j'ai pensé l'emmener avec moi, expliqua-t-il plus tard au tribunal. Quand nous avons été installés sur la banquette arrière moelleuse et qu'il m'a une nouvelle fois traité de pauvre type. Et j'ai pensé qu'il allait avoir la chance de ne plus être obligé de parler comme ça si je pouvais le garder avec moi. S'il n'avait pas dit cela, eh bien…" Et le procureur avait demandé : "Vous étiez conscient alors que vous violiez la loi ?" "La loi, répondit Torin, la loi peut être si cruelle, si cruelle."

La fête des enfants dont Torin avait rêvé n'eut jamais lieu, il avait mal choisi sa saison, il s'en rendit amèrement compte lorsque, après avoir changé trois fois de taxi pour revenir de Karlstad, il porta dans le noir jusqu'à la maison un Gary enfin endormi, repu de chocolats et de limonades. Le jardin était froid et nu sous la neige, le coin près de la balançoire, où ils auraient dû, à l'ombre des arbres, modeler des animaux d'argile, et la balançoire, sur laquelle ils auraient dû s'asseoir et se balancer doucement ensemble, étaient figés par le gel, les lupins et les fleurs des arbres fruitiers étaient bien loin et des nuages froids passaient au-dessus du lac. Ça commençait mal, mais Torin ne s'en rendait compte que maintenant : comme s'il avait espéré que malgré tout le jardin se serait trouvé en dehors des saisons, qu'au niveau du fossé une limite se serait dessinée entre été et hiver, entre jour et nuit, entre solitude et foule. Un simple bond par-dessus le fossé. Un tout petit saut et son visage se serait épanoui face à celui de Gary de retour à la maison leurs deux sourires se seraient fondus en un seul.

La maison, "cette porcherie", le mot lui passa dans la tête, était froide et sale, pas un seul coin de la cuisine où il aurait pu déposer doucement l'enfant ; journaux, fils, outils recouvraient tout, comme *cette autre fois*, les chaises, la table, le lit. Lorsqu'il poussa quand même un peu du fatras qui couvrait le lit, un niveau à eau tomba par terre, ce qui réveilla si brusquement Gary qu'il en fit dans sa culotte ; ce fut comme si le gamin explosait de toutes les boissons gazeuses, de tout le sucre et le chocolat ingurgités. Gary frappa sauvagement autour de lui, lança des coups de pied vers le visage de Torin, tandis que la puanteur et la chaleur mouillée – seule chose chaude dans cette maison parcourue de courants d'air – se répandaient dans ses vêtements.

— Voyons, voyons, essaya Torin en se faisant mordre le poignet. Va falloir t'amener aux cabinets.

Mais lorsqu'il eut porté Gary de l'autre côté de la cour obscure, qu'il eut défait le crochet de la porte, ouvert le couvercle du trou noir vertigineux et que le vent fit battre la porte plusieurs fois, Gary fut saisi de la panique décisive :

— Ne me jette pas dedans, cria-t-il, et avec la force d'une bête il s'accrocha au bras de Torin.

— Non, non, dit Torin, c'est juste pour t'asseoir, pour que tu fasses caca. Pour que tu sèches. Mais Gary ne voulait pas, il n'y avait pas moyen de l'asseoir sur le siège. "De toute façon, ça ne voulait plus rien dire, admit Torin dans son long récit méticuleux au tribunal, puisqu'il avait déjà fait tout ce qu'il avait en lui." "Nous pourrions peut-être nous abstenir de ces détails", dit le procureur en toussotant. "Je ne crois pas, dit Torin, parce que c'était comme si ce trou… que quand je le voyais… j'étais même pas capable de… *couldn't even wipe off his ass*… que quand j'étais là et que je pensais que j'avais rien à manger pour lui à la maison sauf un peu de haricots rouges et du lard… pas de lait… rien… que tout ça, ça allait de travers… et ce trou… que ma place c'était là… *as if that hole was*…" "Pourrais-je demander au prévenu d'employer au moins la langue de notre pays ?" l'interrompit le procureur. *"Yes, yes, yes"*, gémit Torin et il enfouit sa tête entre ses mains.

De retour à l'intérieur, il put enfin retirer le pantalon souillé, réussit à peu près à essuyer Gary avec un exemplaire de la revue américaine *The Pilot*, lui enfila l'un de ses pulls. Il l'enveloppa de couvertures après avoir retiré les draps que l'inondation avait touchés, il alluma du feu dans le poêle, mit de l'eau à chauffer, lava le pantalon sale et l'étendit sur un fil au-dessus du poêle, s'assit à la table de cuisine et regarda Gary immobile.

— Tu veux du café ? demanda-t-il. "Mais les enfants ne boivent pas de café, j'aurais dû y penser", continua-t-il dans son récit et le jury approuva de la tête. "Mais qu'est-ce qu'on dit à un gosse qui ne vous regarde même pas ? Rien, monsieur le procureur, n'est pire que de ne pas être vu par un enfant. Alors on n'a aucune valeur dans la vie."

Et il dit :

— Demain on retournera chez ta maman. "Si tes vêtements sont secs", j'ai dit, mais ils ne l'étaient pas. La maison était humide et froide. Moi, je supporte de vivre comme ça, il n'y a jamais eu personne pour qui la chauffer. Mais c'était samedi, les magasins fermaient à midi et il n'osa sortir faire les courses que lorsqu'il fut trop tard. Il avait peur de lâcher des yeux le gamin. Il resta assis à la table de la cuisine à le surveiller, essaya de lui faire quelques-uns de ses animaux en argile, mais Gary ne s'intéressait pas aux animaux. Il se plaignit de la faim, et dans l'après-midi Torin réussit à lui faire avaler un peu de haricots et de lard, un verre de petite bière aussi, alors il ne manqua vraiment de rien. La soirée fut plus agréable car Gary, qui depuis longtemps avait posé les yeux sur les postes de radio, tous les interrupteurs et tous les outils, s'était mis à jouer un peu. "C'était comme un commencement, en tout cas. Que lui et moi on allait peut-être pouvoir s'entendre. Qu'il s'intéressait à mes inventions. Même que j'ai pu m'approcher de lui pour bricoler un peu, faire du courant électrique avec un générateur, il aimait bien les étincelles, monsieur le procureur. Si ç'avait pas été les étincelles, je crois que j'aurais ouvert quand ils ont frappé à la porte. Mais la porte était fermée à clé et les rideaux tirés, alors j'ai mis la main devant la bouche du garçon. C'est la seule chose que j'aie fait de mal. J'aurais volontiers ouvert, parce que c'était mon neveu, Sidner, qui frappait et qui appelait. Son père est parti en Australie, et sa mère, ma sœur, elle est morte. Mais il n'y a pas eu de commencement, j'ai tout gâché en lui mettant la main devant la bouche, ensuite il a pleurniché et crié toute la soirée ; il devait avoir faim. Et il commençait sûrement à être enrhumé. Cette nuit-là, je suis sorti aux cabinets." "Nous y voilà à nouveau", dit le procureur. "Quand on n'a personne à qui s'adresser, monsieur le procureur, eh bien il faut essayer de prier. J'étais agenouillé là, devant le trou." "Bien, dit le procureur, nous pourrions peut-être laisser ça de côté." "Non, dit Torin, quand la seule chose qu'on désire est en train de disparaître… alors on devient désespéré… quand pour ainsi dire on a amené quelqu'un jusqu'au bord du gouffre…"

Comme une prière qui fut interrompue par un toussotement le dimanche matin : à la porte des cabinets se tenait l'agent de police Hedengren qui le regardait avec compassion.

— Torin, Torin, dans quelle histoire t'es encore allé te fourrer ?

Et Torin se releva, rabattit le couvercle, ses yeux étaient vides et il avait froid.

— Tu es là pour m'enlever le gosse ?

— Il est donc chez toi ?

— Tu le savais déjà.

— Je m'en doutais, à quoi bon cela. Et faire ça si ouvertement. Tu n'as même pas eu le bon sens de mettre un bonnet sur ta tête, on voit tes cheveux rouges de partout. J'ai reçu une plainte contre toi.

Torin le précéda vers la maison mais s'arrêta sur le seuil et contempla Gary qui dormait sous les couvertures, le pouce dans la bouche.

— Mon enfant. Un père doit bien avoir le droit un jour de... Je ne lui voulais rien de mal. Elle ne me laisse même pas...

— Je sais, Torin. Tu aurais un peu de café pour moi ? On m'a réveillé tôt. Il y a des jours où je préférerais être horticulteur qu'agent de police.

— Il faut que tu m'emmènes aussi ? Torin poussa la cafetière sur le côté brûlant du poêle, appuya dessus pour que ça chauffe plus vite, lava une tasse et la remplit, s'installa en face du policier.

— Et toi que Madsén a interviewé à la radio et tout. C'était une bonne émission d'ailleurs. Comment tu l'as trouvée ?

— C'est bien, murmura Torin. C'est bien que tu t'occupes de moi.

— Si seulement j'avais su qu'il était ici, à Sunne, j'aurais pu l'emmener à la pêche aux perches dans le lac. Lui, toi et moi. Hier j'ai pris cinq kilos de lottes. Je m'arrangerai pour que tu puisses en goûter quand tu...

— Quand je serai en prison ?

Hedengren sirota son café brûlant, puis il sortit un papier de sa poche.

— Gary, c'est ça son nom ?

— Ce n'est pas moi qui le lui ai donné. Est-ce qu'il ne peut pas dormir encore un peu, Hedengren ?

— Il faut que je téléphone que nous l'avons retrouvé. Ils attendent, là-bas à Karlstad. Quand même, que t'aies fait un truc pareil...

— Tu pourrais partir devant.

— Je crains que non, Torin.

— Je ne ferai rien de mal.

— Je sais qu'il n'y a rien de mal en toi, mais il vaut mieux que tu me suives. Tu sais, c'est le règlement. Enlèvement illégal, séquestration abusive, ce n'est pas bien, Torin.

— Laisse le gosse dormir un moment. On pourrait rester là à le regarder. *You know, it might be the last time... You know, I had hoped...*

— Je ne parle pas anglais, Torin.

— On pourrait rester ici. Sans bouger. Il est tout ce que j'ai. Bientôt je ne l'aurai même plus, lui.

— Alors donne-moi encore du café.

Un jour d'avril, Torin Brink se retrouva dans la salle du tribunal de Karlstad et entendit le procureur lire la plainte qui avait été déposée contre lui par la mère de leur enfant commun, Mlle Carina Zetterberg et, s'appuyant sur l'article 15-8 du Code, requérir une peine entraînant la privation de sa liberté. La description des faits fut longue et ennuyeuse et Torin regarda avec étonnement autour de lui ce public attiré par les journaux grâce au nom de Lars Madsén qu'ils avaient réussi à glisser dans les articles concernant l'enlèvement. D'un coup Torin était devenu celui qu'on avait entendu à la radio, celui qu'un journaliste du *Fryksdalsbygden* avait pris en photo avec Lars Madsén au bord du lac. Madsén lui-même n'avait pas fait de commentaire sur l'incident mais il expliquait qu'il travaillait sur une nouvelle série d'interviews dans la plaine du Västergotland et que ses programmes seraient diffusés dans le courant de l'été.

Mlle Zetterberg, assise à côté du procureur, ne s'était probablement pas attendue à ce déploiement avant d'entrer dans la salle et elle jetait des regards nerveux autour d'elle. Elle avait considérablement grossi, ses cheveux étaient frisés et beaucoup trop courts dans la nuque, elle portait un sac à main et tortillait un mouchoir entre ses doigts. Le prévenu Brink était donc arrivé le 11 mars à Karlstad où, plusieurs voisins l'avaient vu, il avait attiré le jeune Gary Zetterberg en lui proposant chocolats et bonbons et en lui promettant de l'emmener dans une pâtisserie. Usant de la violence il avait ensuite, selon le témoignage de M. Widman, chauffeur de taxi, forcé le garçon à monter dans le véhicule de ce dernier qui les avait emmenés à Kil où il les avait déposés au coin de la Grand-Rue et de la rue de la Gare, où Brink s'était rapidement jeté dans un deuxième taxi, conduit par son propriétaire, M. Ederling, domicilié à Kil. Au cours de ce voyage également, Brink, avec obstination, avait forcé l'enfant à manger des sucreries, en une quantité telle que M. Ederling "n'avait jamais rien vu de pareil". Pour leurrer d'éventuels poursuivants, le prévenu avait à nouveau changé de voiture à Västra Ämtevik, cette fois-ci pour monter dans une Volvo appartenant à M. Bengtsson de Bäckebron qui avait amené le garçon à Sunne où il l'avait déposé "non loin du pont". Le garçon dormait alors, épuisé et la morve au nez. M. Bengtsson, qui avait écouté le programme de Madsén, avait reconnu le prévenu et essayé de parler avec lui mais n'avait reçu aucune réponse à ses questions, ce qu'il avait trouvé "pour le moins étrange". Le prévenu Brink s'était ensuite prestement esquivé pour rejoindre son domicile, où il était arrivé dans l'après-midi et où il avait enfermé l'enfant à clé sans offrir à ce dernier la possibilité ni d'aller aux cabinets ni de manger ; de sorte qu'à la suite de l'intervention de la police dans la nuit du 13 on avait retrouvé l'enfant dans un état lamentable, "sale et très enrhumé", vêtu, sans rien dessous, d'un pull trop grand appartenant au prévenu. La plaignante, Mlle Zetterberg, avait constaté la disparition de l'enfant à son retour chez elle et avait été saisie d'inquiétude ! Après avoir demandé à ses voisins et appris que l'enfant était parti avec un homme roux, elle avait appelé la police. Prévenu Brink, ceci concorde-t-il avec la vérité ?

— Je n'ai jamais eu de bonbons, dit Torin. Tout s'embrouille.

— Mais vous admettez les faits ?

— J'avais du chocolat, mais pas de bonbons.

Lorsque Carina Zetterberg se rendit à la barre, elle perdit son sac à main et une boîte de pastilles tomba et se répandit par terre. Confuse, elle regarda autour d'elle et commença à les ramasser. On l'attendit patiemment.

— Depuis un certain temps je me sentais menacée par son insistance, dit-elle, essayant de bien parler, puis, d'un coup, elle fut totalement muette. Pas un mot n'arrivait à passer ses lèvres et ses yeux suppliaient le procureur.

— Racontez comme cela vous vient.

— Depuis l' début ?

— Oui, depuis le début.

Elle mit une pastille dans sa bouche et mâchonna longuement.

— Qu'il est v'nu prendre le môme ?

Le procureur et la cour acquiescèrent tous de la tête en même temps.

— J'étais allée chez la voisine pour qu'on s' boive un café. Et ensuite quand j' suis r'v'nue il avait disparu. Bon, alors j' monte dans l'appartement mais y était pas non plus. Alors j'ai couru dans la rue. Mais il était pas là non plus. J'y avais dit qu'il avait pas le droit d'y aller. Alors j' l'ai appelé mais y répondait pas. Alors j' suis montée chez les voisins qu'habitent en d'sous, et y l'avaient pas vu. Alors j' me suis mise à pleurer et les gens ils ont dû l'entendre parce qu'y sont v'nus dans l'escalier et qu'y m'ont d'mandé c' que j'avais. Alors j'ai dit que Gary il a disparu, j' leur ai dit, et alors y avait Mme Karlsson, Britta, qu'avait vu un type qu'avait parlé avec lui et qu'il avait les cheveux roux et qu'il y donnait du chocolat, alors là j'ai compris qu' c'était… lui.

Elle baissa la tête, tripota la courroie de son sac à main.

— Aviez-vous des raisons de soupçonner qu'il s'agissait de Brink ?

— Y en a pas beaucoup qu'ont des ch'veux roux comme ça… Et pi aussi qu'y rôdait souvent autour d' la maison.

— Vous aviez donc le sentiment qu'il était capable de préméditer un tel acte ?

Carina plissa les yeux et réfléchit :

— Ouii, dit-elle. Depuis un moment j' me sentais menacée.

— Brink avait-il fait une allusion quelconque ?

— Ben, c'est pas exactement qu'il l'a fait. Mais c'était toujours désagréable comme qui dirait, jamais j' me sentais en sécurité. Des fois y restait même des heures dehors à r'garder.

— Vous ne l'avez jamais invité dans votre appartement ?

— Non.

— Parce que vous aviez peur ? Il est quand même le père de l'enfant.

— Y m' rendait si nerveuse. Et le gosse aussi.

Cette fois-ci le juge intervint :

— Mais le garçon a-t-il jamais rencontré son père ?

— Non.

— Comment pouvait-il devenir nerveux, alors ?

— J' lui avais montré quand y restait là à r'garder.

— Et vous aviez dit à l'enfant qu'il s'agissait de son père ?

Carina déglutit et serra plus fort le mouchoir dans sa main.

— Il est compliqué. Et pi y r'garde d'un drôle d'air.

— Mais regarder "d'un drôle d'air", comme vous dites, ne signifie pas directement une menace.

— Non, mais y l' faisait quand même. D'un drôle d'air.

Et, comme si soudain elle se souvenait d'une leçon, elle sortit dans le langage le plus pur :

— J'ai été également sérieusement choquée par ce qui s'est passé. L'enfant a souffert de l'acte. Il n'a rien eu à manger, de tout ce temps.

— On pourrait penser aussi que vous aviez fait en sorte que le garçon eût peur de son père ?

— Oui mais… Elle roulait des yeux et cherchait en l'air une protection, une phrase, quelque chose a dire.

— Existe-t-il une raison d'avoir peur ?

— Je ne sais pas, dit Carina Zetterberg.

Le juge, un homme cultivé originaire du sud de la Suède et qui avait rêvé de causes plus importantes que celle-ci, regarda le personnage lourdaud qu'était Torin, sa lèvre inférieure relâchée et ses sourcils clairs.

— Maintenant, Brink, pourriez-vous, dans vos propres termes, nous raconter tout depuis le début. Dans vos propres termes, répéta-t-il, comme une tape d'encouragement sur l'épaule.

— Mes propres termes, dit Torin, qui aurait pu me donner des termes à moi ? *Life is a penal colony for a lonely man.*

Le juge haussa les sourcils.

— Ce qui veut dire… ?

— Si monsieur le juge comprend, cela me suffit. Vivre est une punition suffisante, pendant cinq ans j'ai payé pour Gary, sans même avoir pu ne serait-ce que le toucher. Pendant cinq ans j'ai rêvé – pas qu'elle revienne vers moi, dit-il en indiquant Carina Zetterberg, ce serait trop demander, mais qu'une seule fois elle… ces mains, monsieur le juge… qu'est-ce qu'on en fait… ? C'était comme si mes mains criaient, ce jour-là. Elles poussaient des cris, dit Torin en les tendant au-dessus de la barre, pour que tous puissent les voir et en quelque sorte les entendre. C'était d'elles que ça sortait…

— Vous voulez dire que vous avez perdu le contrôle ?

Torin regarda avec compassion le procureur qui s'interposait entre le juge et lui-même.

— Ma tête n'occupe pas une position à part sur mon corps, et un sourire parcourut la salle, puis s'éteignit quand Torin continua : Mais vous, monsieur le procureur, vous n'êtes peut-être constitué que de votre tête. Le reste du corps serait un appendice… ? Des excroissances inutiles ?

— Venons-en au fait, dit le procureur qui essayait de se rendre aussi physique que possible en relâchant ses abdominaux et en posant nonchalamment une main contre sa joue. Quand avez-vous eu l'idée de l'enlèvement proprement dit ?

— L'idée ? Aurais-je eu une idée ?

La dent en or de Merveilleuse Birgitta brillait devant lui comme le tableau d'autel dans une église sombre. "Pourvu seulement qu'on fasse quelque chose. Penser ça sert à rien." Comme si elle avait jeté un gros appât. Il avait mordu et s'était fait prendre, il s'était tortillé convulsivement. Maintenant il avait fait quelque chose, il était lancé : un événement l'avait saisi, qui lui avait procuré une demi-heure de calme, quand avec Hedengren il avait contemplé Gary par-dessus les tasses de café. Cela lui avait procuré quelques parties d'échecs en tôle, un bon dîner de lotte et un petit verre… "dont tu ne diras pas un mot, hein, Torin" et cela au moment même où on avait frappé à la porte et où le jeune greffier du tribunal était arrivé, pour faire son enquête personnelle. Torin en rit, là, à la barre : ce visage totalement inutilisé derrière ses lunettes de ville, les cheveux bien peignés, le mouchoir en pochette, le porte-documents. Et Hedengren s'était levé précipitamment pour dissimuler le verre d'eau-de-vie dans sa poche, avait arraché la serviette de Torin, oui, Hedengren avait voulu que ça ait un air solennel et il lui avait crié : Vous n'avez pas bientôt fini, sortez de ces cabinets ! et il lui avait fait réinté-grer sa cellule d'où on l'avait immédiatement sorti pour le faire répondre à des questions du genre *buvez-vous* de l'alcool ? Non, vraiment, il ne vou-lait pas perdre cette possibilité de rire, pas à cause d'eux :

— Tenez-vous-en à la loi, dit-il. Si vous consi-dérez que j'ai commis un crime, alors j'accepterai la peine. De toute façon personne ne m'attend, à part les chats. *Just the cats…*

Mais le procureur continua à le questionner et il répondit avec indifférence, parfois violemment, par-fois avec une lassitude extrême, quelquefois avec vigueur, comme quand on lui demanda s'il avait des raisons de soupçonner que l'enfant ne bénéficiait pas de soins corrects chez la mère.

— Je ne soupçonne pas, répondit-il très fort. Je n'en sais rien. Chaque être porte ses plaies. Il y a des raisons à tout.

Il regardait Carina Zetterberg avec une grande tendresse. Elle fuyait son regard, mâchait frénétiquement ses pastilles et se grattait le ventre ; soudain elle fondit en larmes. Tout au long de la plaidoirie finale, quand le procureur réclama une peine sévère pour sanctionner ce rapt d'enfant, elle sanglota, tandis que la main blanche du procureur plusieurs fois lui tapota l'épaule, aussi bien pour la faire taire que pour la calmer. Et lorsqu'il dit que l'acte, certes, était sérieux mais qu'en considérant qu'il n'avait pas été commis dans l'intention de nuire... et qu'elle entendit que la peine pouvait aller de quatre mois à six ans, alors elle se leva et dit :

— C'est pas lui qu'est l' père de Gary. C'est Torsten Bodlund. Et elle regarda Torin droit dans les yeux.

— J' voulais seul'ment qu' tu saches ça, Torin. J'étais en cloque quand j' suis v'nue chez toi c' soir-là, mais Torsten il était trop connu parce qu'il avait joué arrière-gauche à Arvika et pi il était marié et il avait pas d'argent pour payer. On avait été à Kolsnäs un peu avant.

Alors on savait pas quoi faire.

Alors on a trouvé c't' histoire avec toi, Torin... que peut-être t'allais marcher, je veux dire comment t'étais et tout ça… Torsten il attendait à la nouvelle cafèt' pendant qu'on… pendant qu'on…

— Vous aviez des rapports ? proposa le juge qui s'était laissé retomber dans son fauteuil.

— Si c'est comme ça qu'on dit. Et j'étais plutôt soûle. Pour être sincère, j' veux dire.

Sidner dans le salon de Fanny, vide depuis des mois, il joue le *Kinderszenen* de Robert Schumann lorsque Eva-Liisa ouvre la porte.

— C'est bien que tu sois ici. Ce que tu joues bien !

— Non, je ne joue pas bien. Mais tu es gentille de le penser.

— Selma Lagerlöf a appelé.

— Mmm. Pour quelque chose de spécial ?

— Je ne sais pas. Elle a dit que tu devrais la rappeler.

— Je suppose qu'elle a besoin de peinture.

Eva-Liisa regarde autour d'elle.

— Quelle chance tu as eue d'avoir pu emprunter le piano de Mme Fanny.

— Je lui arrose ses fleurs et je garde sa maison, il faut bien que j'aie quelque chose en échange.

— Je trouve que c'est si joliment arrangé ici qu'on ose à peine entrer. Bizarre qu'elle ait disparu comme ça, sans rien dire à personne. Comment ça s'appelle, ce que tu joues en ce moment ?

— *Von fremden Ländern und Menschen.* Tu ne trouves pas que c'est joliment arrangé chez nous aussi ?

— Si, mais d'une autre manière. Ça ne fait pas aussi select. Dis, tu crois que je pourrais essayer quelques-uns de ses vêtements ? chuchote-t-elle en se penchant sur le piano à queue. Et quelques-uns des colliers qu'elle a dans ses tiroirs.

— Si tu les remets en place ensuite.

— Oui, bien sûr. Tu te rends compte, ça sent encore son parfum. Elle est plutôt huppée, non ? Une fois je suis passée quand elle discutait avec Selma. Elle m'a offert une part de tarte à la crème. C'était tellement bien de me retrouver avec elle. A ce moment-là j'ai pensé que ce serait la même chose pour toi quand tu serais marié.

— Je ne trouverai jamais personne, Eva-Liisa.

— Bien sûr que tu trouveras quelqu'un. Je te trouve très beau. Et différent. Alors je pense que ce ne sera pas une fille de Sunne, ni une de Karlstad. Tu trouveras une fille de Stockholm, et ensuite tu auras honte de moi.

— Pourquoi aurais-je honte de toi ?

— Elle devait beaucoup t'aimer, Fanny, dis-moi, pour t'emmener à Strömstad pour aller écouter Sven Hedin. Pourquoi tu me regardes comme ça, d'un air bizarre ? En tout cas, il y avait des framboises sur la part de tarte qu'elle m'a donnée. Tu crois que Selma les avait cueillies elle-même ?

— Ça m'étonnerait.

— Quand même ! Si on était aussi connu qu'elle, quelle horreur !

— Pourquoi dis-tu ça ?

— Ben, comment on pourrait s'habiller quand les gens vous regardent comme ça. Moi, je mettrais du bleu. Ou du vert. Mais pas du noir comme elle. Mais peut-être que ça se fait. Tu dois me trouver bien gamine, dis, avoue !

— Tu es la meilleure sœur qui existe.

— Pourquoi ne recevons-nous aucune nouvelle de papa ? Certaines fois je me dis que...

Allez, va téléphoner à Selma maintenant, ne la fais pas attendre.

Il fait ce qu'elle lui dit. Il avait raison : Selma demandait s'il pouvait passer avec quelques pots de peinture, bleue, et un peu de mastic, elle comptait repeindre l'office.

— Et puis, j'aimerais que tu m'aides un peu pour mes livres aussi. Et, dis-moi, Sidner, passe à la nouvelle pâtisserie aussi, pour prendre un gâteau à la pâte d'amandes. Que nous puissions discuter un moment.

Les fenêtres du bureau de Selma étaient ouvertes, on entendait des oiseaux chanter. Elle l'accueillit assise à sa table de travail.

— Comme tu as grandi depuis la dernière fois que je t'ai vu. Quel âge as-tu ?

— Dix-huit ans, bientôt dix-neuf.

— Tu m'as amené les pots de peinture ?

— Je les ai laissés au majordome. J'espère que ce bleu vous plaira. J'ai laissé le gâteau à la cuisine. Avez-vous reçu des nouvelles de Fanny, madame Selma ?

Selma se leva lourdement de la chaise de son bureau et s'appuya sur sa canne pour marcher jusqu'à la fenêtre et regarder dans la cour.

— C'est pour les livres que je voudrais que tu m'aides. Je vais bientôt mourir et ce que je vais te demander est un peu délicat, mais je pense que je peux avoir confiance en toi. La journée est belle, n'est-ce pas ? Je suis restée ici toute la matinée à écouter les oiseaux. On ne s'en lasse jamais. Mais je suppose que tu n'as pas le temps de t'occuper d'oiseaux, toi qui es si jeune.

— Beaucoup trop de temps. Je préférerais ne pas en avoir.

— Non, peut-être pas. Je sais que ç'a été difficile pour toi. Elle passa sa canne devant les étagères : As-tu déjà vu autant de livres ?

— Même pas à la bibliothèque.

— Tu crois que je les ai tous lus ?

— La plupart, peut-être.

— C'est ce qu'on croit, oui. C'est pénible à avouer, mais j'en ai lu très peu. Regarde ça, dit-elle en s'étirant pour prendre un livre au hasard. Elle l'ouvrit et lui fit voir : "A la plus grande de tous, Selma Lagerlöf, avec l'admiration dévouée de l'auteur." Dédicaces, salutations. Partout pareil. Je ne sais pas combien j'en ai reçu. Les écrivains sont nombreux. Et tous m'envoient leurs livres.

Certains ne font que me remercier, mais d'autres veulent un mot ou une préface, certains m'apportent des manuscrits pour que je les aide à être édités. Mais je n'ai plus la force. Je suis vieille et Dieu sait si j'ai le droit de porter un jugement sur ce que les autres écrivent.

— Mais si, tenta Sidner.

— Pas de belles paroles aujourd'hui, mon garçon. Permets-moi d'en être dispensée au moins un jour dans ma vie. Mais je suppose que je suis seule responsable. Bon, il se trouve que j'ai rédigé mon testament. Cette tombe sera…

— Cette tombe ?

— Mårbacka, ma maison, c'est bien une tombe. Mårbacka sera un musée. Est-ce par vanité ou pour une autre raison ? Tu y réfléchiras quand je serai morte. Mais beaucoup de gens viendront alors, probablement, farfouiller et fouiner par ici. Et tous ces écrivains sûrement pas les derniers.

Elle se laissa à nouveau glisser sur sa chaise et posa sa canne parallèle au sous-main vert.

— Ce que je veux, Sidner, c'est que tu coupes ces livres. Ceux que je n'ai pas lus, donc. Pour que ça fasse *comme si*. Puis-je te faire confiance pour au moins quarante ans après ma mort ?

— Quarante-cinq, madame Selma. Je n'ai personne à qui rapporter.

— Je me suis laissé dire que tu étais un garçon capable.

— Je suppose que je le suis. Mais je ne suis peut-être que cela. Etre un garçon capable c'est peut-être uniquement faire semblant de croire que ce que l'on fait est important. Vendre des pots de peinture ! Ce n'est pas pour cela que je suis né.

— Alors on démarre. Commence à la lettre A. Je reste assise ici et tu me dis le nom et le titre, et on avisera. Tiens, voilà un coupe-papier.

Sidner sortit le premier livre :

— Ahlberg, Emma : *Au parvis de la joie.*

— Aha. Au parvis de la joie, c'est ça. Ouvre-le bien. Je crois qu'il faut regarder les livres des femmes écrivains. Elles font ce qu'elles peuvent. Les obstacles sont nombreux pour les empêcher d'écrire. Je crois que je l'ai rencontrée un jour. Un petit être gris. Est-ce que ça a l'air d'un livre triste ?

Selma fermait les yeux et écoutait le soleil qui clapotait sur les tranches des livres et sur le parquet.

— Si je dois les lire aussi, il nous faudra énormément de temps.

— Tu as raison. Si c'est un livre heureux, il n'y a aucune raison de le lire, et s'il est triste, le titre est un mensonge. Mais nous, les femmes, ne pouvons pas encore nous permettre l'ironie. Suivant.

— Ahlberg, Erik : *Au-delà de l'horizon.* A Selma Lagerlöf avec admiration.

— Quelle horreur, ce titre. Coupe sept pages, qu'il voie que j'ai fait un effort. Au-delà de l'horizon, j'espère que tout y est calme et silence, suivant !

— Alm, Albert : *Sous les grands peupliers.*

— Mon petit Albert ! Comme tu étais peu doué ! Tu vois, Sidner, *lui*, il ne changera jamais la littérature. Il habite Landskrona. Il y était professeur. Il n'y a certainement pas une seule erreur de virgule dans ce livre. Pas une phrase mal construite. Quand tu l'ouvriras, parce qu'il faut que tu le fasses, ce sera un des rares moments de joie de sa vie – et toi, tu découvriras que sous les grands peupliers niche une pléiade de dieux grecs. Plus d'érudition que de vie. Bien qu'il y ait peut-être un poème simple et beau pour sa mère.

— Oui, en voici un qui s'appelle *A ma mère*.

— C'est bien ce que je pensais. Elle s'occupait d'Albert, elle. Je pouvais les voir de ma fenêtre tous les dimanches quand ils allaient à l'église, ils marchaient bras dessus, bras dessous. Il m'arrivait, je crois, de lui envier sa quiétude, sans jamais aucune révolte. Mais on sait si peu de chose de la vie des autres.

— Ça y est, le livre est coupé. Assez mince.

— Tant mieux. En tout cas il n'est pas orgueilleux. Mais il ne sera jamais un grand écrivain non plus, ainsi va la vie.

— Edvinsson, Carl-Edvard : *Le Chant des ruelles*.

— Ça fait bien lyrique. Ouvre, qu'on voie que je n'avais pas peur des temps modernes. L'absinthe coule-t-elle à flots sur les lignes ? Entend-on résonner les rires des femmes vénales ? Tu me trouves hypocrite ? Tu n'es pas obligé de répondre. Mais je vais te raconter maintenant la seule histoire drôle que je connaisse, et qui n'est pas drôle du tout. Mais elle a la même signification que le besoin que j'ai de toi aujourd'hui. Emmanuel Larsson, tu sais qui c'était ? Toujours est-il qu'il est mort l'année dernière. Et après sa mort, sa femme est descendue à Sunne pour lui acheter un pyjama. Pour qu'il soit dit dans l'inventaire de succession qu'il en possédait un ! C'est un souci d'honneur, pas de l'hypocrisie, suivant !

— Friedrichsen, Ebba : *Anna de la ferme.*

— Oh, mon Dieu ! Et moi qui avais promis à cette étourdie de répondre immédiatement ! Ne l'ai-je vraiment jamais ouvert ! Ebba, je l'aimais, cette femme-là. Ses ragoûts de champignons étaient incomparables. Mais c'est qu'elle utilisait de la crème fraîche. Des quantités de crème fraîche. Alors c'est forcément bon. Et elle était si belle ! Sa maison si jolie. Des tableaux de valeur, des tapis faits main, bref, de la classe ! Je crois que je vais lui écrire une lettre d'introduction, si jamais tu allais à Stockholm tu pourrais ainsi te faire inviter à des concerts ou des soupers. Tu aimerais ça ?

— Je crois que je me sentirais pataud.

Selma se pencha au-dessus de son bureau et plissa les yeux :

— Tu sais, je me sentais pataude aussi. Mais quand on devient aussi célèbre, les gens ne s'en aperçoivent pas. Elle *m'adorait*, disait-elle, elle lisait dans mon comportement des choses qui ne s'y étaient jamais trouvées. Elle donnait à tout une signification profonde, même à la moindre phrase creuse qui sortait de mes lèvres. Il n'y a que cette passion qu'elle a d'écrire des livres que je ne comprends pas. Elle n'a probablement jamais vu une ferme, même de l'extérieur. Une femme charmante, mais les écrivains sont-ils charmants ? Non ! Bon, maintenant je vais sonner pour qu'on nous apporte le gâteau. Sidner hocha la tête et sortit Lund, Egon : *Le cheval rêve encore.*

— Celui-là on n'y touche pas. Il s'en sort suffisamment bien avec ses relations à Stockholm. Il court dans toutes les rédactions et se fait l'ami de tous les journalistes qui peuvent lui être utiles. Sur ma tombe il dira que nous avons eu des conversations profondes. Moi, profonde ! Tu sais, j'ai toujours eu du mal à parler avec esprit. J'ai senti que chacun des mots que je prononçais était erroné. Comme de lourds soupirs de pierre... Dis-moi, c'est bien cela que l'on dit de moi aussi, que j'ai été terriblement ennuyeuse ? Attention, pas de grands mots !

— Mmouais. Personne n'a vraiment dit que vous étiez très drôle.

— C'est vrai. Et cela vient du fait que quand je dois parler je me *défends* en quelque sorte. Comme si les questions m'attaquaient de face. Je n'ai jamais le temps de jouer avec les mots et de retourner les questions. Maintenant cela ne me fait plus rien. Maintenant on écoute n'importe quelle ânerie venant de moi.

La cuisinière entra avec le gâteau et le café. Il y avait aussi deux petits verres sur le plateau.

— J'espère que ça vous plaira, dit-elle avant de se retirer en faisant des courbettes.

— Oui, oui, certainement, dit Selma. Quel est ce livre que tu as là ?

— Malgren, Nils : *L'Homme fort.*

— Remets-le tel quel. Ce sont les faibles que je veux rétablir, ce qui est faible en nous. Si j'ai jamais eu une idéologie, ce serait celle de donner une voix aux faibles. Penses-tu que la guerre sera déclarée, mon garçon ?

— J'en rêve la nuit. Je rêve que maman vit et que papa est ici et que des avions arrivent.

— C'est vous, les jeunes, qui allez souffrir. Pendant une guerre, les enfants sont accrochés à la vie d'une manière aussi fragile que les fleurs de pommiers là, dans le jardin.

— Vous avez peur de mourir ?

— Etrange garçon, pourquoi me demandes-tu cela ?

— Parce que je crois que je peux vous le demander.

— S'il m'était donné de mourir près d'une fenêtre ouverte, un jour comme celui-ci. Des oiseaux dans le jardin, de l'eau qui bruisse et quelqu'un de confiance à côté de moi... Les oiseaux et tout ça, on peut peut-être l'avoir... mais en qui pourrais-je... mange un peu de gâteau maintenant.

— Il est très bon.

— Ils font du très bon pain dans cette nouvelle pâtisserie. Et ces gâteaux à la pâte d'amandes... mais il faut surtout qu'ils ne soient pas trop sucrés.

— Comment est-ce d'écrire un livre ?

— Oh, Sidner, on ne peut pas parler gâteaux avec toi ! Tu ne penses tout de même pas...

— Il faut que je devienne immortel.

— Je serais bien la dernière à en rire. Ça aide peut-être, pour quelques années.

— Je n'ai rien d'autre. Je suis mauvais en ce qui concerne la vie. Il y a comme une pellicule entre la vie et moi. Mais quand je crie… je veux dire quand j'écris… alors je m'imagine que cela s'entend à travers la vie et droit dans… suis-je ridicule ?

— Bien sûr. Tout comme moi.

Ils entendirent dans la cour des bruits de pas, des voix qui chuchotaient, puis un brusque silence. Et des voix claires de jeunes filles :

> Dans notre pré poussent les myrtilles
> Chantez chantez, cœurs en liesse

Selma frissonna et serra plus fort son châle autour d'elle.

> Si tu veux me voir allons dans notre pré
> Grimpez roses et sauge, pousse menthe douce
> Chantez chantez, cœurs d'allégresse.

— Excuse-moi, mais maintenant il faut que je sorte me montrer à mon balcon. Au deuxième couplet à peu près. Passe-moi ma canne, s'il te plaît. Elles sont gentilles à en pleurer. Sais-tu combien de cœurs en liesse j'ai vus dans ma vie ? Mais il m'a fallu les rechercher. Je *suis* heureuse, je le suis. Heureuse et totalement dépourvue de sens musical.

Sidner s'était avancé derrière la fenêtre et écoutait le chant, puis une petite fille qui s'était avancée pour parler :

— Les élèves du lycée agricole de Molkom prient la plus grande poétesse des pays nordiques de bien vouloir recevoir leur modeste hommage. Nous vous remercions aussi pour tout ce que vous nous avez apporté dans nos meilleurs livres et vos aventures. Merci.

— Merci, fit Selma de la main. Merci, mes enfants. Merci, merci. Et, tout en continuant son signe de la main, à mesure que sa détresse devenait plus grande, elle avait reculé jusque dans la pièce.

— C'est épouvantable, soupira-t-elle en s'asseyant sur sa chaise. Je n'ai rien à leur dire. Pas un mot.

— C'était bien suffisant ainsi.

— Suffisant ! Regarde-les, elles sont là bouche ouverte et pensent entonner *Ah, Värmeland*. Et moi je disparais, et leur professeur essaie de leur dire : Allez-y, chantez. Vous devez comprendre qu'elle est vieille et fatiguée, qu'il ne lui reste certainement que peu de temps à vivre. Mais allez-y, chantez. Elle vous écoute, à l'intérieur. De quoi parlions-nous ?

— Ça n'a pas d'importance.

— Si, ça en a. Tu voulais savoir comment c'est d'écrire un livre. C'est fatigant ! C'est comme s'obliger à traverser un désert : de longues étapes sans une seule goutte d'eau, sans un arbre sous lequel se reposer. Puis tu arrives dans une oasis : le langage coule à flots, chaque feuille s'ouvre, tout veut devenir poésie. Ecoute-les, elles chantent maintenant ! Et le stylo vole sur le papier, tu te retrouves dans une sorte de tropiques des sentiments. Et pense à tout ce qu'un seul être saisit avec ses yeux, à combien chacun de ses gestes est chargé de passé, d'un avenir inconnu, et à cette fragilité douloureuse que peut être celle du présent : comme une fragile touffe de linnée boréale coincée entre deux rochers en mouvement. C'est cette linnée que tu dois photographier. Oui. Et ensuite cette décision à prendre, quand le bonheur d'une idée est devenu travail et angoisse : choisir d'où l'on va écrire, on peut rester à l'écart, utiliser des jumelles et la contempler à distance, balayer tout son monde d'un bout à l'autre, englober tout le panorama dont elle n'est qu'une infime partie. On peut s'en approcher à cinquante centimètres de distance, et cela devient un autre livre, et on peut se glisser en elle, ce qui est le plus difficile, le moins reposant, parce qu'on ne peut jamais abandonner un être à mi-création ! Il faut se pencher sur cet être, sur son cœur qui bat, noter le rythme de sa respiration, sentir les mouvements de son visage comme ceux de cils vibratiles. Mais en fait, je ne sais pas. Je n'ai pas de théories en dehors de ce que j'écris, à ce moment-là je *sais*. Je savais. Bon, ça suffit pour ça, maintenant mangeons notre gâteau et... un petit verre de sherry ? Celui-ci a été fait avec des baies d'églantiers grillées au four. As-tu déjà senti l'odeur de baies d'églantiers grillées au four ? C'est comme si on avait mis l'automne entier sur la plaque. Nous les avons cueillies l'année dernière, en septembre, Fanny et moi. Je crois que je ne vivrai pas un autre septembre comme celui-là. Tu t'occupes de ses fleurs, c'est bien.

— Combien de temps restera-t-elle absente ?

— Pas longtemps maintenant. Elle est un être fragile, Sidner.

Ses mains tremblèrent quand elle approcha le verre de sa bouche. Elle n'avait pas réussi à dissimuler un certain poids en prononçant son nom. Sidner la regarda et avala, d'un coup, et il eut du mal à reprendre son souffle.

— Je devrais peut-être continuer… avec les livres maintenant.

— Non, Sidner, tu ne le dois pas.

Son nom encore. Quelque chose qui l'atteignit en plein.

Une mésange charbonnière vint se poser sur le rebord de la fenêtre et chanta.

— Tu aimes bien Fanny ?

Il s'avança au bord extrême de la chaise.

— Que voulez-vous dire, madame Selma ?

— Tu ne t'es jamais demandé pourquoi elle est partie si soudainement ?

— Si, justement ! Il ne lui est rien arrivé ?

— Fanny a eu un enfant, Sidner.

— Un enfant ! Fanny… ? Pourquoi me racontez-vous cela ? Est-ce pour cela que je suis ici ?

Il tomba à genoux, la tête entre les mains.

— C'est bien, Sidner. Crie, pour rompre ce silence de tombe.

— De moi et de Fanny ? Mais ce n'est pas possible, murmura-t-il en regardant Selma, mais Selma se pencha en arrière, puis en avant et tâtonna longuement pour poser sa main sur la tête de Sidner.

— Mais pourquoi ne m'a-t-elle rien dit ? Je suis adulte. Elle aurait pu…

— Elle m'a demandé de te dire, pour que tu aies la possibilité de disparaître. Tu peux t'en aller, où tu voudras. Si tu le fais, elle ne demandera jamais où tu es.

— Elle veut que je… disparaisse. Je ne comprends rien.

Selma attira sa tête sur ses genoux et le berça, lui caressa les cheveux.

— Je ne suis pas bonne pour ce genre de choses… Mes mains n'ont jamais fait cela auparavant.

— Est-ce un garçon ou… ?

— C'est un garçon. Il a deux semaines maintenant. Est-ce désagréable quand je te caresse ?

— Non.

— Elle m'a raconté le voyage à Strömstad. Comme elle a été offensée, ou choquée, que Sven Hedin… Oui, oui, elle n'est qu'une petite dinde. Elle n'est pas en contact avec la réalité comme il le faudrait. Elle a nourri tant de rêves. Elle craint tout ce qui est réel. Oui, c'est *cela* qu'elle m'a raconté, car existe-t-il quelqu'un qui puisse tout raconter. Et à moi. Les histoires de la vie me passent sous le nez. Elle lui souleva la tête. Il n'y a que Fanny, toi et moi qui sachions. Mais seuls Fanny et toi êtes impliqués, je ne le suis pas. Tu l'aimes ? Bien qu'elle soit assez âgée pour être ta mère ?

— Que vais-je faire ?

— Elle a eu son enfant d'amour, qu'elle désirait depuis si longtemps. Mets-toi au piano maintenant. Un jour, je t'ai entendu jouer.

— Je sais.

— Joue quelque chose pour moi. N'importe quoi. Je n'ai jamais pu supporter qu'on me regarde quand je pleure.

Torin était condamné à vivre : lorsqu'il essaya de se pendre, le barreau cassa ; lorsqu'il tenta d'enfoncer la fourchette dans son artère, l'aumonier de la prison vint lui rendre visite ; un pasteur lisse et digne, enivré de sobriété, qui n'avait que des réponses à donner, des réponses posées tels des blocs de pierre devant l'entrée des tunnels chaotiques des questions. Torin fut condamné à deux mois de travaux forcés. Le printemps était dans l'air et, quand il se tenait aux barreaux, il pouvait voir l'école des filles, en bas de l'autre côté du mur. Pendant les récréations des élèves gracieuses évoluaient sur sa rétine et elles continuaient à glisser dessus au long des nuits quand, apathique, il restait allongé sur sa couchette à fixer le plafond, avec une seule question brûlante en tête : "Comment peut-on traiter un être humain comme ça ?" Comment, monsieur le pasteur, est-ce possible ? Comment, monsieur le juge ? Comment, ô, toi, mon Dieu ? Ses rêves lui avaient maintenant été retirés, retiré son avenir, retirée de sa prise la fiche misérablement installée. De temps à autre, un pigeon venait sur le rebord de la fenêtre : des plumes gris-bleu qui scintillaient au soleil du printemps. Ils se regardaient dans les yeux et Torin souhaitait – une seule seconde aurait suffi – pouvoir penser comme un oiseau. Se trouver dans le cerveau d'un autre, voir le monde d'une autre manière : alors ce *Comment* apparaîtrait nu devant lui. Ou bien disparaîtrait-il ?

Un avocat était venu lui rendre visite pour lui parler de l'affaire Carina Zetterberg. Elle était accusée de faux témoignage. On lui rendrait son argent s'il voulait bien signer quelques papiers et répondre quand on s'adressait à lui. Mais Torin s'était tourné vers le mur : "L'argent ne me rendra pas la vie."

Même sans ma venue en ce monde – oui, car j'étais né alors et probablement en train de téter le sein de Fanny –, Sidner aurait eu du mal à sortir Torin de son apathie. Pendant une semaine il était resté devant la glace à examiner son visage et il avait cru remarquer combien il vieillissait de jour en jour, et maintenant, dans la cellule de Torin, il n'était plus qu'un homme brisé, du moins le pensait-il.

— Comment les femmes peuvent-elles nous traiter ainsi, Torin !

— *My fellow-sufferer*. Ça fait partie de la vie que des choses comme ça doivent être faites et dites. Nous sommes aveugles, *you know*. Nous ne sommes que des produits. La vie est un *disappointment*.

— Existe-t-il une tare dans notre famille, Torin ? *Toi*, tu penses toujours à te suicider ?

— Ça ne sert à rien. Ça te retombe dessus plus tard. Dans une autre vie. Et ils soupirèrent lourdement tous les deux.

— Il vaut peut-être mieux abandonner. Mourir et être débarrassé.

— Abandonner quoi... *little brother* ? Gary n'était pas un enfant gentil, mais il était le mien... je croyais. Ça aurait dû continuer à être comme ça. J'aurais préféré vivre sur ce mensonge, plutôt qu'être transformé en un rien personnifié. Sans soucis... des soucis de ce genre, rien ne peut maintenir un homme dans la bonne voie. Il était ma seule volonté, *brother*.

— Mais qu'on se laisse berner comme ça.

— Qui n'est pas berné, Sidner. De quoi penses-tu que vivent les prêtres ? La plupart d'entre nous avalent des mensonges la gueule ouverte. *A penal colony*, voilà ce qu'est la vie. Mais je ne dis rien de ces mensonges-là. La vérité ne doit pas être très attirante. Que la vie soit un mystère, c'est une bonne invention, pour que nous soyons occupés par quelque chose. Les enfants sont les seuls qui puissent nous berner au fond. Les enfants ne supplient pas pour venir au monde. Ai-je supplié ? Pourquoi aurais-je supplié ? A qui ai-je fait plaisir à part aux chats ? Comment vont-ils ? Ça m'est égal. Est-ce qu'une seule femme m'a regardé en ouvrant grands ses yeux ?

— Mais tout n'est quand même pas *aussi* désespéré, Torin, dit Sidner qui voulait parler lui-même, mais Torin ne l'écouta pas.

— Ma mère m'a-t-elle dit : Torin, tu es ma joie ?
Non ! Ai-je accompli quelque chose dans la vie ?
Aboli l'esclavage ? Non, b*rother*, je taille des pierres
tombales. Ça engendre pas mal de pensées. D'être
obligé de graver un nom après l'autre. Des petits
prénoms en lettres fines, des dates fines. Tant mieux
pour toi, qui n'as fait qu'un petit tour dans la vie,
c'est ce que je pense souvent. Nous expions notre
naissance, d'abord par la vie et ensuite par la mort,
comme dit Schopenhauer. Pendant vingt ans j'ai
gravé des noms et des dates, mis un point final à
leur vie. Les gens ont ri de moi aussi longtemps,
mais les enfants ne rient pas.

— *Je* n'ai jamais ri de toi.

— Tu n'as jamais ri de quoi que ce soit.

— Je devrais peut-être me suicider, *moi*. Tous
ceux que j'ai connus s'évaporent. Une seule fois
j'ai été dans un lit avec une femme et il en est résulté
un enfant ! Ç'aurait été si fantastique si elle avait
voulu... de moi. J'aurais...

— Oui, oui, oui, soupira Torin en tambourinant
des doigts sur la table. Le soleil perça par la fenêtre
et dessina une croix sur le sol. Tu te trouveras bientôt une petite poulette. Mais moi !

— Veux-tu que je transmette quelque chose à
quelqu'un ?

— Donne un peu de crème aux chats de ma part.
Mais au fait, dis-moi – et ce fut comme si ça devenait plus facile pour Torin maintenant qu'il voyait
que Sidner allait partir. Si tu vois Merveilleuse Birgitta...

Et il faut que ceci soit le conte que racontait Merveilleuse Birgitta, elle qui pendant deux semaines allait cacher Torin entre ses cuisses, depuis qu'elle avait entendu le chuchotement de Sidner.

— Oh Lord, quelle pauvreté quand j'étais enfant ! La seule chose que je possédais c'était une boîte de thé. Notre maison était située dans une plaine et le brouillard y était souvent aussi épais qu'une couverture. Je rêvais d'aller sous cette couverture et de jouer à cache-cache avec d'autres enfants. Mais il n'y en avait pas à distance de jeu. Et je n'osais pas non plus, car sous la couverture mon père rampait comme un reptile dans les champs et s'approchait des jupes de maman restée sur la véranda. Il devait y avoir une sorte de lumière là-dessous – sinon je ne comprends pas pourquoi il aurait voulu y entrer. Il était toujours ivre, trempé de pisse à l'entrejambes, la bouche pleine de tabac et de sang, les yeux gonflés par des bagarres à Arvika, oh Lord, quelle misère. Alors je restais assise dans mon arbre de la cour et me serrais contre le tronc, en été au moins c'était bien. Je gardais la boîte de thé tout près de mes yeux, une boîte ronde, noire et luisante sur laquelle était écrit, en grandes lettres d'imprimerie, *TEA FROM DARJEELING*. Quatre images étaient dessinées sur la boîte : sur la première un rhinocéros dans une herbe jaune et haute avec, autour, des hommes presque nus armés de lances. La deuxième représentait de hautes montagnes au sommet couvert de neige. Le ciel était tout bleu, oui, il l'était sur les quatre images. Sur la troisième, il y avait une rivière qui roulait sur des rochers, en bas, des femmes lavaient du linge qu'elles étalaient sur des pierres. Et sur la quatrième : un oiseau qui scintillait *costly*. L'un des yeux de l'oiseau me regardait et plus j'approchais mon visage, plus ça devenait chaud : je sentais l'odeur de thé et de paille et je fermais les yeux et retirais mes habits. Ils étaient sales et avaient besoin d'être lavés, et je les posais en bas de la cascade, apprenais à faire la lessive dans la rivière. Ensuite nous buvions du *TEA FROM DARJEELING* dans l'herbe haute, les rhinocéros nous regardaient et l'oiseau bleu scintillait dans l'air au pied des montagnes enneigées, oh Lord, quel bonheur. C'était toujours l'été à Darjeeling. Les jardins étaient remplis de roses et… de populages… les seules fleurs que je connaissais à cette époque-là. Du feu pour le thé de Darjeeling, de la musique pour le thé, du vent, des yeux, des bouches pour le thé de Darjeeling ! Tu veux savoir, Torin, si j'étais belle ? A Darjeeling j'étais très belle, j'étais vêtue d'un pagne du velours le plus rouge, j'avais piqué des fleurs de thé dans mes cheveux qui tombaient sur mes épaules dénudées, je riais souvent et ne devenais que rarement toute froide. Car là-bas à Darjeeling je possédais aussi une boîte : elle était vide et noire et portait quatre images. Sur la première il y avait du brouillard et dans ce brouillard rampait un type aux yeux enflés, sur la deuxième il y avait maison et à la porte de la maison se tenait maman qui criait dans l'obscurité, sur la troisième il y avait une route qui ne menait nulle part, et sur la quatrième une fille laide dans un arbre : la morve au nez et les yeux gonflés car elle avait salement peur quand elle entendait le bruit des mains et des genoux qui s'approchaient sous l'arbre, chaque bruit était si net ; bruit collant quand ils s'enfonçaient dans la boue, bruit de glissement quand ils tâtonnaient dans le champ et s'approchaient de l'arbre. Car c'était ainsi que j'enlevais réellement mes vêtements et restais assise avec seulement une couverture autour du corps quand je voulais m'enfuir. Je pensais qu'ainsi il ne pourrait pas m'atteindre.

Je n'avais ni poupée ni nounours, seulement DARJEELING.

Pas de livres, pas de mots, seulement l'envers des mots, Torin.

Là, au milieu de la plaine. Et à l'école j'emmenais la plaine, les cris et les mains de l'homme. Elles étaient sur mon pupitre, tâtonnaient autour de moi et sur le sol de la classe.

Et un jour qu'il était sobre, papa a aperçu la boîte et dit : "Tiens, j'en ai besoin de celle-là." "Elle est à moi", ai-je crié. "J'en ai besoin pour faire ma popote", a-t-il dit en me l'arrachant, puis il a percé deux trous dans le bord du haut, forçant le tournevis à travers l'œil de l'oiseau. Il y a enfilé un bout de fil de fer pour faire une poignée et il est parti dans la forêt. Chaque fois qu'il revenait, la boîte était de plus en plus noire de suie, bientôt c'est devenu impossible de voir ce que les images représentaient et je pleurais. Oh Lord, que se passe-t-il maintenant à DARJEELING, me demandais-je, mais mes pensées ne pouvaient plus s'y rendre et je suis devenue laide, autant à l'extérieur qu'à l'intérieur. La tête pleine de laideur. Les yeux pleins de laideur quand ils le regardaient et quand ils regardaient ma pauvre maman, qui détournait toujours son regard.

Une nuit, le vieux était rentré ivre ; il avait allumé du feu dans la cheminée et s'était écroulé dans la banquette à couvercle de la cuisine. Au petit matin maman s'est aperçue qu'il y avait du feu dans la cuisine et bientôt toute la maison était en flammes et c'était impossible de réveiller papa. Pendant une heure maman s'est crevée à pousser la banquette dehors avec les flammes qui s'abattaient sur elle. Centimètre par centimètre elle a réussi à passer le seuil, à la faire traverser la véranda, à l'amener jusqu'au mât du drapeau. Le couvercle de la banquette était rabattu pour protéger papa des flammes et maman avait mis un linge mouillé sur son visage, et de temps en temps elle tapotait sur le couvercle.

Comme il l'avait battue, Torin ! Tous ces noms qu'il lui avait balancés ! D'avoir fait ça, elle en a pratiquement perdu la santé et la raison, d'avoir tiré son bourreau jusqu'à la vie. J'étais plantée, figée, près du mât quand elle a soulevé le couvercle : il dormait à l'intérieur, sur le côté, un sourire au coin des lèvres. Le pauvre, a dit maman. Le pauvre, le pauvre. Ensuite elle s'est effondrée sur le gravier.

Mais le vieux a commencé à s'étirer les bras, il s'est réveillé en papillotant des yeux et s'est sorti de la banquette. La maison brûlait et au loin on entendait les pompiers qui arrivaient. Il a regardé maman, la maison, la banquette, a mesuré la distance puis il a secoué la tête : "Bordel de Dieu, pourquoi qu' t'as fait ça…"

Je te jure, Torin, si au moins un jour je n'avais pas vu mon Darjeeling, les montagnes, les cascades et l'herbe, il m'aurait engloutie en lui, m'aurait enfermée dans son abrutissement. Il m'a regardée avec un sourire plein de mépris pour lui-même mais j'ai reculé. Il ne fallait pas qu'il me contamine plus que ce qu'il avait déjà fait. Ce jour-là, j'ai pris la fuite. Je ne sais pas d'où j'avais tiré cette force, je n'en avais que de bien petites quantités. J'ai fui avec un lourd chargement de haine, de contagion de la haine, je me suis vendue pour avancer mais je savais que je devais vivre jusqu'à ce qu'un jour je puisse trouver ce Darjeeling : un endroit où tout était pur. Il fallait que je sache qu'un tel endroit existait. Toutes ces années et tous ces mensonges que j'ai gobés, tous ces princes menteurs qui m'ont balancée au tas d'ordures et ont ensuite ri derrière mon dos. Tous ces verres que j'ai bus ! Dis, Torin, tu dois bien les connaître toi aussi ces rires-là ?

— *Yes, I know.* Elle posa la main sur son poignet et il ne se retira pas. Mais je ne suis pas grand-chose.

— Nous n'avons pas besoin d'avoir grand-chose. Nous serons. Et nous chercherons. Alors viens avec moi à Darjeeling, Torin.

Quatre jours avant sa libération, la première disparition de Torin eut lieu : de manière classique il lima les barreaux et descendit à l'aide de draps. Le directeur de la prison pensa que Torin était un idiot de ne pas avoir su patienter. Maintenant on allait être obligé de procéder à des interrogatoires, de prolonger sa peine et de fouiller à nouveau dans les dossiers. Si on le retrouvait.

On ne le retrouva pas. Mais au bout de deux semaines quelqu'un frappa à la porte de la prison et c'était lui, l'imbécile, et il demandait gentiment qu'on le laissât entrer pour purger sa peine, quelle qu'elle fût. A la main il tenait un sac en papier, et dans ce sac une aquarelle : un étang dans les bois, un grèbe huppé dans les roseaux. Une très mauvaise aquarelle peinte avec amour et ignorance et il ne permit à personne de la lui prendre, mais il l'accrocha au mur de sa cellule, resta allongé là, les bras sous la tête et un sourire aux lèvres. Ne répondit pas aux questions concernant l'endroit où il avait été. Et cela pendant des années encore. Au beau milieu de l'été, il lui arrivait de se redresser parmi les pierres tombales, d'aller ranger le ciseau et le bédane dans la cabane et de disparaître sans un mot ; un jour il finissait par revenir. La seule trace de son absence était une nouvelle aquarelle sur le mur de sa maison. Il était propre et sentait normalement, même si cette propreté ne durait pas toute l'année.

— Tu t'es mis à la peinture, Torin ?

— *It's none of your business*, répondait-il et il haussait les épaules.

DES CARESSES
par
Sidner Nordensson

11 mai 1939

Cette détresse totale d'être en vie ce soir !

Je suis dans cette cuisine où rien ne me sourit, la fenêtre est ouverte, assis devant une toile cirée noire et j'écris pour la première fois depuis longtemps parce qu'il y a quelques jours j'ai appris que quelque part j'ai un fils. Qui es-tu ? Et qui suis-je ? Nous ne nous sommes pas encore vus. Connaître ton existence ne me procure aucune joie, moi-même je ne suis pas encore né à la vie. Ce ne sera que lorsque je te *verrai* que je saurai si nous existons l'un pour l'autre. Mais ces propos, s'ils deviennent vraiment des propos, tu les auras, pour qu'un jour tu saches qui j'étais, même si cela doit révéler une existence misérable.

Dehors c'est le printemps. Je fais de longues promenades à l'extérieur du bourg. Je marche les mains dans le dos en me disant que je contemple le monde, mais j'attends la Grande Catastrophe. Le soir, je reste avec les livres ou au piano chez ta mère dont j'arrose les fleurs. Elle est ma seule femme jusqu'à présent. Elle m'a cherché, ou bien j'étais simplement sous la main.

(plus tard)

Rien n'est plus vite terminé qu'une Caresse. Mais, de même qu'une odeur ou un son, une Caresse est le seul souvenir de la vie que l'on puisse emporter dans la mort, puisque les caresses de l'amour se font en une totale réceptivité. Le corps entier est un œil, une oreille, une langue. Tu demanderas : Pourquoi mon père a-t-il plus aimé l'amour que la vie ?

Quatre-vingt-quinze pour cent de mon temps est occupé par la pensée à l'Erotique. Tant d'énergie gaspillée ! J'ai maintenant vécu six mille six cent quatre-vingt-dix jours et peut-être caressé six fois, statistiquement cela fait une caresse tous les trois ans. Pourtant, toutes les caresses ont eu lieu au même moment. Oui, je note mes humiliations. Avoir dix-neuf ans et n'avoir à choisir qu'entre Fanny et Dieu !

2 juin 1939

Je t'ai vu, mon fils.

Tu avais déjà reçu un nom, sans mon avis, j'arrive trop tard. Rencontre amère puisque les mots que l'on a répétés sont rarement prononcés si la scène a lieu sans la présence de tous les acteurs. J'étais sur les marches du seuil de la maison de Fanny et voulais dire : "Je veux voir mon fils !" Mais cette phrase justement ne fut jamais prononcée car à ce moment, sous la pluie d'été sur le gravier crissant, c'est toi qui as dérangé ce que je voulais solennel. Tu as crié, Victor — car c'est ton nom —, tu avais faim, tu étais mouillé. Fanny, la femme à qui je croyais désormais appartenir, puisque nous avions en commun cette chose qui est toi, s'est hâtée de rentrer devant moi, de passer la porte tandis que je restais dehors dans la cour, un sac à la main et regardais partir ses jupes – violet sombre – les regardais s'en aller dans la maison. Quelque chose était perdu, une grande humiliation le remplaçait : la réalité m'avait frappé sous la ceinture. Ainsi m'avait été donnée une leçon que je dois essayer d'admettre. J'étais assis sur le marchepied de la voiture et cachais mon visage entre mes mains. Pourquoi s'est-elle dépêchée de rentrer ? Lorsque ensuite j'eus enfin rassemblé tout mon courage et fus entré, tous mes gestes n'étaient plus que des épaves du programme d'action prévu. Elle avait repoussé les tasses de thé disposées depuis la veille sur la petite table du salon et encore inutilisées, la nappe était froissée, le sucrier renversé, et lorsque j'eus servi le thé, elle n'y toucha pas avant qu'il fût refroidi, tout comme mon cœur. Elle te donnait la tétée et il m'était interdit de t'approcher.

Est-ce cela être adulte ? Lorsque j'ai demandé s'il s'agissait réellement de mon enfant, elle a sursauté puis répondu : "Oui, mais c'est le mien." Ainsi venait de se créer une nouvelle distance à franchir. Sur le piano était posée une sonate que j'avais pensé lui jouer, c'était comme si elle échappait à mes mains-pensées. Tu étais contre ses seins qu'une seule fois j'avais tenus dans mes mains. Je ne pouvais m'en aller. Je ne pouvais rester. Je sentais que mon corps et ma volonté commençaient à se dissocier.

Avec ton arrivée, Victor, rien que de la douleur. "Tu m'as tant manqué", ai-je dit, et elle a répondu : "Je suis tellement plus vieille que toi." "Qu'est-ce que ça peut faire ?" ai-je répliqué et elle a répondu : "Beaucoup. Je ne veux pas te voir t'éteindre devant la décrépitude qui m'attend." Mais elle était florissante. Sa peau était douce et lisse, tout juste créée et uniquement pour toi. Je ne savais pas non plus si sous ces répliques se cachait un nouveau départ, une disparition, je ne le sais toujours pas, en ce moment, tandis que j'écris dans ma cuisine. Quand tu liras ceci, tu sauras tout.

10 juin 1939

"Je vis un enfer, Fanny." "L'enfant est le mien, Sidner, tant que je resterai en vie. Ensuite il sera à toi, si tu le veux. Si tu ne veux pas, d'autres pourront s'occuper de lui, j'ai arrangé les choses de cette manière. Je suis partie longtemps et j'ai bien réfléchi. Si tu veux, nous le rendrons riche et fort. Tu joueras du piano pour moi, je sais tricoter. Tu sortiras Victor en promenade. Nous prendrons le thé. Quand la nuit viendra, tu rentreras chez toi, je ne veux pas que tu habites ici. Je veux que tu rencontres d'autres femmes, je ne serai pas jalouse. Les désirs de mon corps sont si minces, Victor me donne tout." "J'ai voulu te caresser, Fanny." "Toute caresse compliquerait notre vie. C'est le propre des caresses. Je n'ai pas assez de tempérament pour être intéressante. Mais entre toi et moi il ne faut jamais que cela s'éteigne, pour l'enfant. Si nous vivions ensemble, toi et moi, comment pourrions-nous tout raconter ?"

*

Que sont les seins d'une femme ? Et puis, qu'est la rondeur de son ventre ? Et le sexe, les poils tout autour, et cette ouverture par laquelle mon imagination disparaît toujours ? Les sages le savent, mais ils ne m'en ont rien appris. Et qu'est ce temps qui s'écoule tandis que je pense à la joie illuminatrice des jambes qu'Elle écarte et des mille yeux de son visage ?

*

Du thé, de petits canapés, des répliques :
"Je rêve si souvent de tes seins, Fanny." "Vais-je être obligée de prendre un amant pour que tu cesses de t'exciter ? Un monsieur bien et costaud qui viendra chez moi la nuit et partira si tard dans la journée que tu seras obligé de frapper à la porte quand tu viendras." "Tu es si différente, Fanny." "Sidner, sur quoi te bases-tu pour comparer ? Je suis sage maintenant, sage et tranquillement calculatrice. J'aime la tranquillité, je ne suis pas emportée par des désirs comme ce…" "Tu pourrais m'apprendre à devenir un bon amant." "Les erreurs ne sont pas seulement proposées par le diable, elles servent d'enseignement."

"Tu es de ceux qui «attendent», Sidner. Tu as du mal à prendre tes propres initiatives. Je voudrais t'extirper cet aspect de ton caractère. Tu t'occupes bien du magasin, mais il est une sorte de mort pour toi. Tu connais autre chose, tes possibilités sont plus grandes que simplement vendre de la colle." "Qu'est-ce qui est plus grand et qu'est-ce qui est plus petit, Fanny ?" "Le plus grand c'est ce qui utilise l'être entier, qui le fait se tendre à l'extrême, jusqu'aux limites de sa personnalité. En quoi les magasins te concernent-ils en fait ? Tu ne t'y plais pas du tout. Te rends-tu compte que tu réussis sans mettre en œuvre les côtés de toi-même qui en fait te concernent. Ton poids te maintient sur un niveau que tu ne veux pas changer et où tu ne fais jamais de tourbillons ; et la poussière s'y dépose, Sidner. La vase, comme au fond d'une rivière." "Que veux-tu que je fasse, alors, Fanny ?" "Tu entends ce que tu dis ? Que veux-*tu* que *je* fasse ? Il n'est pas question de ce que *je* veux." "Mais j'y arriverai, Fanny." "Tu y arriveras ! Tu n'as pas à arriver à quelque chose. Tu vas *faire* quelque chose de toi-même. Tu arriveras ! Il incombe aux gens comme toi de faire plus !"

Plus tard : nuit d'été. Ai fait une promenade revigorante et absurde à Sundsberget, une autre par des rues silencieuses et une autre encore dans un roman informe. L'heure est à l'abandon moins une minute et pourtant pas de nuit en vue. Fanny est assise là-bas sur son balcon. Sa flamme vacille dans le noir et tu es sa flamme. La nuit se referme sur sa robe blanche, elle écoute peut-être les grillons. Elle est assise, tellement immobile. Que te chuchote-t-elle maintenant, penchée ainsi sur ta nuque ? Que t'apprend-elle ? Quels mots coulent dans tes petites oreilles ? Et moi, le ridicule, je ne peux pas dormir car jamais je n'ai été, au milieu de la nuit, aussi loin de la nuit que maintenant. Jamais aussi éloigné de tant de tasses de café et de rêves ! Mon fils : personne ne me touche maintenant, personne ne se sert de mon corps, personne ne sait qu'ici il y a des baisers à prendre.

Tu as éteint ses possibilités. Elle est *sage* maintenant, comme le devient celui qui croise un regard réel, un corps inoffensif à caresser. Peut-être te croit-elle né de virginité, que je fus un courant d'air qui passa, tel le cytise ou le cygne, peut-être te considère-t-elle comme le sauveur du monde et peut-être a-t-elle raison si elle affirme que tu l'as sauvée de l'Imagination, de la Possession et des hallucinations ? Elle est lucide et triste, dit Sidner le renard avide et méfiant au pied du sorbier qu'est Fanny.

11 juin 1939

Je suis marchand de couleurs, cela ne me dérange pas beaucoup, le rêve des caresses, lui, me dérange. Si tu veux vivre, mon fils, vis près des femmes. Ce n'est ni un bien ni un mal, mais c'est vivre. A un millimètre, à une seconde de leur sexe se trouvent tous les contes que la vie peut conter.

Mais derrière et en dessous de ce qui est femme : ne jamais oublier qu'elles ont un nom. Dans la crainte – toujours s'approcher du Nom.

14 juin 1939

La nature a deux bonnes choses : les Caresses et la Musique. Mais puisque tout aspire à l'Unique, ces deux choses vont un jour s'unir en une Nouvelle Création.

Mais, de par ma constitution, je suis obligé de m'éloigner souvent de la musique. C'est un exil, un labeur et une erreur, et c'est pourquoi je conçois le projet de disperser partout dans la nature des pianos, des orgues et des pianos à queue, de sorte que je puisse toujours avoir accès à la musique lorsque les paroles des hommes m'effraient. L'argent me manque cependant pour le réaliser.

La sécurité n'existe que dans la musique ; puisque la Deuxième Chose semble m'être refusée.

17 juin 1939

Jusqu'où peut-on pénétrer dans la musique ? Est-il possible d'y rester et d'échapper au temps ? Aujourd'hui, j'ai joué deux heures sur l'orgue de l'église avec le chantre Jancke. Le chantre m'a demandé si je ne voulais pas qu'on reprenne *l'Oratorio de Noël* même si "ce n'est pas pareil maintenant que du temps où Solveig vivait". Il m'a dit aussi : "Tu as du talent. Tu devrais aller à Stockholm et te consacrer à la musique." Mais je dois rester ici jusqu'au retour de papa. Je dois rester ici puisque je t'ai, Victor. Pourtant la musique signifie tant : je ne suis présent qu'en elle, là, toutes les absences sont en moi présences. Vu de la musique, le temps semble une plaisanterie, une escroquerie qui sert la cause de je ne sais qui. Suivre une cadence en descendant toutes ses couches l'une après l'autre, ses temps, ses états d'âme… et ensuite être obligé d'en ressortir.

20 juin 1939

Patron Björk est mort. Le bruit courait que les derniers temps, dans le lit de cette buanderie où il avait dû emménager après sa faillite, il ne possédait qu'un vieil abécédaire à feuilleter. Tous les soirs – c'est la Reine des Sauces qui me l'a raconté – il l'ouvrait, fixait longuement une lettre jusqu'à ce qu'il ait complètement oublié ce qu'elle voulait dire. Lorsqu'il eut de cette manière oublié la dernière lettre de l'alphabet, il éteignit la lumière et mourut, vide et pur comme au jour de sa naissance.

À l'hôtel, du temps de son hypocrisie, il avait dit un jour – je le tiens aussi de la Reine des Sauces – juste après la mort de Hjalmar Branting, et bien qu'il détestât tout ce que représentait Branting : "Un tel homme ne meurt qu'une fois. Ne devrions-nous pas

avoir la bienséance de procéder à une commémora-
tion ?" Oncle Torin, qui à l'époque venait juste de
commencer à entrer boire à l'hôtel, lui avait alors
répondu : "Il est à peine mort. S'il y a commémora-
tion, il faudrait quand même attendre qu'on ait un
peu oublié."

Veille de la Saint-Jean 1939
Dieu n'*existe* pas. Je crois en lui.

S'il devait *exister*, il serait prisonnier du langage
et donc notre esclave.

Si nous devions *exister,* nous serions prisonniers
de notre langage. C'est bien ce que nous sommes.

Dès que je tourne mes yeux de nain vers Dieu et
essaie de le fixer, il disparaît pour se préciser partout où il n'est pas. Son absence est la condition de
son existence. On peut continuer comme ça, et c'est
ce que je fais.

Et je déteste ceux qui ne croient pas en Dieu. Il y
a en moi suffisamment de vide pour que des roses
puissent y faner. Suffisamment de cris pour que les
nuits éclatent. Suffisamment de désir pour se laisser
tuer par la guerre.

Mais sans Dieu tant de mots doivent mourir :
ceux qui ne trouvent plus de prise. Maintenant je
cesse de blablater sur Dieu. Si le blabla doit continuer, Dieu le fera en moi. Pendant ce temps, je joue
des études pour toi et pour Fanny.

Saint-Jean 1939

Dans l'univers rien de nouveau !

Les mêmes mouvements dirigés vers l'extérieur. Tout s'éloigne de tout. Ça s'assombrit entre nous. Pas de nouvelles de père, ni de Splendid, et de Fanny rien qu'une main compatissante sur mon épaule quand j'ai voulu la tenir dans mes bras. Si seulement elle s'était abstenue de poser sa main là. Elle ne me laisse jamais oublier le feu. Elle l'entretient avec une malice cruelle. Aujourd'hui tu as fait ton premier sourire, de t'avoir vu sourire aurait dû me réchauffer mais je sais bien que tu en aurais gratifié n'importe qui venu suffisamment près, et je n'étais certainement pas très près. J'ai regardé un peu quand elle t'a donné la tétée, puis me suis précipité dans la musique et j'ai fermé tous mes sens à l'extérieur.

1er juillet 1939

Dimanche matin. Ciel clair. Léger vent au-dessus des champs. Je suis allé à pied jusqu'à Vitterby où les Tolstoïens vivent au milieu de leurs cerisiers. L'Ancien était assis sous la tonnelle, sa barbe blanche brillait. Les femmes l'écoutaient. Il lisait un livre à voix haute. Une Paix énergique régnait sur eux, car ils sont du côté intérieur de la foi : on les voit ! Et moi, qu'on ne voit pas, je suis passé, entouré d'un immense cri, réclamant d'être parmi eux. Sur la berge, j'ai découvert un miroir perdu dans la mousse. Je me suis retrouvé bloqué au-dessus de

345

lui, loin dedans je voyais mes larmes qui tombaient vers le haut, vers moi.

5 juillet 1939

Une lettre est arrivée de Nouvelle-Zélande, une lettre pénible, elle est adressée à papa mais je l'ai ouverte puisque je n'ai pas reçu de nouvelles de lui ; après avoir traduit et lu en me servant du dictionnaire, j'ai prié Dieu que rien de grave ne lui soit arrivé et je la transcris ici pour que tu saches tout de ce qu'il en était à l'époque de ta naissance.

Cher monsieur Aron,

C'est une vieille femme qui vous écrit ces lignes, monsieur Aron, non dans son propre intérêt mais pour poser la question franchement : Qu'êtes-vous devenu, monsieur Aron ? Etes-vous vivant ou mort ? Ici, des choses épouvantables se sont passées pour notre chère Tessa Schneideman de sorte que je suis inquiète, non pas pour sa raison car celle-ci l'a quittée, mais pour sa vie, mais il me faut présenter tous ces malheurs dans l'ordre dans lequel le Seigneur a choisi de nous les envoyer.

Je ne sais pas si Tessa vous a parlé de moi mais je suis dans le secret de votre relation, puisqu'elle est une femme très solitaire et isolée, comme c'est le cas dans nos campagnes. Je travaille au bureau de poste où j'ai reçu vos lettres que j'ai ensuite transmises à Tessa, lui permettant de les lire dans le petit appartement que je possède derrière le bureau, ce qui nous semblait nécessaire compte tenu de l'humeur violente de son frère. C'est pourquoi je sais tout, car chez moi elle a pleuré, chez moi elle a rêvé, ensemble nous avons préparé votre arrivée. Nous nous sommes tant réjouies toutes les deux et avons cousu des vêtements, avons inventé des plats à vous offrir, oui, nous étions si heureuses que nous avons fini par tout raconter à son frère qui s'est terriblement emporté. Peut-être n'est-il pas mauvais, chaque être a en lui de longues histoires et certaines de ces histoires se traduisent en mal. Il a tourné son courroux contre moi qu'il considère comme une assistante de Satan en ce monde, ce que, Dieu en témoigne, je n'ai jamais désiré être.

Le jour convenu, Tessa attendait dans mon appartement et je suis allée moi-même à l'autocar vu son état d'agitation – et il me faut peut-être le dire tout de suite : cette agitation était d'un genre particulier qui faisait qu'elle était réellement incapable de marcher, en même temps ses joues brûlaient d'une chaleur si intense que n'importe qui n'aurait pu la rencontrer sans la considérer quasiment comme une sorcière. J'ai attendu trois autocars de Wellington, puis je me suis décidée à téléphoner à la compagnie maritime pour m'assurer que le bateau était arrivé à l'heure. Mon retour fut très pénible, ce fut la marche la plus difficile de ma vie, monsieur Aron, car vous n'étiez pas là. De même qu'aujourd'hui, alors que j'écris cette lettre, vous n'êtes toujours pas arrivé.

Chaque jour pendant une semaine, monsieur Aron, j'ai réussi à maintenir une sorte d'espoir, mais le huitième jour il s'est passé ce que je craignais depuis longtemps, monsieur Aron, ce fut comme si Tessa s'enfuyait de ce monde grâce au rire !

Si cette lettre a tant tardé, c'est parce que je ne travaille plus au bureau de poste et que j'ai déménagé pour Wellington, et ce parce que les accusations du frère de Tessa sont devenues si énormes que durant un mois il m'a fallu rester cachée et qu'ici, depuis, je n'ai cessé de pleurer, non pas pour moi, j'ai cessé depuis longtemps de verser ce genre de larmes, mais pour Tessa qui à travers vous, monsieur Aron, espérait tant de la vie. Son frère a essayé de l'enfermer mais grâce à des amis j'ai réussi à la faire vivre dans une autre ferme. Par deux fois je lui ai rendu visite, davantage aurait été au-dessus de mes forces. Elle ne me reconnaît plus ni personne d'autre.

Elle sourit sans cesse et chante des chansons horribles à entendre, puis elle cueille ce qu'elle appelle des bouquets de la mariée, faits de mauvaises herbes et de chardons piquants qui lui blessent les mains – et ce en même temps qu'elle déchoit de corps et d'âme, elle ne se lave plus et a laissé pousser ses cheveux et ses ongles. Chaque soir, m'ont dit mes amis, elle reste assise devant le poste de radio et écoute les ondes courtes sur lesquelles elle s'imagine capter des messages venant de vous, monsieur Aron, et tous les rapports sont bons. Elle sait que vous êtes en route. Mais est-ce vrai ? J'écris en Suède puisque c'est la seule adresse que je possède, l'ayant vue au dos de vos enveloppes. Envoyez un télégramme à l'adresse ci-dessous, rien qu'un mot, pour que je sache que l'espoir existe encore pour Tessa Schneideman !

Votre Désespérée
Judith Winther

22 juillet 1939

N'ai pas réussi à dormir depuis l'arrivée de cette lettre de Nouvelle-Zélande. Ai aussi découvert les lettres de Tessa que j'ai lues avec une intense émotion. Ai ressenti beaucoup de peine et d'animosité contre papa qui lui a fait tant de mal. Ai pensé ensuite que lui aussi était mort, ai pensé ensuite que c'était la mort de maman qui avait fait tant de mal à papa et qu'il n'avait pas toujours eu tous ses esprits, pensé ensuite à mes mains qui ont poussé le vélo de maman vers la mort. Profonde Angoisse aussi contre Jean-Sébastien Bach qui a écrit la musique pour laquelle elle est morte, et quand enfin j'ai commencé à rêver, ce fut un horrible mélange de gens nombreux qui se bousculaient dans le couloir de l'hôtel et que Patron Björk empêchait d'entrer dans la salle à manger puisque ce n'était pas "servi". Il y avait une Maman Claire et une Tessa Sombre et Fanny, dont je ne voyais pas le visage et je voulais leur parler à toutes, l'une après l'autre, mais Fanny ne me le permettait pas, elle me regardait d'un air sévère et annonça à voix haute qu'elle m'avait rejeté de son corps, sur quoi tout le monde détourna son regard du mien, de sorte que toi, Victor, tu restais le seul à garder encore les yeux sur moi.

Et j'ai pensé que tout ce que l'on pouvait voir là, il faut que tu l'absorbes et que tu en souffres, car tu fais partie de cette journée où j'écris, même si tu n'en sais rien. A la première page de ce livre je pensais que j'allais noter ici mes Caresses, pour que tu puisses croire à la vie et à l'amour, mais que des Caresses, il n'y en a pas beaucoup bien qu'elles soient l'Important et bien plus chères que des choses comme l'Argent ou une Grande Maison, mais ce qui se passe et se voit maintenant, c'est le Revers des Caresses et leur ombre froide. Je suis allé voir la Reine des Sauces et je les ai aidées, elle et Mme Jonsson, à préparer des canapés, car il y avait un dîner de funérailles à l'hôtel, est-ce un signe ?

20 août 1939

Papa est mort !

Me suis retrouvé dans une sorte de torpeur, n'ai pas pensé mais les rêves ont été violence. Eva-Liisa a moins pleuré que moi mais beaucoup de gens sont venus ici pour nous consoler depuis que la nouvelle a été propagée par la Reine des Sauces.

Nous avons reçu une lettre des autorités avec, jointe, une lettre de la compagnie maritime australienne, nous informant que ses vêtements et effets personnels nous étaient rapatriés mais pas son corps puisqu'il a été vu se jetant à la mer. Ma main est comme inexistante et incapable d'écrire.

Plus tard : C'est un réconfort d'avoir des femmes ici, mais que Fanny ne soit pas venue avec toi est source de Douleur. Il m'est doux cependant de verser mes larmes sur le sein de la Reine des Sauces ou de Beryl Pingel.

Ai envoyé un télégramme à Mrs. Winther en Nouvelle-Zélande. Auparavant j'avais relu les lettres de Tessa et je m'étais tant plongé dans leur lecture qu'elle me paraissait toute proche et que j'ai rédigé ainsi le télégramme :

Father is dead. Letter follows. Sidner.

20 septembre 1939

Nous voici donc seuls au monde, Eva-Liisa et moi. Pendant des jours nous sommes restés la main dans la main, elle est si forte et si belle, elle travaille à la boulangerie où de nombreux clients peuvent la voir. Il m'a aussi été permis de te tenir dans mes bras, Fanny m'a laissé caresser tes cheveux et ton visage, mais elle me regardait avec étonnement, comme si elle avait été très loin.

Quel genre de flammes vacillantes sommes-nous donc ? Avec quelle facilité l'obscurité peut mouiller et éteindre nos vies. C'est tout simplement un pur miracle que nous existions. Quand la seule chose que nous ayons à opposer à la nuit et à l'éternité sont les Caresses, ce qu'il y a de plus éphémère.

Papa ne nous voyait-il pas, Eva-Liisa et moi ? Non !!!! Il s'est retiré vers maman et nous a quittés. Voilà ce qu'il a fait, que Dieu me pardonne !

27 septembre 1939

On a frappé à la porte, c'était Angela Mortens ; elle n'a pas voulu entrer mais m'a donné le Bouquet de Bruyère et j'en ai eu des frissons puisqu'elle est au Service de la Mort. Elle est restée longuement silencieuse tandis que ses yeux parcouraient le bas de l'appartement. Elle m'a aussi offert un livre de Swedenborg sur l'amour conjugal et son contraire, et quand je lui ai demandé pourquoi elle me l'offrait à moi qui étais en deuil, elle m'a répondu avec un sourire étrange qu'il fallait que je le lise pour me consoler. Puis un long silence, jusqu'à ce qu'elle me dise ce que je savais déjà, que la Bruyère était en souvenir de *son* fiancé défunt dont le nom de famille avait été Ljung et qu'elle-même se serait appelée Ljung et non Mortens si le Seigneur l'avait voulu, et qu'elle avait écrit, je le savais déjà aussi, un petit poème qu'elle m'a récité, sur le seuil, les bras croisés :

Ah, si la mort n'était venue te faucher
cher, cher Kurt Ljung bien-aimé
roi de mes espérances
et m'assommer de souffrance
je serais en ce jour
ta femme pour toujours

Mais au ciel nous nous retrouverons
et nos joues nous les mouillerons
de larmes d'amour qui étincellent
car je te suis restée fidèle
sous le soleil comme sous la pluie
malgré ma solitude infinie

Dis, m'entends-tu dans les cieux vastes
Où tu demeures dans la joie la plus chaste
Bientôt j'y monterai, moi-même serai ange
telle la fleur si claire sur la branche
et marcherai à ton côté

et passerai devant pour recevoir
le cher baiser qui est mon espoir
et que, cher Kurt Ljung, tu as aussi désiré
mon chéri, roi de mes pensées.

Ses lèvres tremblaient et elle cherchait enfin mes yeux maintenant que la cérémonie était terminée, qu'elle m'avait communiqué son Deuil, vieux de cinquante ans. Après son départ son image a repoussé mes propres images et le Bouquet de Bruyère qu'ont connu de nombreuses Maisons frappées par le Deuil se trouve maintenant ici. Elle ne s'est pas permis d'oublier car elle craint la vie. J'ai prié Dieu de ne pas devenir comme elle un Prisonnier de la Mort.

J'ai commencé à lire le livre puis me suis retrouvé plongé dans un rêve si intense que je me suis réveillé en hurlant, maman et papa étaient des anges mais ne me permettaient pas de les rejoindre au ciel puisqu'ils voulaient s'aimer en paix et qu'il me fallait rester dans la boue. Le livre d'Angela Mortens en est certainement la cause.

28 sept. 1939

Un éclair de colère s'est abattu sur moi à la pensée de papa qui a rejoint la mort et nous a laissés, ai essayé de prier pour m'en défaire, mais je suis comme illuminé de l'intérieur.

Le navire en diamant, que personne n'a volé dans la doublure de la veste de papa, Tessa ne l'a pas reçu, comment pourra-t-elle alors aimer ? Ce trésor lui sera rendu mais j'ai peur de l'envoyer si loin, de plus j'en ai besoin pour assister à cette rencontre qui n'a jamais eu lieu entre papa et elle, puisqu'il s'agit d'une rencontre de l'espoir. Je le suspends chaque nuit au-dessus du lit, pour que je puisse voir nettement papa le lui passer autour du cou dans une pièce sombre, mais il s'en dégage une lumière puisqu'ils s'aiment, et c'est peut-être là l'origine de cette colère qui n'est pas la mienne, une idée de vengeance s'est glissée, maintenant c'est cette femme que je prends à la place, elle n'est pas beaucoup plus âgée que moi, et Fanny, elle, est beaucoup plus âgée et par conséquent je n'ai pas peur de l'âge. Les prières n'ont pas non plus réussi à écarter de moi ces pensées, de sorte que tout devient impur autour de moi.

29 septembre

Il est nécessaire, quand on est en Grand Deuil, de lire Swedenborg, car on y apprend à comprendre que cette vie n'est qu'apparence et possède son analogie dans le Spirituel. C'est une consolation que de savoir que les erreurs seront corrigées dans le *Spirituel*, ces erreurs au sujet des femmes que j'outrage non par méchanceté mais par désespoir. Et c'est une grande consolation que d'apprendre que le désir de séduire des vierges n'est pas désir de dépucelage, pas plus désir d'outrage mais en soi un désir particulier. On le note, écrit S., en particulier chez les fourbes. "Les femmes qui leur paraissent être vierges sont celles qui considèrent le mal de fornication comme un péché terriblement grave, et s'astreignent à la chasteté ainsi qu'à la piété. Dans les pays de religion catholique, les vierges des couvents sont de celles-ci, et ils s'imaginent que ces dernières sont avant tout des vierges pieuses, et les considèrent ainsi comme délices et friandises offertes à leur désir.''

A ceci il faut ajouter qu'il est extrêmement rare que des nonnes ou d'autres femmes pieuses réservent des chambres à l'hôtel, et que de nombreuses rencontres n'ont lieu qu'en imagination. Suis-je pécheur avec ces Femmes Imaginaires qui n'ont ni noms ni visages pratiquement mais qui sont des corps purs que je ne pense pas outrager mais caresse, méticuleusement et tendrement, autant dans le charnel que dans le Spirituel ? Et si parfois elles prennent les traits de Femmes Réelles que j'ai aperçues dans l'entrée ou dans la salle à manger – même celles qui sont accompagnées de leurs époux ou ont des Enfants – et qu'elles ignorent tout du feu que me procure leur influence ? Lorsque je les accueille la nuit et que je ne les conçois pas comme des plaisirs abjects parce qu'elles m'auréolent de Lumière tandis que nous baignons dans nos humeurs réciproques, ai-je de ce fait le droit au matin de jouer dans la maison du Seigneur ?

Souvent alors je m'imagine que pour pouvoir gagner les Hauteurs, il faudrait demeurer un certain temps dans le charnel, puisque sinon aucune élévation n'est possible. Et en ce qui concerne les seins de ces Femmes (réelles) que j'ai de nombreuses occasions d'observer lorsque, les jours fériés, je sers boissons et plats dans la Salle à manger, ils ne me procurent que félicité et Calme et aucune Destruction dans mes pensées, un tel Calme même, que souvent je me fige pour ainsi dire et dois être tiré de ma torpeur par la Reine des Sauces. Mais de nombreux discours me font comprendre qu'il ne s'agit pas là d'une Considération Correcte et je cherche sincèrement à m'en dépouiller, ce qui n'est pas réalisé aisément puisqu'au vrai sens du terme je ne comprends pas.

La lecture de S., qui me console de mon état de Deuil, contribue aussi à éveiller en moi l'Envie, par toutes ses descriptions des déplaisirs de l'amour adultère, puisqu'il décrit très en détail toutes sortes d'odeurs et de "putasseries" qui ne procurent pas uniquement du plaisir mais appartiennent néanmoins à ce monde et que moi-même je ne pratique pas, puisque tout devient comme Blanc et Frêle et sans Odeurs ni Goûts, de sorte que moi, à cet égard, je me sens être un homme de Pensée, un observateur de paroles et d'idées qui sans être perturbées par le charnel peuvent aller de-ci, de-là, sans être bousculées par l'Immédiat. Ces hommes qu'on appelle des philosophes émettent beaucoup de pensées qui me plaisent en tant que Musique, mais sont totalement dépourvues d'Odeur et d'Attouchement et, pour cette raison, ne me sont d'aucun Secours, de ce fait je pense moi aussi être enfermé sous une cloche de verre.

Et puisque sous cette cloche de Verre tout est parfaitement calme et Sans Impatience puisqu'il n'y a pas d'enfants qui courent, lancent des couvercles de marmites ou lâchent des Gaz, mais que tout y est observation de ce qui se trouve à l'intérieur de la Tête, on peut y inventer de longues phrases sur la vie, la liberté de désir ou autres affirmations et ainsi créer son Propre Monde, qui n'est cependant pas offert Vrai et Valide à ceux qui vivent de l'autre côté du Verre dans le charnel, et pourrait leur causer d'importantes souffrances puisque la création leur semble être quelque chose d'Elevé et de Pur et qui correspond à Repos et Sommeil pour ceux qui ont toujours vécu au milieu des Gaz Lâchés et des Couvercles de Marmites qui Roulent.

*

Et s'il me fallait te dire maintenant, Victor, ce qu'est l'Amour, eh bien je ne le saurais pas, pas autrement que par "ce que l'on dit", mais je sais qu'il existe, et cela suffit bien, car la non-connaissance est aussi importante pour l'homme que l'eau. L'Amour existe et se laisse percevoir dans les parties les plus délicates du Charnel, ce qui veut dire : dans le sexe, et le sexe veut dire ici toute la peau qui entoure nos corps, là où elle est épaisse comme du cuir aussi bien que dans la partie la plus dépourvue de peau qui est son outil et notre plus grande force, la tour au sommet de laquelle, tels des oiseaux, volent les pensées de notre tête Charnelle, car nous sommes de Chair et selon cette chair notre attitude est gaie ou triste vis-à-vis de la vie, ce que révèlent nos yeux et nos paroles. De ce que nous voyons nous créons notre foi et de notre Foi créons ensuite des Idéologies et ainsi nos idéologies correspondent à la façon qu'a notre sexe d'approcher le monde, de sorte que le sexe qui dès le début a appris ce que sont les Caresses et en a reçu, là où donc se trouvent Chaleur et Joie, ne conçoit jamais des pensées de droite comme celles de Patron, et où l'éloignement et l'absence de rencontres ont fait de l'imaginaire du sexe un désert qui est agressivité et conquête, les pensées de gauche ne pouvant là avoir cours puisque l'amour est rencontres et les rencontres n'ont pas lieu pour *qui* est Particulier. Et c'est la raison pour laquelle je me rends à l'hôtel, dans ses couloirs et sa salle à manger car le sexe m'y attire et ce qu'on appelle ma Gentillesse, ma Serviabilité et mon Intérêt pour la cuisine n'est que le besoin de Femmes qui y sont en grand nombre de sorte qu'il y a comme des flaques lumineuses de soleil dans les pièces et aux tables et que des Mains s'y trouvent qui apparemment sans intention frôlent mon corps et des Seins y sont qui respirent tranquillement et donnent de la Chaleur et qu'on entend des pas et de petits rires cascader derrière des portes qui ne sont pas toujours fermées mais parfois comme par Oubli sont à moitié ouvertes de sorte qu'il y a une grande

Tension et que l'on marche comme une Araignée sur les fils de sa toile tendue entre deux buissons luisants de la Rosée du matin.

Non pas qu'il faille comprendre que je me compare à cette Araignée prête à me jeter sur les Femmes mais comprendre cette Tension. Or pour que toute la vérité soit comprise il faut ajouter aussi qu'un grand nombre d'Hommes d'Affaires s'y rendent et qu'alors les couloirs deviennent comme sombres et rugueux et que les rires sont pleins de boue de telle sorte que la toile cède et se détend car les Hommes d'Affaires d'aspect extérieur élégant s'écaillent tel le papier journal qui entoure les lavarets grillés sur la braise puisque dans le Monde des Affaires il n'existe pas de morale et que ceux qui se consacrent aux affaires sont impurs pour la raison que leurs cœurs ont été troqués contre des Marchandises et leurs sexes de même et qu'ils attirent à eux beaucoup de femmes pauvres et ont avec elles des rapports de sorte qu'il y a comme une puanteur autour de leurs chambres car ils utilisent l'Alcool pour eux-mêmes parce qu'ils ne veulent pas regarder les Femmes dans les yeux puisque la Trahison est présente. Je sais cela de ma propre expérience puisque beaucoup de femmes reviennent lorsque le Malheur les a frappées et qu'elles demandent celui qui était un Faux Nom, ainsi que par de nombreux souvenirs de Répugnance à faire le ménage dans ces chambres puisque la Honte a en quelque sorte suivi l'Homme d'Affaires tel un serpent rampant qui lui sort des yeux le matin quand il rend la clé et que ses yeux sont tournés vers son dos et que sa voix est comme accroupie dans le trou purulent de sa bouche et que des Grenouilles sautent sur le comptoir de la Réception que nous avons récemment fait fabriquer par Tillman le menuisier pour un prix de cent couronnes.

*

Mais souvent des Femmes Claires sont ici et alors je ne me dis pas Homme d'Affaires, puisque je ne fais que *gérer* le magasin et n'y possède pas d'intérêts ou, exprimé avec sincérité : je ne veux pas en paroles Toucher à mon Activité Quotidienne mais préfère parler de mon désir d'une vie plus riche, comme sans intentions, tandis que, par exemple, je suis monté sur la table de nuit tirée à côté de la fenêtre pour réparer un store "tombé avec fracas", ce qui fait partie des tâches qu'il m'arrive d'accomplir, bien qu'elle ait eu deux Enfants qui s'Accrochent dont un qui criait.

*

Car même la Reine des Sauces m'inspire de l'Amour, de quoi il s'ensuit qu'il est Pur car elle est grande et grosse et marche fortement penchée en avant avec son derrière énorme et de même sa poitrine et qu'entre une Rouille et une Béchamel pour le poisson elle me serre contre elle de sorte que j'en ai pratiquement le souffle coupé et comme si j'étais son enfant, ce qu'elle dit d'ailleurs : "Mon petit Sidner, comme tu as grandi" et qu'alors j'essaie de pencher ma tête tout contre la Grande Chaleur et ne réponds rien pour que l'Instant dure et que tout s'Immobilise en pensant que sans la blouse blanche et le corsage et tout ce qu'elle a en dessous je pourrais être enveloppé entre ses seins puisque comme je l'ai compris elle est sans homme et n'a que ses Sauces et la cuillère qui claque et le fouet qu'elle goûte du matin au soir en clappant des lèvres, pensant à plus de sel ou plus de sucre et j'ai beaucoup pensé qu'un soir elle allait oublier dans la cuisine quelque chose que je trouverais et ramènerais chez elle et qu'alors elle me dirait que son lit est froid, mais qu'elle ne porte pas de lunettes et en général c'est cela qu'on oublie.

Plus tard, le même soir
De même pour Lell-Märta j'ai pensé les pensées du sexe, les jours où elle arrive à la cuisine le matin avec tout ce qui vient de la forêt : les champignons, les airelles, les framboises des bois, les verges de bouleau et les bouquets de fleurs sauvages pour les tables de la salle à manger. Me la suis alors représentée marchant toute seule sur les Terres couvertes de Mousses, oui, elle a beaucoup occupé mon Imaginaire puisque ces terres, ces fossés et ces prés sont de bons endroits de concupiscence, riches d'odeurs

et sacrés le matin comme le soir mais peut-être surtout le matin lorsqu'il n'y a pas de moustiques, lesquels je crains tant qu'un seul dans une chambre m'empêche de dormir jusqu'à ce qu'il soit mort. Quand Lell-Märta laisse couler d'elle un sourire pendant que je prépare les pains pour un enterrement ou un mariage, je me la représente – et cela je te le dis mon fils en toute sincérité pour que cela apparaisse à tes sens – marchant pieds nus et sans culotte en dessous au milieu des buissons d'airelles, plus que dans les bois à champignons car les champignons en effet poussent sous de gros arbres qui ne laissent filtrer aucun Soleil, à part les Agarics que l'on trouve en abondance dans les prés ouverts, mais les prés ouverts sont exposés aux yeux de tous, donc, sans culotte elle s'avance dans mon Imaginaire et je lui poserais la question ainsi : "Puisqu'il y a une réservation pour une grande fête la semaine prochaine et qu'il nous faudra beaucoup de produits de la forêt, je pourrais peut-être aller t'aider à ramasser et à porter, Lell-Märta ?" Et elle passe sa main sur son front en levant la tête de biais comme elle fait souvent et rit de son Rire Naturel. "Pourquoi pas, ce serait pas si mal" et ajoute pour que ceux qui travaillent à la cuisine n'imaginent pas de travers : "C'est vrai que ça me fatigue les bras."

Et que j'étais parti avec mon vélo le Matin, et longtemps et en silence nous avions cueilli ensemble mais j'étais resté en quelque sorte un demi-pas derrière elle quand elle se penchait en avant au milieu des Baies, que ses jambes étaient nues et qu'il n'y avait rien plus haut mais mon silence était si profond qu'elle se retournait en me disant "Tu es bien silencieux, Sidner" et alors je ne pouvais rien répondre car ma gorge était si sèche et la peau si tendue sur tout mon corps que je pouvais à peine respirer, et elle posait sa main sur la mienne et je retirais ma chemise (à cause de la chaleur) et sa main en quelque sorte sans intention glissait sur mon bras et sur ma poitrine jusqu'à ce que nous fussions étroitement Enlacés et nous tombions sur la mousse douce et elle n'avait déjà pas de culotte et me retirait la mienne "pour que nous soyons pareils" et elle prenait mon sexe dans sa main et ensuite nous devenions une seule Chair sur la Terre Sacrée et c'était une belle journée sans nuages ni Moustiques ni Guêpes ni pierres pointues ou autres horreurs et la chose pour elle était comme Rien car c'était un Accouplement Illicite de Petit Péché mais de Grande Nécessité.

*

Mais comme en ce qui concerne ces choses ma bouche est scellée par la Sécheresse comme une cuve à lessive au soleil qui devient toute fissurée, j'ai également pensé atténuer ma détresse en utilisant des Lunettes, puisque les Lunettes, comme je te l'ai déjà dit, sont des choses qu'on oublie, et je pourrais m'en procurer une paire peu puissante puisque ma vue est sans défaut, excellente même ce qui est un don superflu du Seigneur qui en même temps m'a donné si peu à voir, mais que je pourrais oublier en Certains Endroits comme par exemple sur des tables de chevet chez des Femmes Claires ou comme oubliées sur des tables de toilette quand à leur demande je suis venu changer des Ampoules ce qui est quelquefois le cas, avec dans l'étui mon nom et mon adresse précise au-dessus de l'hôtel, ainsi qu'un petit billet glissé dedans par une Femme qui remercie pour l'Amour et qui avec Etonnement décrit l'appartement et "le grand lit où tu vivais en solitaire" ou quelque chose comme ça, mentionnant en outre avec des indications très précises l'emplacement de l'escalier de Secours et de nombreuses possibilités de "se faufiler" dans la chambre sans être découverte. Mais que ceci est impossible puisque la Femme de Ménage d'habitude est Greta Jonsson et qu'elle est baptiste et que ses yeux chassieux révèlent la déception en tout ce qui concerne son sexe.

30 sept.
La Reine des Sauces en parlant de Lell-Märta a dit qu'elle était simple d'Esprit mais pas de Corps. N'ai pu dormir à cause de cela.

C'était un immense mariage avec des Demoiselles d'honneur juste bourgeonnantes et beaucoup d'autres au début de leur féminité. Bonnes odeurs.

La nuit dans mon appartement j'ai entendu quelqu'un qui chuchotait Viens. Mais il n'y avait personne dans la penderie ni personne devant la porte.

Me suis recouché pour dormir. Ai vu Lell-Märta vêtue d'habits blancs. De grands arbres immobiles.

Ai retiré à Lell-Märta son corsage Sacré ce qu'elle m'a laissé faire puisque cela se passait en rêve et qu'il n'y a que là que je sois Naturel. C'était comme si elle avait eu quatre yeux et mes Gentils Bouts de Doigts versaient des larmes quand ils les touchaient.

2 oct. 1939

Ai commencé à pleurer continuellement quand je touche des Choses Douces, ainsi qu'à la vue des Portes, Portails, Prises électriques, puisqu'ils sont en quelque sorte trop Nets. De même quand j'entends des mots de la Reine des Sauces, ainsi que des autres Femmes dans la cuisine puisque les Mots existent alors dans la pièce et me veulent quelque chose mais que je ne peux rien leur répondre ce qui fait que je dois m'éloigner vers des lieux où il n'y a pas de mots mais que partout il y en a une Foule, même de Mots qui ont été dits il y a longtemps et qui gênent le passage et m'obligent à marcher selon les itinéraires précis que j'ai dissimulés dans le Magasin mais peut-être pas à l'hôtel puisqu'ils m'ont demandé, surtout la Reine des Sauces qui est un havre immense, comment je me sentais et ses yeux sont si grands qu'ils envoient en moi de la

Douleur et je crains pour ma Raison car ce sera bientôt comme si chaque pièce était remplie de tant de mots que les larmes restent comme de la pluie par terre. Je n'ai personne à qui parler de cela, puisque Fanny aussi n'est personne et n'existe qu'en l'enfant QUE TU ES et que aussi quand parfois je peux Te toucher tout est Electrique et peut Exploser et que tout ce qui est dans la Nature semble n'être qu'un Fracas, comme aujourd'hui où c'est l'automne et où une rose blanche a perdu ses pétales, la Douleur était si grande de les voir tomber. J'ai aussi essayé de prier mais mes mots ont filé comme des Maladresses ou des Toussotements. Il est bon d'avoir une sœur qui me rend visite et de voir qu'elle est belle mais je suis dans une immense Honte de mes pensées et ne peux pas lui en parler puisqu'elle semble vivre dans le Quotidien et ne Méprise pas le Visible. J'étais dans mon lit quand elle est passée : "Nous nous faisons beaucoup de mauvais sang, Sidner." Elle a dit aussi : "Tu ne devrais pas travailler tant mais prendre des congés." Ses mots me sont parvenus de très loin, j'ai pleuré quand même.

J'ai vu Lell-Märta vêtue d'habits blancs. Elle a alors ouvert son corsage et montré sa peau toute fissurée et de ces fissures suintait une résine dorée que j'ai goûtée. La même chose sur tout son corps, bras comme jambes et cou, et ainsi je lui faisais du bien puisque sa tête restait parfaitement immobile. Me suis réveillé et lorsque tout ne fut plus qu'un rêve, me suis mis à pleurer, car le goût était quelque chose que l'on n'a jamais décrit.

J'avais de ce fait décidé que lorsque Lell-Märta passerait, si elle portait un Corsage Blanc, je demanderais à l'Accompagner dans la Forêt, mais elle portait un Tricot Rouge car le temps était couvert.

Alors que je me promenais du côté de Sundsberget, l'idée m'est venue que l'Univers avait la même taille que la Penderie et que tout s'y trouvait mais à l'étroit et Empilé, de sorte que je devais rester immobile pour ne rien faire tomber ce qui entraînerait le Chaos. J'étais au milieu de la route. Une auto est arrivée et a dû s'arrêter puisque je n'osais pas me pousser En Dehors du côté du Vide. Me suis fait sévèrement interpeller et la Voix a ouvert comme une brèche et En Dehors il y avait exactement les mêmes Choses mais pas Réelles.

M'est venue l'idée que ceci était Important.

Que j'ai vu comment est Tout.

Mais je ne dois pas en parler puisque tous les mots leur APPARTIENNENT et sont BLÊMES.

J'ai fait des rêves hideux de Mariage où je me trouvais dans une grande pièce avec les demoiselles d'honneur qui avaient des Corps de Vierges et des Yeux de Vierges mais toutes leurs bouches étaient le Sexe Féminin et elles dansaient autour de moi avec le plus grand Sérieux, puisque les sexes ne peuvent pas sourire, mais j'appelais Lell-Märta qui dans mon imaginaire avait le sexe au Bon Endroit, en face du Mien, et finalement elle sortait des Arbres, s'avançait avec une bouche tout à fait ordinaire et Nue et elle écartait les Vierges et s'affaissait avec moi de sorte que tout était correct et me suis réveillé mouillé.

Ai vu en rêve des mots de la manière suivante :

> Pouvoir marcher
> Pouvoir marcher
> comme Abraham
> comme Isaac
> obscurité absolue
> lumière absolue
> le fils le père
> à la main

Je connais maintenant les Conditions de l'Obscurité et ce qu'est Notre Vie.

Je marchais dans la Grand-Rue lorsque je fus transformé en Index, de l'épaisseur d'un Pouce cependant. J'ai tout d'abord ressenti une immense joie d'être ainsi débarrassé de beaucoup de membres encombrants pointant dans diverses directions et d'être dès lors devenu Une Indication permanente et j'avais l'intention de me rendre sur la Place où je devais être net. Mais alors beaucoup de gens m'ont entouré et tous habillés de fourrures, de manteaux chauds et de gants de laine, tant que j'ai soudain ressenti ma nudité. L'air était très froid et les yeux de tous étaient froids aussi. Grand émoi puisque tous me désignaient moi et *non pas ce que je désignais*. A plusieurs reprises j'ai essayé de remuer mon extrémité pour qu'ils remarquent la direction mais soit ils riaient, soit me regardaient encore plus. Je voulais mourir de ce fait, mais savais que cela était impossible puisque *aucun doigt ne pourrait encore indiquer*.

En plus m'est venue l'idée que la direction indiquée était fausse puisqu'elle aurait dû être dirigée vers l'intérieur, là où se trouve l'étincelle, mais il m'était impossible de me retourner comme un gant.

Je voyais tout ceci puisque mes organes internes étaient intacts mais le chemin jusqu'au Visible était très long. J'étais recouvert par la nudité.

Maintenant ce n'étaient plus que rires. Tous leurs mots étaient laids et blêmes, le prêtre était le plus en colère de tous.

Je dissimulais comme un mur. La possibilité me fut alors donnée de m'éloigner en rebondissant, mais ça n'allait pas vite. Leurs bottes et leurs chaussures faisaient des pas plus grands de manière que je me suis retrouvé dans une forêt qui grinçait et raclait, avec la nette certitude qu'ils allaient me marcher dessus et m'enfoncer dans la saleté afin de faire cesser l'Indication que j'offrais au monde. Je me suis enfui dans le jardin du Gardien du Pont où j'ai émergé de ma nudité comme un champignon sort de terre et celle-ci me quittait par morceaux comme une écorce de sorte que j'ai retrouvé ainsi mon nom et tous mes membres et vêtements, ce que j'ai apprécié.

J'ai rencontré le député Persson et lorsqu'il m'a salué ces mots sont en quelque sorte sortis de ma bouche :
— Je vais construire une maison de musique.
Pensant que je parlais au figuré, il a semblé très enthousiaste, m'a serré la main et a disparu ensuite.

Un cerveau est arrivé en roulant dans la cuisine tandis que nous y étions, laissant entrer un grand froid par la porte et le jetant sur nous puisque nous avions beaucoup parlé et ri.
Je portais des lunettes mais je pouvais sentir et voir à travers et j'ai jeté un pain sur lui mais me suis senti honteux puisque la Reine des Sauces et Mme Jonsson disaient ne rien avoir vu, mais elles tournaient le dos.
J'avais disparu sous la paillasse où je cherchais mais je n'ai trouvé que trois cheveux que je leur ai montrés. Ils étaient très électrisés quand on les tenait suspendus, un joli éclat.
La Reine des Sauces a dit que cela n'était "rien", que la poubelle "ferait bien l'affaire", et que "d'une certaine manière" j'allais apprendre qu'ils apparte-naient à M. Holm que je n'avais pas connu aupara-vant mais qu'il allait revenir par le Même Chemin si j'ouvrais encore la bouche.

J'ai demandé à Lell-Märta de chanter un Jubileus, ce qui fut dit par ma bouche mais sans que j'en eusse conscience puisque je l'ai pour ainsi dire entendu "après" lorsqu'un grand Silence régnait dans la Cuisine et qu'elle n'aurait pas besoin de porter de Culotte en chantant puisque je pensais si fort à celle-ci qu'elle imprégnerait nos vies Charnelles et c'était comme si je voyais droit à travers les tissus jusqu'à elle où c'était poilu et sombre et ouvert et la Reine des Sauces et Mme Jonsson s'estompaient en quelque sorte et nous nous trouvions alors seuls dans la cuisine de sorte que j'ai marché droit vers elle et dit d'UNE VOIX TRÈS DISTINCTE les PIRES MOTS sans me rendre compte qu'elles arrivaient à m'asseoir sur une chaise où je me sentais comme UN GRAND MEMBRE seul au monde et ceci sans Honte mais avec Grande Tristesse qu'elles ne me touchent jamais avec ce qu'elles possèdent, mais au lieu de cela elles préparaient d'horribles breuvages disant que je devais me calmer mais je ne sentais que l'odeur de Lell-Märta de sorte que je me suis déplacé en pensée vers une fenêtre d'où j'aurais pu sauter pour que tout ceci cesse, mais Maman et Papa s'y trouvaient, vêtus d'habits propres, et alors je me suis effondré par terre peut-être hier.

Marieberg, 3 janv. 1940

On a dit que j'avais tenté de violenter Lell-Märta. Ne me souviens de rien d'autre que de la Reine des Sauces me retenant dans ses bras et que mon cri sortait par les fenêtres. Il y a eu un docteur, un voyage en automobile, et que je suis maintenant parmi des Fous, moi-même un Fou sans maman ni papa.

Que c'est dormir que je veux.

On dit aussi qu'une grande quantité de canapés au pâté de foie avec des cornichons ainsi que des vol-au-vent et du saumon ont été gaspillés au cours de la lutte contre les Diables puisqu'ils voulaient que je touche Lell-Märta sous ses jupes mais que rien d'autre que l'ébauche ne fut entrepris puisqu'elle portait une Culotte et que cela n'était pas de ma faute mais dû à l'état de mon esprit. J'ai dormi beaucoup et pendant longtemps et reçu des chocs qui ont coupé nombre de mes souvenirs, mais l'Infirmier m'a dit que j'étais désormais en route vers un Matin ce qu'il a exprimé en constatant ma plus grande vivacité et j'ai dit quelques mots isolés.

Dont je ne me souviens pas.

Visite, j'ai tout fait de travers !

C'était Eva-Liisa et Splendid. Ils avaient apporté des fleurs, des chrysanthèmes, et Splendid a dit : "C'est peut-être bête des fleurs mais j'ai pensé qu'elles apporteraient un peu de lumière" et Eva-Liisa a dit : "Alors nous les avons achetées", et j'ai compris ainsi, quand les paroles d'Eva-Liisa sont venues s'accrocher aux siennes, qu'ils étaient ensemble et avaient de l'Amour, mais je n'ai rien voulu dire parce que les mots étaient trop lourds. Mais j'ai vu qu'elle était en pleine Féminité et plus adulte que moi et si belle que ma bouche a dit : "Les chrysanthèmes sont aussi des fleurs", ce qu'ils n'ont pas compris jusque-là ça allait mais la conversation a pris un mauvais tour quand Eva-Liisa m'a demandé ce que j'avais voulu dire et que j'ai répondu alors, comme avec hargne : "Tu fleuris toi-même" bien que par là je voulusse dire quelque chose de bien.

J'ai dit aussi d'autres sottises : "Il faut mettre les fleurs dans l'eau", pour qu'ils ne voient pas ma folie.

Brusquement en voyant leurs visages j'avais envie de ratisser des feuilles ou de déblayer la neige dans le jardin ou de rester contre l'oreiller lisse et propre au lieu de ces visages dans lesquels il y a trop à voir et pour s'indigner. C'était beaucoup de choses à leur dire de sorte que je n'ai rien pu dire et que je me suis caché dans l'oreiller en pleurant. J'ai senti alors leurs mains me passer dans le dos et les mains qui se rapprochaient l'une de l'autre puis se séparaient, se rapprochaient de nouveau de sorte que les bouts de leurs doigts se sont frôlés et se sont tenus un instant et j'étais content que mon dos fût ainsi un endroit où les amants pouvaient laisser leurs mains et je me suis endormi.

Ensuite la Meilleure Infirmière est venue me voir à mon réveil et m'a dit : "Quelles belles fleurs ils t'ont amenées et que ta sœur est belle." J'ai répondu que son Rayonnement était important puisqu'elle était en état d'Amour, mais que j'étais désolé de ne pas avoir la force de supporter les gens, même pas ceux que j'aimais le plus au monde. La Meilleure Infirmière a dit : "Ce sont eux qui sont le plus difficile", et elle a ajouté : "Parce qu'ils rappellent tant de choses… Maintenant je vais retirer tes draps pour les rafraîchir." "C'est bon, des draps frais", ai-je dit sans avoir honte de choses aussi simples à dire.

15 fév. 1940

Aujourd'hui je suis sorti dans le parc, ai marché dans de nombreuses allées du jardin à côté d'autres, pas de feuilles sur les arbres, pas de chaleur dans l'air, de sorte que je comprends par là que beaucoup de temps a passé. Vu que nous sommes de nombreux Idiots et idiot vient du grec et veut dire "particulier", comme je suis un "particulier" sans relation avec quelqu'un d'autre. Le fait d'être Idiot est un repos puisque personne maintenant ne s'attend à ce que je sois un Serviable et un Eveillé.

Il m'arrive assez souvent de ne pas être idiot mais Clair et Pur dans ma tête. Ai alors peur que cela se voie et qu'on me renvoie d'ici. Tout comme un phoque sort la tête de l'eau – vu seulement sur des images – ma raison est au-dessus de la surface. Vite replonger.

Car si je me trouvais là-dehors maintenant et devais être entraîné vers le fond par tout ce qui se trouve là-bas, la chute serait dure.

L'Armée du salut a chanté pour nous dans la salle de repos. Il y avait une belle fille mais je suis allé avec les autres. Le désir de Musique a été réveillé. Il n'y en a pas ici.

7 mars 1940

Deux visites d'Eva-Liisa et de Splendid. L'une mauvaise parce qu'il m'a fallu sortir dans le couloir pour atténuer le rayonnement de leurs visages et que je parlais de façon très décousue à *leurs* yeux, mais c'était parce que ça allait trop vite puisqu'ils m'ont parlé rapidement de Fanny dont ils me transmettaient les amitiés et de l'enfant et que tout devenait comme une bouillie et Eva-Liisa a versé quelques larmes sur ma main, si lourdes que je me suis glissé en elles puis ai parlé de bateaux que j'y voyais, de même que je croyais à la joie quand j'ai chanté "RAME, rame vers Fiskeskär".

Après leur départ soudain et sans qu'ils eussent pris congé, la Meilleure Infirmière est venue près de moi et m'a raconté des choses simples : que pour faire du ski elle portait une Combinaison Bleue avec beaucoup de poches, qu'elle emportait une Thermos de café et des sandwichs et que "ça sentait si bon le café dans la forêt". J'ai repensé longtemps à cela dans mon sommeil et à mon réveil, comme si ç'avait été un tableau. Son comportement est si lisse, si calmant.

La visite d'hier si heureuse ! J'étais à la fenêtre et regardais le parc. Des jaseurs voletaient dans tous les coins, eau de fonte. Ils sont arrivés main dans la main, je leur ai fait un signe et j'ai vu ma main, tous les doigts, le soleil les éclairait en plein, je me suis mis à pleurer parce que je sentais qu'elle m'appartenait, et j'ai senti mon corps et mon nom et tout ce que j'avais vécu, l'ai vu en dehors de moi, et je les ai serrés longuement et fort tous les deux quand ils ont été dans ma chambre, leur ai dit qu'ils m'avaient beaucoup manqué, ce dont je ne m'étais pas rendu compte, leur ai demandé si mes pleurs les gênaient, mais pas du tout. "Je suis certainement en train de guérir", ai-je dit, ce qui était vrai, j'ai pris leurs mains et je les ai approchées, de sorte que mes mains aussi étaient là.

Je leur ai demandé beaucoup de choses sur Sunne. N'avais pas *demandé* auparavant. J'ai appris que le papa de Splendid lui aussi était mort. Qu'ils voulaient se fiancer et se marier mais pas avant que je sois guéri et puisse en être. Appris que toi, Victor, tu as grandi.

J'ai voulu faire une promenade et *voir*. Les gla-
çons sous les gouttières étaient longs et c'était dangereux de marcher en dessous. Suis sorti au-delà du
portail et suis allé prendre un café avec des brioches.

Une journée heureuse !

13 mars 1940
Les bâtiments sont en brique rouge. Ils sont
rouges et il y en a beaucoup, avec des grilles aux
fenêtres, pour que nous ne sautions pas hors de nos
vies dont Ils ont la responsabilité. Mais je crois que
beaucoup parmi nous *ont envie* de vivre, depuis
que nous sommes arrivés au Pays du Matin.

Je pleure souvent mais le Docteur dit que c'est
bien puisque "les canaux sont à nouveau ouverts".
J'ai alors pensé à des Péniches, à des rangées de
Peupliers sur des berges basses, pensé à des draps
Propres et à des grands Pains, des étables ouvertes
et du bétail aux yeux sombres. J'ai raconté cela au
Docteur qui a dit qu'il y avait maintenant en moi du
mouvement et du Désir. Il m'a demandé si je lisais
beaucoup "en temps normal". M'a dit qu'il y avait
ici une bibliothèque. Une profonde angoisse s'est
abattue sur moi parce que nombre de livres sont de
la Philosophie et du Raisonnement et que je ne
veux pas penser puisque ça tourne en rond en moi
et me rend tout blanc à l'intérieur. J'ai pris des
Récits de Voyages mais même cela a été beaucoup,
puisque les Mots me touchent toujours et essaient
d'atteindre des Plaies ouvertes.

Il y avait dans l'air de la neige et une grande douceur.

17 mars 1940

Parmi toutes les voix qui parlent en moi, je reconnais parfois la mienne. Elle est néanmoins encore si faible et fatiguée d'essayer de se faire entendre au milieu du vacarme que soulèvent les autres. Je me suis vendu au sommeil et au silence. Peut-être pour me venger de Fanny et d'une Maman encore plus grande dont la berceuse s'est tue et estompée. Fanny m'avait préparé un nid entre ses bras et ses jambes, entre ses nombreux doigts et orteils. Comme ils sont nombreux, les yeux de celui qui aime !

Une nouvelle fois apprendre la franchise du bout des doigts, suivre leur mouvement le long de cette côte infinie qu'est une femme.

4 avril 1940

Tous ceux qui ont fabriqué des paniers ne sont pas des idiots, mais la plupart des idiots ont fabriqué des paniers, et ce en quantité telle que je me les imagine pouvoir former un mur tout autour de la Suède. On en voit cependant rarement sur les marchés, peut-être les exportons-nous à l'étranger, c'est-à-dire pas Nous qui les fabriquons mais Ceux qui ont pris possession de la vie.

Ceux qui instaurent des lois pour cette vie.

Ceux qui disent que la Vie est leur district.

Ceux qui nous exploitent, nous qui vivons sans en être responsables

et errons de par le monde en ne comprenant que le Pain

Que l'Eau, que l'Amour

et maintenons en vie notre aspect mortel.

Nous sommes des Questions Nues et n'avons pas de Penderies.

Les infirmières sentent la neige.

15 avril 1940

Dans quel mythe vais-je maintenant être entraîné ? me suis-je demandé lorsque, éjecté par la centrifugeuse de l'obscurité, je me suis retrouvé devant la porte de l'hôpital, toujours retenu par son cordon ombilical, craignant de me lancer à l'instant trop loin et trop vite et d'être immédiatement réaspiré par la vie, avant d'avoir eu le temps de dire Oui ou Non. Je voulais avoir le temps de me *voir*, Victor. Voulais jouer avec différentes possibilités, comme si nous avions le libre choix.

J'étais là, au bord de la route, dans la gadoue de neige, étonné qu'autant de moi demeurât quand même dans la bouillie des pensées après les chocs, je sentais combien mon nom m'entourait.

Avoir été à l'Asile. Qu'est-ce que ça veut dire ? Comment cela va-t-il me *teinter* ? Quels continents de mots et de notions vont se dresser au-dessus de ma surface comme des îles, prendront de la place, deviendront visibles et parties de mon paysage ? Si avoir été Fou ne devait être que ma *seule* expérience, de sorte qu'à cinquante ans je raconterai la même histoire !

Je suis assis dans un café et j'écris ceci. Libre ! Ne reste que l'avenir. Que la vie d'adulte. Je bois un thé, la matinée commence, j'attends un train. Je vois encore le jardin qui entoure l'hôpital, ce jardin où j'ai marché durant tout l'hiver, vois mes semblables qui ne vont pas tarder à disparaître de ma conscience. De nouvelles conversations, de nouvelles influences visuelles vont les engluer, comme la végétation de la jungle recouvre des temples dans les régions tropicales. L'hôpital, que deviendra-t-il ? Va-t-il s'enfoncer plus profond en moi ou s'évaporer en l'air ? Je crois : qu'il va s'enfoncer de sorte que toute conversation reposera désormais sur *le lit de l'asile* et en sera colorée comme un papier tournesol. J'ai peur de quitter ce point, ce café, avant de *savoir* avec certitude. J'ai commandé deux nouveaux sandwichs au fromage. Il y a bien d'autres trains.

*

Je suis assis ici depuis une heure maintenant, peut-être cela va-t-il durer, parce que je ressens le besoin de faire pénétrer en mon âme le souvenir de cet hiver, pour que son importance, grande ou petite, soit toujours proche. Quand je ferme les yeux, c'est le portail noir que je vois, celui où je me tenais il y a une heure, hésitant. Du côté intérieur : l'absence d'exigences, le bon genre d'idiotie. A l'extérieur : la solitude, les exigences et les décisions à chaque pas. Suis-je mûr pour cela ? On verra. *Toi*, Victor, tu le sauras un jour.

Il y a tant de choses que je voudrais décrire de là-bas dedans. Le docteur qui m'a dit que je n'avais pas à craindre de devenir aliéné au vrai sens du terme, mais que je pouvais m'attendre à des périodes de sensibilité excessive. Je n'ai pas peur. Je sais ce que ça veut dire "que l'obscurité se referme sur vous", comme elle s'est maintenant refermée sur l'Europe. Dans l'obscurité aussi existe un monde. Là-dedans aussi il y a des rencontres et des rêves, dont certains sont une distraction exquise.

Le soleil matinal est ici maintenant. Il brille sur le chemin qui passe le portail aux grilles noires et traverse le parc. Des flaques scintillent, quelqu'un ouvre une fenêtre du couloir du premier étage où mon corps a été assis lourd et indifférent, où mes mains ont reposé sans rien vouloir. Oui, la lumière est ici, et je voudrais bien que le reste de ma vie ne soit qu'un seul tableau de *lumière*, comme un jour il y a longtemps il m'est arrivé de le vivre au tournant d'une route : c'était un soir d'été, avec les rayons obliques du soleil sur les champs verts, j'étais seul et triste. Et soudain quelque chose s'est passé, à travers mon corps s'est propagée une Chaleur qui était Présence en tout. Dans les feuilles, dans le blé. J'étais transparent comme la Musique. J'étais un

Adagio. J'étais une des notes, une partie nécessaire au morceau qui était joué, et quand l'herbe et les arbres se sont penchés, j'ai su qu'il y avait quelqu'un dont les doigts légers, comme sur un clavier, parcouraient tout ce qui était vivant. On me jouait, Victor.

Loin au-delà des montagnes, au-delà du lac et des bosquets où se trouvaient les vaches et les chevaux, quelqu'un s'amusait à créer une merveilleuse composition, et dont toutes les composantes, visibles, imaginées ou rêvées, étaient d'égale importance. Cela s'est passé il y a longtemps, de l'autre côté du purgatoire de l'Asile, mais ce qui s'est passé Demeurait ! Cette composition, on l'a jouée plusieurs fois, séparées par de longs intervalles, de sorte que, pas toujours mais souvent, j'ai su comment elle était. Même quand là-bas, je me suis enfui dans les toilettes et que j'ai déchiré et déroulé des rouleaux de papier que je jetais autour de moi, même quand j'ai mordu l'Infirmier au poignet, même quand le docteur me soufflait au visage la fumée dégoûtante et douceâtre de son cigare et que je n'avais plus la force de protester, je devais l'entendre, profondément enfouie en moi.

*

Est-ce que l'on voit sur moi que j'ai été à l'Asile ? Les clients du café qui viennent de sortir m'ont-ils regardé de la Manière Particulière ? Je porte des vêtements normaux maintenant, mais peuvent-ils dissimuler le Particulier que je suis ? Sinon : ça ne fait rien. Je n'ai pas peur. Je vais prendre le prochain train à Kristinehamn et rentrer. Au téléphone la Reine des Sauces m'a promis de la Tarte aux pommes à la sauce vanille dans la cuisine et je la laisserai me serrer contre ses gros Seins sans que cela signifie autre chose que de la joie.

*

(dans le train du retour) Ceux qui restent à Kristinehamn et regardent les arbres du parc sont nombreux et certains y resteront jusqu'à leur mort car ils ne possèdent rien qui attende leur retour et de ce fait ne veulent pas que leur âme guérisse. Le vieux Årjäng aux mains rouges possède une petite maison mais n'a plus de travail, car il n'ose plus se montrer à qui que ce soit puisque "ça se voit sur moi que je suis marqué". Le jeune garcon de Sörbyn qui a tué quelqu'un et en a perdu le langage si bien qu'il ne parle plus que par monosyllabes incompréhensibles. Ekvall de Väse, cet homme courbé qui avait vécu d'écureuils et avait emporté un chat comme provision supplémentaire quand il était parti dans la forêt parce que des gens lui voulaient du mal et ne lui permettaient pas de se trouver "en vue d'une maison". Le distingué chef comptable qui faisait semblant d'habiter à l'hôtel et avait une chambre particulière avec des tableaux et des livres et qui ne parlait pas à ceux qui "buvaient de la bière" mais qui me disait à moi qu'il projetait de se rendre à Londres "dès qu'il y aurait une amélioration du temps", parce qu'il avait "quelque chose d'important à dire aux Anglais concernant la guerre et sa fin".

20 mai 1940

Fumeterres et ornithogales pointent hors de terre. Ficaires d'un jaune scintillant et tendres orties dont Eva-Liisa a fait une soupe. Des bourgeons de rhubarbe aussi : comme des périscopes ils émergent de sous la terre et observent autour d'eux, de même que je regarde autour de moi et découvre que le monde existe. Que tant de choses sont là pour qu'on les voie.

Oui, certaines choses sont propices aux souvenirs parce que dotées de noms tels que "fumeterre", "ortie", "pavé". J'ai aussi brûlé des herbes dans le jardin de Sleipner. Nous étions tous là pour surveiller le feu qui dansait sous les pommiers dénudés, seule la surface brûlait cependant, ce qui était sec ; en dessous : de la verdure. Ensuite Beryl Pingel nous a offert le café avec des brioches et pour les prendre nous avions sorti le mobilier de jardin. Tous avaient des visages Réels mais possédaient cependant beaucoup de traits qu'il me semblait ne jamais avoir vus. A la fois inquiétude à cause de la guerre et douleur dans la poitrine mais bonheur de sentir que "les beaux jours approchaient". Une réalité aussi : nous étions de la même famille. J'étais émerveillé que nous puissions parler comme nous le faisions avec des mots très simples, et que ces mots-là existent pour moi aussi.

27 mai 1940

Les chatons de noisetiers étaient jaunes sur la berge. En moi un sourire quand j'ai enfin vu ce que tout le monde a toujours vu. Comme si de toute la terre j'étais le dernier à avoir reçu cet enseignement, mais l'important c'est que c'était la première fois pour moi. L'eau est bleue et miroite. Elle m'a été offerte. J'avais emporté une flore, j'ai cherché et appris à nouveau beaucoup de plantes, telles que : Plantain, *Taraxacum vulgare*. Mes yeux étaient neufs. Tout était fort.

Soleil du printemps, eau de fonte sur tous les chemins. Au lieu de "produire péniblement" un sourire, je souris. Je suis Quelqu'un et j'ai le "droit" d'être dans le Monde. Autrefois je regardais "de derrière", tel un espion qui ne me laissait jamais en paix.

juin 1940

"J'ai aujourd'hui fait l'ascension de la plus haute montagne de cette région que l'on a non sans raison appelée Ventosum (ce qui veut dire le mont du Vent), poussé par le désir de connaître ce qu'un point de vue aussi élevé pourrait offrir à mes yeux. Depuis plusieurs années j'ai eu en tête de faire cette excursion. Comme tu le sais : j'ai vécu dans cette région depuis mon enfance ; le destin l'a voulu ainsi. J'ai donc presque en permanence devant les yeux cette montagne qui est visible de loin alentour."

C'est ainsi que le 26 avril 1335 un certain Francesco Petrarca avait écrit à un certain responsable de magasin qui n'avait reçu cette lettre que ce jour-là et la lisait, dans la forêt, allongé dans une clairière bleutée par les orobes, un livre à la main. Son vélo était appuyé contre un sapin fumant de pollen, la sacoche remplie de sandwichs et d'une Thermos de café, don de la très noble Reine des Sauces, ayant aussi contenu le petit volume des lettres de Pétrarque mentionné ci-dessus. Ah, ce plaisir de vivre dans le Superficiel ! Dehors ! Libre ! Avec la tâche de "dissiper les ténèbres", de "mettre un terme au Moyen Age du corps, cette peste de l'esprit" qui avait si longtemps régné sur son corps. Les bouleaux viennent d'éclore, un morio sort de sa cachette et se montre sous toutes ses faces au responsable du magasin. Oui, tu es un beau papillon ! Tout ici est beau car mes yeux viennent de naître et sont candides. Où donc me suis-je trouvé toute ma vie ? Sur quelle rive me suis-je hissé maintenant ? Comme si j'étais le premier au monde à *regarder* autour de moi. Je suis le découvreur de ce que l'on voit, je suis le commis de mes sens !

Oui, Victor, il est allongé sur l'herbe et lit sur le désir de voir, les caresses de l'œil et celles de l'oreille, il sent ses membres naître en ce jour de Pétrarque. Plus loin, sous les arbres, il y a du muguet, les clochettes sont cachées derrière de larges feuilles vertes mais elles tintent d'un ton frêle et doux pour les plus subtils de nos sens, ceux que nous enterrons souvent à cause du grand vacarme qui règne en nous-mêmes autant que dans le monde. Quand avons-nous le temps d'écouter ce qui est frêle ? Ou plutôt : combien de fois la possibilité nous en est-elle offerte ? C'est la raison pour laquelle celui à qui elle est offerte doit, ne serait-ce que pour un bref instant, être attentif, comme on l'est en amour, et décrire ce qui est Evident : que les fourmilières viennent de s'ouvrir après l'hiver, que l'alouette est arrivée.

Mais s'agit-il d'évidences ? Le responsable sait de sa propre expérience que l'on peut vivre long-temps dans cet âpre atelier qui, selon Pétrarque, est la vie, sans être en vie. Les choses ne révèlent alors que leurs profondeurs effrayantes. On se trouve dedans et l'on ne peut sortir. C'est pourquoi nous devons attraper le jour, attraper la fleur et dire que la feuille de chêne que je saisirai si je tends la main n'a jamais été contemplée auparavant. Tu es tou-jours le premier et ne dois pas l'oublier ! Fais le compte des jours où tu as lu les écrits de la mousse sur les rochers (n'est-elle pas "évidente" cette écri-ture !) parce qu'un jour ton œil s'est éteint ou que les jambes qui t'ont porté ici aujourd'hui faisaient la grève, qu'un feu a parcouru le roc, que le froid l'a fait éclater. Demande au responsable, il sait !

Mon ami Pétrarque sait aussi : "Tandis que mon frère, montant péniblement, n'hésitait pas à marcher droit vers les escarpements rocheux, j'essayais de marcher sur des chemins latéraux plus commodes ; et lorsqu'il m'appela pour me faire remarquer le chemin qu'il estimait être le bon, je lui répondis qu'à mon avis il serait plus facile d'atteindre le sommet par l'autre côté et que personnellement je ferais volontiers un détour si celui-ci simplifiait la marche. Pendant qu'avec les serviteurs il s'efforçait ainsi et avec succès de monter de plus en plus haut, je gaspillais mon temps à errer en vain dans les régions plus basses sans trouver le chemin commode que j'avais espéré. Je finis par me lasser et, à regret, escaladai à nouveau la montagne. Je retrouvai mon frère qui m'attendait, alerte et réconforté par un long repos ; moi-même j'étais exténué et de mauvaise humeur. Je restai un moment près de lui mais très vite, oubliant mes égarements, j'eus à nouveau envie d'essayer un chemin latéral, ce qui me mena bientôt dans des vallées où je finis par découvrir que je n'avais cessé de m'écarter du but en m'efforçant de trouver une échappatoire au dur labeur de monter droit sans virage ni détour. Car la nature des choses est immuable et ne se plie pas aux désirs humains. Qui veut s'élever doit se débarrasser de toutes demi-mesures et échappatoires ; on ne peut pas monter et descendre à la fois."

C'est pourquoi je sais maintenant une chose : ma décision est prise.

Victor ! Tu es encore un enfant qui ne se souviendra pas de moi si je venais à disparaître. Tu es né dans un monde qui est déjà régi par d'autres lois que les miennes.

Dès que la guerre sera finie, il me faudra aller en Nouvelle-Zélande, c'est une dette que *notre* famille doit payer. Et ce livre est mon entretien avec toi. Hier, j'ai fait une promenade avec toi, poussé ton landau le long du mur du cimetière, sous les tilleuls. Nous avons cherché des fleurs de fraisiers sauvages, je t'ai montré les chevaux derrière la clôture. Je t'ai appris à dire Cheval, Fleur, Sidner. Fanny était contente quand nous sommes revenus avec des fleurs d'amandiers, elle ne m'a pas laissé la caresser, elle ne voit que toi.

VI

— Madame Judith Winther, je suppose ?

La vieille dame serrait fort la poignée de la porte, ses mains étaient tachetées et veinées de bleu. Elle observait Sidner par-dessus des lunettes glissées sur son nez et elle ne souriait pas. Il l'avait tirée de sa sieste et regrettait de ne pas avoir attendu plus longtemps. Après trois jours passés à donner des coups de téléphone à Taihape – il y avait eu des jours fériés –, après trois jours passés à se promener dans Wellington où il avait partout l'impression de voir Tessa, après trois nuits agitées où il avait amèrement regretté tout ce voyage insensé en Nouvelle-Zélande, il avait fini par trouver l'adresse de Mrs. Winther dans l'annuaire, avait téléphoné plusieurs fois à Tinkori Road sans obtenir de réponse. Après un petit déjeuner trop matinal pris au Heidelberg Private chez M. et Mme Partland qui l'avaient aidé pour tout, il avait erré dans le Jardin botanique et essayé de jouir à la fois de cette mer de fleurs et de la vraie mer loin en contrebas, une mer dans laquelle les yeux d'Aron étaient maintenant des perles. Pendant huit ans Sidner avait eu les yeux rivés sur ce point, il avait écrit de nombreuses lettres vers la fin de la guerre, quand sa décision avait fini par devenir une contrainte telle qu'elle avait estompé tout ce qui l'entourait, qu'elle avait rendu comme provisoire le quotidien de son service militaire à la frontière et, plus tard, de son travail chez le marchand de couleurs. L'absence de réponse n'avait pas diminué sa certitude que son voyage réparerait la faute familiale. Il avait maintenant vingt-sept ans et sa vie devait enfin se concrétiser en un acte réel et Tessa était le catalyseur de cet acte, grâce à lui le passé allait enfin être relégué aux oubliettes. Une longue suite d'événements allait trouver sa conclusion et ensuite : liberté, force, vie claire.

"Mon cher Victor ! Je t'écris cette carte de l'autre côté de la terre. On ne peut pas aller plus loin qu'ici. Je dois te dire que pendant très longtemps, en pensée, je me suis trouvé ici, mais que maintenant que j'y suis, mes pensées sont auprès de toi. A quel moment nous trouvons-nous donc le plus proches ? De la proximité du Corps et de celle par la Pensée, laquelle a le plus d'importance ? Je ne sais pas, mais je sais l'infini éloignement dans lequel peut se trouver un corps présent et l'infinie proximité dans laquelle peut être un corps très éloigné", écrivait-il sur un banc du Jardin botanique, à côté d'un bougainviller, et il adressait la carte à un point juste entre Fanny et Victor.

"Proche ou éloigné, souvent ce n'est pas une question de distances mais d'attitudes. Quand il s'agit de Dieu, c'est toujours la même distance immense." Et il continuait, au dos de la photographie d'une source chaude exhalant ses fumées : "Nous sommes tous de la même poussière. Nous sommes à la fois à l'intérieur et autour des autres. Les corps sont des idées, des propositions, des condensations. Nos pensées sont notre réalité et le «maintenant» que je pense s'imbrique dans le «maintenant» où tu me lis. «Ici» ma pensée a replacé mon corps «il y a longtemps». Victor, où que j'aille en partant d'ici, je dois m'approcher de toi !"

— Je viens de Suède. Je suis Sidner, le fils d'Aron.

Mrs. Winther lâcha la poignée de la porte et recula dans la pièce.

— Vous n'auriez pas dû venir. Elle l'examina de pied en cap, hocha la tête et d'un signe indiqua une chaise à l'intérieur. Elle disparut dans la cuisine, il l'entendit qui mettait de l'eau à chauffer sur la cuisinière. Lorsqu'elle revint elle portait un plateau sur lequel un paquet de lettres était posé à côté d'une brioche fraîche.

— Vous pouvez les prendre, dit-elle en les indiquant du doigt. C'étaient les lettres que Sidner lui-même avait écrites à Tessa. Mrs. Winther se laissa glisser dans le canapé, remonta ses lunettes. Vous prenez du lait ? Je suis allée passer quelques jours chez ma sœur. Son mari est malade du foie. La brioche vient de là-bas. D'ailleurs, si vous pouviez m'aider à remettre la jardinière du balcon, elle s'est écroulée pendant mon absence. Elle est trop lourde pour moi toute seule. Si je téléphone aux employés de l'entretien, ça va mettre un temps fou.

— Bien sûr.

— Il faut que je refasse entièrement mes plantations. A quoi ça peut servir, à mon âge ? Disons qu'on peut bien s'offrir quelque chose de beau quand même. Ça cache au moins un peu la vue sur la rue. Mais buvez votre thé d'abord, rien ne presse. Quand on arrive à mon âge, le temps ne compte plus du tout. Même si ma sœur n'est pas du même avis que moi. Elle compte les jours qu'il reste à vivre à son mari, elle est persuadée qu'elle mourra juste après lui. Mais je n'en suis pas si sûre, ils ont des enfants. Adultes, c'est vrai. Je comprends que ce que je vous dis vous intéresse énormément.

Sidner regarda son sourire las et ironique.

— Le pire, monsieur Sidner, c'est que je n'ai rien à vous raconter, car je suppose que ce n'est pas pour moi que vous avez fait tout ce voyage ? Oui, oui. Si vous saviez comme je vous ai maudit. Votre père plus exactement. Mr. Aron !

— Je comprends cela, madame Winther.

— Si Tessa et lui n'avaient pas… Mais c'est égal. Je ne suis pas amère, mais je ne me suis jamais plu à Wellington. Je n'y ai pratiquement pas fait de connaissances. C'était à Taihape que je me sentais chez moi. A la campagne. Tenez, une chose comme de faire la lessive, ici en ville ! Même si c'est pratique avec leurs machines modernes. Mais ça ne devient jamais *propre*. Trop de voitures et de poussière de charbon. Et encore, il paraît que c'est pire à Auckland.

— Où se trouve-t-elle maintenant ? Vit-elle toujours ?

Mrs. Winther leva les bras.

— Il aurait peut-être mieux valu que je vous renvoie vos lettres ou que je vous écrive moi-même !

Mais il faut que vous compreniez que j'ai mis très longtemps à me remettre. Car ils m'ont chassée ! C'est le seul mot qui convienne. J'ai souffert longtemps des nerfs. Si je n'avais pas eu ma sœur... Mais je ne pouvais pas l'importuner à l'infini. Et sans cesse ces lamentations et ces discussions sur la maladie. Médicaments par-ci et ce que le docteur Farell a dit hier par-là. Même si je crois qu'en fait il n'avait rien dit et qu'elle inventait ce qu'elle aurait aimé entendre. Car il n'y a rien à faire pour mon beau-frère. Ce sera bientôt la fin. Quelques mois tout au plus. Encore un peu de thé ?

Il ne lui restait plus qu'à boire jusqu'à ce qu'elle lui donnât des renseignements, alors il avança sa tasse.

— Je pense qu'il vaudrait mieux qu'il soit à l'hôpital, mais ma sœur ne veut rien entendre.

— Tessa a-t-elle jamais su que papa était mort ?

— Je n'en sais rien. J'ai envoyé votre télégramme à mes amis chez qui elle habitait, je crois. Si, je l'ai fait. Mais je n'ai reçu aucune lettre pendant longtemps.

— Je suis tombé malade moi-même. Je suis resté très longtemps à l'hôpital. Et puis il y a eu la guerre.

— C'est vrai. La guerre faisait qu'on avait autre chose en tête. Même si ici sur l'île nous avons été épargnés, nombreux furent ceux qui partirent pour l'Europe ou l'Australie ou Dieu sait où. Le mari de la famille chez qui Tessa habitait fut l'un de ceux-là. Il a été formé comme pilote, et s'est écrasé au-dessus de l'Allemagne. Sa femme et ses enfants sont partis je ne sais où. Et Tessa ! Tout cela s'est passé il y a si longtemps, et après tout elle n'était qu'une de mes clientes à la poste. Tout le monde changeait de coin. Tout le monde avait ses soucis, et ils m'en glissaient un mot par-dessus le comptoir, parce que tout n'était pas rose à la maison. Mais on ne peut pas suffire à tout le monde.

— Et son frère ?

— La guerre aussi. Qu'est-ce que je sais. Pensez-vous que j'aurais la force de m'intéresser à un être aussi vil ? Aussi bien lui que Tessa doivent être morts maintenant. Elle s'est probablement tuée. Je veux dire… n'ai-je pas écrit qu'elle avait été complètement transformée. En sorcière. Ne vous l'ai-je pas écrit ?

— Si.

— C'était atroce. Elle qui était si belle. Si cultivée. Mrs. Winther se redressa. Pensez-vous que ce soit la religion qui rend les gens si vils ?

— Je ne sais pas. La religion peut avoir beaucoup d'aspects.

— Pas ici. La religion déforme les gens, leur fait l'esprit étroit et les rend avares. Je suis contente d'avoir échappé à ces gens-là. Il vaut peut-être mieux vivre ici, à Wellington, après tout, la ville est plus grande. Allez-vous-en d'ici dès que vous le pourrez, jeune homme.

— Mais je dois… J'ai une dette à régler.

— Balivernes ! La couleur des joues de Mrs. Winther se fit plus sombre et ses mains se mirent à trembler. Si ça n'avait pas été votre père, ç'aurait été quelqu'un d'autre. Elle était certainement prédisposée à la maladie. Elle avait déjà été obligée de se courber devant son frère. C'était un diable. Moi, je pense que c'est à cause de la religion ! Etes-vous très religieux en Suède ? C'est un pays froid, n'est-ce pas ?

Ici, nous avions peur des Japonais. Ils ne sont jamais arrivés jusqu'ici, mais nous avons envoyé des quantités d'hommes. Beaucoup sont morts sur les îles, aux Fidji et à Nausea. Je m'imagine très bien quel genre de soldat il est devenu, le frère de Tessa. Peut-être est-il devenu un héros, pour ce que ça veut dire. Ce doit être ça les héros : des gens qui ont enfin le droit de tuer, après en avoir rêvé toute leur vie. Beaucoup de fermes se sont retrouvées vides. Tessa a dû hériter œ la sienne, je me demande qui s'en est occupé.

— Pourquoi pensez-vous qu'elle est morte ?

Mrs. Winther serra ses mains sur ses genoux et regarda Sidner avec des yeux de plus en plus grands :

— Sinon elle aurait au moins… Mon nom se trouve quand même dans l'annuaire.

Les pentes vertes autour du bureau de poste de Tai-hape étaient couvertes d'herbe rase, ces moutons broutaient à flanc de colline, un coq chantait dans une ferme de la montagne, un tracteur passait sur la route. La journée était claire et fraîche, la rosée n'avait pas encore quitté le jardin qui entourait la poste.

La femme qui y travaillait était jeune et sourit à Sidner comme s'ils s'étaient connus, mais Sidner ne sut lui rendre son sourire, il regardait nerveusement autour de lui pour le cas où une sorcière serait entrée comme une bourrasque, pieds nus et les cheveux au vent, les ongles recourbés et vêtue d'habits mal soignés. Il s'attendait à entendre une chanson.

— Je ne travaille ici que depuis quelques mois. Je n'ai guère appris à connaître les gens du coin. Personne de ce nom ne figure dans nos listes non plus. D'où êtes-vous ?

— De Suède.

— Oh, et la Nouvelle-Zélande vous plaît ?

— Je viens d'arriver.

— Pour voir quelqu'un ? Ça fait un long voyage.

— Le plus long qu'on puisse faire. Savez-vous à qui je pourrais m'adresser ?

— Allez voir Mr. Johnstone, de l'autre côté de la route. Il a vécu ici toute sa vie. Sauf pendant la guerre. Seules les femmes sont restées ici. D'après ce que j'ai entendu dire.

Dans le jardin de Mr. Johnstone les arbres fruitiers étaient en fleurs, une tondeuse à gazon restait abandonnée près d'une plate-bande, l'homme lui-même était assis sous la véranda et lisait le journal.

— Excusez-moi de vous déranger.

Mr. Johnstone se leva à moitié de sa chaise ; un homme d'environ soixante-dix ans, visage bourru, barbe de deux jours, yeux durs.

— Je cherche une dame, Tessa Schneideman, son frère s'appelait Robert. Je viens de Suède.

— Gothenburg, dit Mr. Johnstone. Vous n'avez pas participé à la guerre, vous.

— Nous avons eu le bonheur d'y échapper.

— Mais vous avez laissé les Allemands traverser.

— Je suppose que nous y étions obligés.

— Obligés ! cracha-t-il. C'est nous qui avons encaissé les coups. Moi, je me suis retrouvé en Allemagne. Prisonnier. Libéré il y a six mois. Il montra sa jambe. Une prothèse. Souvenir de cette époque. Je vais vous dire que rien qu'ici, sur cinq cents habitants, douze sont partis, trois ont survécu, Robert est l'un de ceux qui sont morts. Un bagarreur de première. Le plus grand fermier du village. Vous avez connu Tessa ?

— Je ne l'ai jamais vue.

— Je comprends bien, vous êtes jeune. Oui, ça a été vachement dommage pour une aussi belle ferme. Vous voulez boire quelque chose ?

Sidner secoua la tête.

— Tant mieux. J'ai à peine la force d'aller à la cuisine. Il possédait deux mille moutons avant de s'engager. Ouais, saloperie de guerre.

— Alors la ferme n'existe plus ?

— Existe plus, si on veut. Des jeunes de Wellington viennent ici pour se faire de l'argent.

Ils connaissent rien à l'agriculture. La Tessa, elle a dû avoir pas mal d'argent, mais pour ce à quoi ça a bien pu lui servir.

— Je crains de ne pas comprendre.

Sidner se dandinait d'un pied sur l'autre sur l'escalier mais Johnstone ne l'invitait pas à approcher.

— Ça ne me regarde pas pourquoi vous vous renseignez sur elle, mais… Il fit un geste du doigt contre sa tempe. Elle est devenue complètement cinglée. Robert a vécu un enfer avec elle. Et puis la guerre ensuite. Il avait trouvé quelqu'un pour s'occuper des animaux mais ce n'était pas pareil. Si Tessa avait été en bonne santé, elle aurait été capable de s'en occuper. Il y en a plus d'une de femme qui a dû prendre la relève quand les hommes sont partis. Nous étions cent mille ! Nous nous sommes battus dans les îles, et en Europe, pour contribuer.

— J'ai lu un peu là-dessus.

— Lu ! cracha-t-il une nouvelle fois en faisant un geste vers le journal. Bêtises et conneries ce qu'ils écrivent. Ils restent assis le cul sur une chaise et ils regardent. Non, vous n'avez pas participé, vous.

— Je suis resté cantonné à la frontière norvégienne pendant deux ans.

— La frontière, ouais. Ça, ce n'est pas participer. Moi, je me suis battu.

Une nouvelle fois il montra sa jambe, sa fierté, son identité.

— Vous avez laissé les Allemands…

— Vous ne pouvez pas me blâmer pour ça, moi.

— Non, non. Mais en sous-entendant qu'il aurait très bien pu le faire quand même.

— Savez-vous où se trouve Tessa maintenant ?

— Non, et cela ne m'intéresse pas non plus. Se balader à moitié nue… Nous sommes des gens décents dans ce pays. Ça n'a été facile pour personne de l'abandonner pour aller faire la guerre. Mais nous l'avons fait de notre plein gré. Beaucoup d'entre nous. Ça n'a pas été facile pour Robert.

— Racontez-moi ce qui s'est passé.

— Quoi, racontez ! Mr. Johnstone regarda dans les trois époques, les trois horizons puis se retrouva dans son présent éternel. On ne pouvait pas se fier aux Japonais, même s'ils avaient dit qu'ils ne viendraient jamais ici. Mais quand ils ont bombardé Nausea, on a compris que ça sentait le roussi. Nous étions cinq d'ici à prendre l'autocar pour Auckland. Trop vieux qu'ils nous ont dit mais on n'en a pas démordu. C'est comme ça qu'on est arrivés en Angleterre.

— Je voulais dire…

— Vous qui n'avez pas participé, vous ne pourrez jamais comprendre. Seul celui qui s'est fait tirer dessus par les Allemands – ou les Japonais aussi d'ailleurs – sait ce que vivre veut dire, n'est-ce pas ?

— Oui, mais…

Comme si Johnstone avait été encouragé par l'approbation de Sidner, il se pencha en avant.

— Ecoutez, vous n'êtes pas un salaud de voleur hein ? Même si vous êtes suédois – il rit, gêné, comme s'il avait voulu plaisanter – entrez par la porte là, dans une armoire à gauche, il y a une bouteille de whisky. Apportez deux verres.

— Je ne bois pas.

— Mais si, vous buvez. Tous les hommes boivent. Vous habitez quelque part ?

— J'ai loué une chambre près de l'arrêt de l'autocar.

— Mrs. Finney. Une mégère. Mais ça ne regarde que nous qui habitons ici. Allez chercher ce whisky maintenant. Voilà. Versez ! Toi aussi. Ah bon ? Non, vous autres Suédois vous ne voulez jamais participer quand il faut. Comme à Rotterdam. C'était en automne quarante-trois…

Lorsque la nuit commença à s'épaissir autour de la cigarette rougeoyante de Mr. Johnstone, celui-ci finit quand même par relâcher un peu la prise solide qu'il serrait sur l'attention de Sidner.

— J'ai droit à une pension pour ma jambe. Je m'en sors bien. Mais ça ne doit pas vous intéresser ?

— Mais si, dit Sidner.

— Ce n'est pas vrai. Il n'y a que Tessa qui vous intéresse. Et je vais vous dire une chose. Elle n'a jamais été à sa place ici. Elle s'imaginait être supérieure. Elle lisait des livres. Des poèmes ! cracha-t-il loin dans le jardin.

Robert s'est débarrassé de toute la merde qu'elle avait laissée quand elle… A ta santé, Suédois. Mais les moutons. Tu crois qu'elle s'en souciait ? Ces mains-là n'avaient certainement jamais vraiment travaillé. Elle jouait à la demoiselle. Mais fichtrement belle, avant en tout cas.

— Avant quoi ?

— Elle restait assise près de la route et elle chantait, elle se baladait ici comme un de ces salopards de Maoris et elle entendait des voix, dégueulasse ! Il vida son verre dans le trou noir de son gosier et répéta : Dégueulasse. Heureusement qu'ils l'ont changée d'endroit et qu'on n'avait plus à voir cette horreur. C'est une vieille qu'était à la poste qui l'a emmenée plus loin dans les montagnes, ensuite je ne sais pas ce qui s'est passé. A part que la ferme a été vendue quand Robert a été tué. Un agent immobilier est venu un jour avec ces jeunes coqs de Wellington. Boswell, je crois qu'il s'appelait. Boswell et Fils.

Trois jours plus tard Sidner ouvrait la porte d'une église d'un quartier d'habitation de Wellington et trouvait ainsi à s'abriter du vent violent. Quelques personnes formaient des groupes assis par terre et qui écoutaient le prêtre en chaire :

— Alors Hérode décida le recensement de tous les enfants de moins de deux ans. A cette époque il y avait une femme du nom de Marie, elle était enceinte, et comme Joseph, son mari, était de Bethléem, ils s'y rendirent afin de s'y faire dénombrer.

— Non, non, non, cria l'un des hommes par terre.

Le prêtre referma son livre, descendit et se mit à contempler la chaire en gardant ses mains dans les poches, une discussion suivit que Sidner ne put distinguer puis, joignant leurs forces, ils poussèrent la chaire plus loin vers le milieu.

— Et lorsque ce fut le jour de Noël ils se trouvèrent à Bethléem et beaucoup de gens avec eux, de sorte que toutes les auberges étaient pleines et qu'ils ne trouvèrent d'autre place que dans une étable.

— Non, ça ne va pas, dit en se grattant la tête un homme qui gardait à la bouche une pipe éteinte. Il faut essayer par ici.

Sidner s'assit sur un banc, ils poussèrent la chaire si près de lui qu'il se retrouva juste en dessous. Le prêtre reprit :

— Et il y avait en Orient trois mages qui virent un astre dans le ciel et décidèrent de le suivre. Ils s'appelaient Gaspard, Melchior et Balthazar, ils étaient rois de l'Orient et un ange leur avait dit...

— C'est un peu mieux, quoique...

La chaire glissa encore un peu plus près de Sidner.

— Et ils entrèrent dans l'étable auprès de Marie et de Joseph et leur apportèrent comme présents de la myrrhe, de l'encens et de l'or et Marie se réjouit en son cœur.

— C'est bon. En tout cas quand tu parles fort. Essaie sur un autre ton.

— Prions, dit le Seigneur. Notre Père qui êtes aux cieux, que votre nom soit sanctifié, que votre règne arrive, ça s'entend aussi ? Que votre volonté soit faite sur la terre... Puis il se pencha au-dessus de la balustrade. Tu m'entends bien ?

— Oui, dit Sidner.

— Quand je dis la prière aussi ? Donnez-nous aujourd'hui notre pain quotidien, O K. ? Il tendit son visage vers ceux de l'assemblée :

— Alors on fixe l'endroit ici, *boys* ! Amen.

L'homme à la pipe éteinte sortit une craie de sa poche et traça un contour autour de la base.

— Mais ça cache la fenêtre, ça fait un contre-jour.

— On ne peut pas tout avoir à la fois, dit le prêtre en sortant un peigne pour se recoiffer les cheveux en arrière. Il descendit mais trébucha sur un pot de peinture, en renversa sur son pantalon noir. Mer… pardon. Il regarda autour de lui dans l'église, enleva rapidement son pantalon :

— De la térébenthine ? Est-ce qu'il y a des chiffons ?

Il s'assit à côté de Sidner et commença à frotter son pantalon.

— Tu n'as pas trouvé qu'il y avait trop d'écho ?

— Ça m'a paru excellent.

— C'est l'écho qui est énervant. On doit parler si lentement, et l'écho ça fait comme… oui, ça fiche tout en l'air, tout simplement. Je ne t'ai jamais vu auparavant, tu ne fais pas partie de mes brebis, dis-moi ?

— J'ai appris par le préposé aux registres d'état civil que vous étiez ici et j'ai besoin d'aide pour quelque chose.

— Bien sûr, bien sûr. Pourvu seulement que j'y arrive. Je ne devrais pas travailler avec ces habits. Alors vous pensez que ça ira ? Nous remettons l'église entièrement à neuf. Nous avons un nouvel orgue aussi. Joli timbre, disent ceux qui s'y connaissent.

— Puis-je l'essayer ?

— Eh bien dis donc ! Vas-y. Tout le monde doit se sentir chez lui ici.

> Gloire à Dieu au plus haut des cieux
> et sur la terre paix aux hommes
> objets de sa complaisance !

La voix forte et solide de Sidner emplit l'église. Comme cela faisait longtemps qu'il ne s'en était pas servi ! Quelle portée elle avait ! Profitant de l'inspiration, il continua par *Dieu seul aux cieux*. Le prêtre se tenait à côté de lui, le pantalon et le chiffon imbibé de térébenthine à la main, mais il les fourra sous l'aisselle pour lancer un applaudissement lorsque Sidner, après un long et puissant morceau post-ludium de Bach, coupa le courant.

— Mais ce n'était pas mal du tout, ça. En quelle langue chantiez-vous ?

— En suédois.

— Ah bon. J'aurais dû m'en douter. Il nous faudrait un homme comme vous ici dans cette église. Pour mettre un peu d'entrain dans le jeu musical. Ça n'a rien à voir avec la dame qui joue pour nous, je ne la blâme pas, mais elle n'est pas compétente, l'organiste précédent est mort pendant la guerre. Il montra son pantalon à Sidner. Tout neuf. Ça m'apprendra à vouloir jouer les beaux. Je m'appelle Eliot, Stephen Eliot. Nous allons inaugurer cette demeure du Seigneur vers Noël. Vous aimez l'odeur de la térébenthine ?

— Ça, c'est de la térébenthine de balsa, elle sent bon. J'ai toujours travaillé dans les peintures et les choses comme ça.

— Vous n'êtes donc pas un organiste en rupture de ban ?

— J'ai joué comme remplaçant.

— Ah bon ? Et vous avez besoin de mon aide ?

— Il s'agit d'une question purement pratique. Qui n'a rien à voir avec l'âme.

— C'est ce que vous pensez. Peut-on se montrer dans un pantalon comme ça ? Oui, on peut, répondit-il lui-même avant de l'enfiler et d'indiquer la porte pour sortir.

Le pasteur Stephen Eliot feuilleta un moment les registres d'état civil :

— L'agent immobilier a raison. La voici. Tessa Schneideman est venue ici il y a six ans. A épousé un certain Charles Blake l'année dernière.

— Ce n'est pas possible, dit Sidner.

— C'est écrit ici. Regardez vous-même. Charles Blake et Tessa Schneideman. Habitent Glenbervie Street. C'est donc une mauvaise nouvelle que je vous donne. Vous êtes amoureux d'elle ?

— Je ne l'ai jamais rencontrée, dit Sidner.

— Vous voulez du thé ou un verre d'eau ?

— L'histoire est tellement longue et compliquée, dit Sidner. En fait c'était mon père qui la connaissait, ils correspondaient – c'était avant la guerre, elle et lui formaient des projets ensemble, mais il est mort et elle n'a pas supporté, d'après ce que j'ai appris, la déception de ne pas l'avoir rencontré, elle est devenue folle.

Je croyais que j'aurais pu servir à quelque chose, continua-t-il en retirant son auréole de saint, en arrachant ses cheveux, sa peau. Que c'était froid d'être un squelette !

Un enfant était apparu à la porte et le regardait, il cacha son visage dans les mains pour ne pas faire peur au gamin.

— Maman demande si tu seras absent encore ce soir ?

— Je crains que oui. Viens me faire un câlin.

— Tu n'es jamais à la maison.

— Demain je reste à la maison, je te le promets. Va chercher un verre d'eau, s'il te plaît.

Sidner eut honte et, tandis que l'enfant partait, il remit tout en hâte : sa peau, ses cheveux et une sorte de sourire dont il n'était pas sûr qu'en fait il fût le sien. Rien n'allait plus, tout était distendu, les doigts flottaient dans le gant de peau.

— Vous avez beaucoup d'enfants ?

— Trois.

— J'en ai un, dit Sidner. Huit ans.

— Ça aussi, c'est un âge sensible, dit Stephen Eliot. Ils ont une telle curiosité, ils *croient* en la vie, ils croient en nous, les adultes.

Il marcha vers la fenêtre et regarda dehors, puis soudain se retourna vers Sidner.

— Comme il est court, cet âge de foi. Beaucoup n'ont même pas le temps d'y séjourner pendant les premiers mois de leur vie. C'est pourtant la période la plus importante, celle où l'on établit des fondations de la maison qui sera leur vie. Les enfants sont comme des œufs qui vacillent au bord d'une marche d'escalier. Pourquoi sommes-nous si négligents avec les enfants ? Pourquoi leur donnons-nous si rarement le temps de *croire* ? Pendant que ça leur est possible. Avant qu'une circulation trop intense vienne leur troubler le regard. C'est bien, Paul, s'interrompit-il, donne le verre à ce monsieur. Il vient de Suède. Sais-tu où ça se trouve ?

— De l'autre côté de la terre.

Sidner but et se rafraîchit, l'eau emplit tous les recoins de son épiderme desséché, le fit plus souple sur son squelette.

— Mon fils est là-bas et il a ton âge.

— Comment il s'appelle ?

— Victor.

— Et son chien, comment il s'appelle ?

— Il n'en a pas. Et le tien, comment l'as-tu appelé ?

— Winston. C'est un caniche.

— Je devrais peut-être en offrir un à mon fils, comme ça les deux chiens pourraient parler ensemble, en aboyant à travers la terre.

Sidner regarda dans la corbeille à papiers. De vieux journaux, des enveloppes, quelques trognons de pommes, un paquet de cigarettes vide. Deux mouches sur les trognons de pommes. Il y avait aussi un plat avec des pommes sur la table, la table était propre et brillante, il se trouvait de l'autre côté de la terre et constatait qu'ici aussi une table restait sur ses pieds sans tomber dans l'espace.

— Que vais-je faire maintenant que vous avez transformé ce voyage en un fiasco total ? Ces dernières années ont été fondées sur de faux espoirs, c'est-à-dire l'espoir qu'elle soit folle. N'est-ce pas cruel ?

— La vie n'est pas statique. Tessa n'est pas nécessairement saine d'esprit parce qu'elle s'est mariée. A moins que tu ne sois venu ici pour l'épouser ? La raison pour laquelle je suis prêtre est peut-être la même : nous voulons aider. Ensuite les gens n'ont pas besoin de votre aide, on se retrouve là et on ne sait pas quoi faire d'autre. Si, la guerre. La guerre est d'excellent secours pour les prêtres qui doutent. Consoler des veuves, maintenir en vie des espoirs pendant que la guerre faisait rage en Europe. Ce soir je vais vous passer des diapositives de Crète. Pas de soldats sur les photos, que des ruines, des genêts et la vie populaire. Amuseur, divertisseur.

— Elle m'a "trahi" en devenant normale. Comme si ma propre bonne santé avait dépendu de sa maladie. Oui, c'est comme si elle m'avait frustré de la seule chose où je pouvais me mettre moi-même en valeur : venir à son côté, la guider jusqu'à la lumière. Mais comment peut-on guider quelqu'un qui s'y trouve déjà ?

— C'est donc cela que tu as pensé de toi ?

— Cela et rien d'autre. Je n'ai rien à faire parmi les gens en bonne santé. Ce sont eux qui s'occupent de moi. Que vais-je faire ?

— Tu as certainement déjà crié cela auparavant. Sans espérer de réponse ! Tu vas aller la voir, bien entendu.

— On ne peut pas arriver chez quelqu'un comme ça, sans prévenir…

— Cela dépend de ce que l'on demande. Tu demandes que ta question trouve une résonance. Tu crains que cette femme ne soit une partie de toi, tout comme tu es une partie d'elle-même. Et tu espères qu'il en soit ainsi. Voilà ce que je crois, dit Stephen Eliot en se levant de son bureau. Il gagna la fenêtre, regarda la mer.

— C'est facile pour vous qui pouvez croire.

— Bah, dit Stephen Eliot. La religion n'est pas ce que croient les gens.

— C'est elle, là-bas !

Le parc de l'hôpital était plein de fauteuils roulants. Il en avait l'habitude maintenant ; il en avait vu beaucoup au cours de ses promenades : dans les jardins ombragés ou en groupes sur les trottoirs. La guerre était terminée mais ici elle continuait dans des cauchemars et des douleurs. Pour beaucoup de ces infirmes elle ne cesserait jamais. L'histoire de chacun est toujours la plus importante. Maintenant c'était le matin et l'on roulait les fauteuils hors du grand bâtiment blanc pour les mettre à l'ombre des arbres, pour aérer les patients. Ici des plates-bandes odorantes, là un bassin et quelques canards.

— C'est celle qui est à genoux, là-bas !

A mi-chemin il s'arrêta. Une sorte de voyage allait prendre fin maintenant, une attente de huit ans allait cesser. Il y avait un banc non loin d'elle. Il s'y assit, essaya de décoller la langue de son palais. Lorsqu'il lui aurait parlé, il allait être obligé de trouver un nouveau but à sa vie. Un nouveau voyage, un nouveau point. Il avait retardé la plupart des décisions mais promis à Stephen Eliot de rester pour

jouer dans son église. Cela assurerait sa subsis-
tance, lui laisserait du temps pour voyager un peu,
du temps pour penser.

Elle était à genoux près de l'un des fauteuils roulants et nourrissait un patient. Il ne pouvait pas voir
son visage. Seulement un long bras nu qui par moments s'approchait de la bouche de l'homme dont
la tête était entourée d'un pansement, une sorte de
turban, qui cachait le souvenir d'une catastrophe ?

— Allons, monsieur Bly, ne faites pas le difficile
maintenant. Ouvrez la bouche. N'allez pas encore
une fois refuser de manger. Un peu d'eau.

— Vous allez si vite.

— D'autres patients que vous ont besoin d'aide.

Ses genoux, son profil. Elle tourna la tête vers
lui. Il recula, comme s'il avait eu peur qu'elle le
reconnaisse. Il avait l'impression de lui transpercer
la peau avec ses regards.

C'était injuste de faire ainsi irruption dans la vie
de quelqu'un. Il allait retourner à la pension de
famille et glisser le bijou dans une lettre. Quelques
mots brefs, sur la culpabilité qu'il avait ressentie
toutes ces années. Il allait signer avec son adresse.
Si jamais elle voulait.

Il était si près. Et il frissonna. Tendre la main et
toucher son épaule. Enfin jeter un pont au-dessus
d'un monde de rêves. Culpabilité. Expier son crime.
Au fond, n'était-ce pas une sorte de chantage qu'il
avait essayé de faire ? Me voilà qui débarque avec
le bijou d'amour. Il se souvint de la première fois
où il l'avait tenu dans sa main.

"Désormais plus rien ici ne m'appartient, tout est auprès de toi."

Près de la commode dans la chambre. Les bougies, et le bateau de diamant qui scintillait dans la chaleur.

Cette impolitesse ! La contempler ainsi dans tous ses détails. Mais avec quels yeux regardait-il ? Avec ceux d'Aron ? Avec les siens ? Mais qu'est-ce que cela veut dire ? Sont-ce les yeux du besoin ou ceux du rêve ? Les yeux érotiques, ceux de l'enfant ou du vengeur ?

Il sentit que ses doigts tremblaient.

— Monsieur Bly. Allons. Encore quelques cuillerées. Je suis obligée de vous presser.

Soudain elle se tourna droit vers lui. Elle ne sourit pas. Elle enfonça ses yeux dans les siens, un instant, comme si brusquement elle avait pris conscience de son regard insistant.

Des vagues de chaleur tremblaient autour d'elle, dissolvant ses contours. D'ici peu elle allait s'enflammer. Tous les mots qu'il avait amenés ici avec lui enflaient dans sa bouche et ne savaient plus franchir ses lèvres. "Pourrais-je avoir un peu d'eau ?" Elle lui tendit un verre. Son alliance fut agrandie à travers l'eau. Ses ongles étaient longs et soignés, un petit duvet sur les phalanges. L'eau éteignit le feu. "Merci." Il se leva et s'éloigna rapidement.

Cette nuit-là, un poisson nagea dans la tête de Sidner. Il faisait de petits mouvements avec sa queue et l'obscurité tourbillonnait. Il venait gober près des yeux et des oreilles de Sidner allongé sur le dos, bouche entrouverte. Et le poisson, comme calme et méditatif, s'y glissait et frôlait le bout des dents, allait s'arrêter, la bouche enfouie entre langue et palais. Le poisson resta calme, bercé par la houle tranquille de la respiration, puis tressaillit et disparut dans le gosier, frôla les parois des artères, fit un bond dans le cœur, ce qui réveilla Sidner.

Beaucoup de patients et de visiteurs portaient des vêtements civils. Il n'éveillait aucune attention là où il allait s'asseoir. Plusieurs fois il partagea son banc avec d'autres. Un homme posa ses béquilles à côté de Sidner et raconta qu'il avait été stationné en Inde. A Bombay. "Je m'occupais du ravitaillement. Il y avait un gâchis terrible. Un jour on a reçu toute une cargaison de jambon. On l'a déchargé et personne n'est venu le chercher. Nous montions la garde autour pour que personne ne puisse le voler. Nous avons téléphoné. Mais les téléphones ne fonctionnaient pas. Il faisait une chaleur insupportable, le jambon a pourri. Des gens maigres et misérables venaient et nous suppliaient de leur en donner, nous les avons menacés de leur tirer dessus. C'était vraiment dégueulasse à voir. Mais qu'est-ce qu'on pouvait faire ? Les mouches sont arrivées. Les rats. Finalement on a été obligés de tout jeter à la mer."

On apercevait l'infirmière Tessa entre les arbres, poussant un fauteuil roulant. Elle marchait vite et tête haute. Qu'est-ce que cela signifiait ? Ça ne signifiait rien. Ça signifiait peut-être qu'elle était une bonne infirmière qui accomplissait bien toutes ses tâches. Elle mettait un oreiller derrière la tête d'un patient, lui tenait la main, peut-être prenait-elle le pouls. La chaleur tremblotait autour d'elle. Les béquilles tombèrent du banc. Un livre. C'était *Crime et Châtiment.* "Tu l'as lu ?" Sidner fit oui de la tête. Là-bas, l'infirmière Tessa faisait aussi oui de la tête, tirait le fauteuil roulant sous un arbre puis hochait une nouvelle fois la tête avant de disparaître dans le bâtiment. Ombre et lumière du soleil. "Je n'ai pas été obligé de tuer, dit son voisin de banc. Ceux qui l'ont fait disent toujours que c'est le premier le pire. Et toi ?" "Non, je n'ai pas été obligé non plus." "Qu'est-ce que tu faisais ?" "J'étais cuisinier. Ils estimaient que j'étais incapable de faire autre chose. J'avais eu un grain dans la tête, on m'avait envoyé en asile, mais c'était une bonne époque." "Parce que tu ne supportais pas l'idée de… ?" "Non, ça, c'était avant la guerre. Et je suis suédois, nous n'avons pas participé. Si tu veux bien m'excuser." "Bien sûr… Je sais qu'il y en a beaucoup qui en veulent à la Suède."

Tessa ressortait maintenant avec un plateau couvert de médicaments. Elle alla d'un patient à un autre, distribuant des comprimés, elle s'approcha, regarda Sidner, fronça les sourcils, donna quelques comprimés à son voisin. Elle se pencha en avant. Sa blouse montait haut devant son cou. "Hélas, vous n'aurez rien, vous n'êtes pas dans mon service." "Je tombe amoureux de toutes les infirmières. Quand elles s'approchent. Enfin, peut-être pas de Tessa.

Mais des autres." "Pourquoi, qu'est-ce qui ne colle pas avec elle ?" "Non, non, tout va bien. Mais… je ne sais pas. D'ailleurs, elle est mariée à un infirme comme nous."

L'après-midi, on servait le thé. On sortait un gros chariot avec des Thermos et ceux qui étaient en mesure de marcher aidaient ceux qui devaient rester assis. Les infirmières buvaient aussi, elles se rassemblaient sur les marches d'où elles pouvaient surveiller tout le parc. Un médecin se montrait aussi, de temps en temps. Comme une bande de mouettes bruyantes elles tournoyaient sur l'escalier… seule Tessa… ? Non, il ne fallait pas qu'il s'imagine des choses. Elle aussi riait : comme un coup de vent qui passait brusquement sur son visage. Sidner aussi buvait du thé – comme quelqu'un qui s'efforce d'atteindre l'état de patient – ne fallait pas qu'il s'imagine qu'elle… qu'il y avait une faille par où il pourrait entrer.

Tessa finissait vers cinq heures. Il la suivait de loin. Elle marchait plus lentement maintenant qu'elle était en civil, un sac à main pendait à son bras. Elle s'arrêtait souvent, regardait une vitrine encore pauvre en marchandises, elle se passait rapidement la main dans les cheveux. Elle entra dans la boutique d'un photographe, à travers la vitrine il la vit mettre des photos développées dans un sac. Il voulut voir ces photos. Pour voir *quelque chose* qui appartenait à ses yeux. Avait-elle beaucoup d'amis ? Il ne la voyait jamais saluer quelqu'un. Cela la rendait-il "possible" ? Son appartement était situé au premier étage d'un immeuble. Même de la rue on voyait la mer. Une fois, il était entré dans la cage d'escalier, mais une voisine était sortie et lui avait dit que Mrs. Blake travaillait à l'hôpital toute la journée. Il n'avait pas eu à monter... Chargée de provisions elle disparut dans l'immeuble : quelles images l'y attendaient ?

Elle aide son mari à sortir dans le jardin derrière la maison : il marche avec des béquilles. Elle porte un appareil-photo et un pied, le place devant lui. Elle lui caresse les cheveux, elle rentre. L'homme dirige l'appareil-photo vers les nuages, ils viennent de la mer, de gros nuages lourds qui roulent sur Wellington. Les nuages changent d'aspect et de forme. Ils se dissolvent, ils se contractent, leur inconstance n'en finit jamais, l'homme étale un tissu noir par-dessus sa tête, s'unit avec l'appareil, la matinée devient après-midi, le vent fait voleter le tissu noir. A un balcon, une femme secoue un tapis, le facteur arrive, traverse la pelouse pour passer chez les voisins, il dit bonjour au tissu, le tissu ne répond pas. Une image apparaîtra peut-être si l'on sait être patient. Un marchand de poisson ambulant s'arrête et ouvre son étal, les femmes sortent, on soulève les poissons brillants, les pose dans des paniers. Conversations, des voix hautes, des voix basses, certains des poissons tressautent, le vent forcit : ce n'est pas ça l'image. Les jours passent, Tessa Blake sort et soulève le tissu, une querelle... ? Une discussion persuasive ? Quelque chose à propos du repas ou l'image ?

Les jours passent. Le vent forcit toujours, la mer grossit, il y a de grandes vagues maintenant, la mer est grise, la pluie aussi. Sidner guette au coin de la maison. Tessa Blake sort, elle soutient son mari, il s'installe, elle lui caresse la tête, les jours passent, le tissu noir unit l'homme et l'appareil-photo.

A l'ombre de cette ignorance sur Tessa – il n'arrivait plus à l'entourer de ses fantasmes – Sidner ressentait un soulagement inquiétant : il avait le temps. Car n'avait-il pas craint plus que tout le vide après la rencontre avec Tessa Schneideman-Blake ? Que faire après ? Bien sûr, adulte, libre. Le monde ouvert de tous côtés. Il repensait aux patinoires de son pays, où "les autres" patinaient. En avant, en arrière, une jambe en l'air, imitant les patineurs artistiques, les filles copiant Sonja Henie. Des rencontres, des rires qui voletaient comme la neige granuleuse. Pour le rêve de Solveig il avait appris à jouer. Pour le rêve de Fanny il était devenu père. Pour le rêve de Tessa il avait appris l'anglais et atterri de l'autre côté de la terre. Mais derrière ces rêves ? Avait-il jamais vécu "à ses propres conditions" ? Non. Mais en ce moment il avait un répit. Il dormait mieux la nuit et les fenêtres ouvertes s'illuminant en éclairs appelant au suicide étaient devenues plus lointaines, plus silencieuses. Il n'était pas prêt à mourir. Car ce voyage était devenu une conjuration contre la mort. Terminer les possibilités de la vie "donnée". Puis : la vie posthume. Mais le cas de sa vie n'était pas réglé, la mission restait inaccomplie. Car Tessa se trouvait pour un moment encore entre la mort et lui. Ici il était à l'abri ! Il ne fallait pas la faire disparaître.

— Qui ? demanda Stephen Eliot en retirant une ampoule de sa bouche. Ils étaient assis tout en haut du clocher de l'église, chacun sur une poutre, et arrangeaient l'éclairage. Dehors, un vent violent soufflait et le clocher vibrait. L'habit de prêtre de Stephen, pendant de chaque côté de la poutre, le faisait ressembler à un corbeau. Sidner poussa vers lui le rouleau de fil électrique tandis que la lampe torche accrochée quelques niveaux plus bas se balançait et balayait de son cône de lumière les parties basses du clocher. Ah, dit-il, ta *princesse lointaine** ?

— Je ne parle pas français. C'est toi qui as le tournevis ? Stephen se pencha sur la poutre et le lui tendit.

— Tu connais cette chanson :

When the days are long in May
Fair to me are the songs of birds afar.
And when I am parted with her
I remember of a love afar
And I go with a mind so gloomy and so bowed down
That no song or white torn flower
Pleases me more than the winter's cold
Never more will I take joy of love
Unless it be of this love afar,

* En français dans le texte. (*N.d.T.*)

423

For a nobler and Fairer I know not of
In any place either near or far.

— Que c'est beau ! s'exclama Sidner.

— C'est répugnant, cria Stephen. C'était un
prince du Blayais, Geoffroy Rudel, qui la chantait
pour sa *princesse lointaine*, la dame qui dit toujours non. Je déteste cette adoration. C'est carrément
la mort. Tu t'imagines avoir pour but une femme
vivante quand tu parles de cette Tessa Blake ? Tu as
peur de ses rides, de ses névroses... Restera-t-elle
toujours de l'autre côté ? De l'autre côté de la vie ?
Passe-moi encore du fil ! Ton but, il est de l'autre
côté, pas ici ! Plus c'est loin et plus on peut nier un
désir profond et tout ce qui s'en rapproche. Plus
c'est loin ! Quand je prêche, là, en bas... en bas,
répéta-t-il en frappant du doigt dans le vide du clocher, eh bien j'ai envie de vomir chaque fois que
j'utilise ces symboles de l'éloignement. Fais-en de
la musique ! Oui, c'est ce que je fais et ensuite j'entends combien j'ai transformé chacun de ces êtres
particuliers en une sorte d'erreur pour ces ado-
rateurs de ce qui est éloigné, du religieux. C'est
lamentable. Car quelle est la conséquence de cela ?
Eh bien que nous *n'avons pas* de prochain. Tous
les êtres créés deviennent des représentants incom-
plets de la création. La glorification d'idées de ce
genre, d'un amour de ce genre ne devient qu'un
reniement, un ascétisme, une fuite. Repasse-moi le
tournevis ! L'amour c'est un acte positif, c'est donner de la vitalité à quelqu'un d'autre. C'est libérer

du granit celui qui y était pétrifié et le voir danser, même si ses pieds s'éloignent en dansant. Mais combien de gens osent agir ainsi. Combien en vois-tu des gens qui s'aiment, dis-moi ? On les remarque, parce que leurs yeux brillent.

Avoir du courage.

Finir par se détacher d'elle. Oser s'en aller là où "les autres" ne dépendent pas de vous. Oser perdre pour gagner autre chose : sa propre vie. Il retourna à l'hôpital. Il buvait son thé avec les patients. L'infirmière Tessa se hâtait d'un bout à l'autre. Il fallait maintenant qu'il franchisse le seuil, qu'il commette l'acte qui allait enfin le rendre seul. Qu'il se dépêtre de la pelote de ses dépendances. Il était assis sur un banc sous les arbres "une dernière fois avant" que Tessa Schneideman s'approchât. Et Sidner dit :

— Mademoiselle Tessa, voulez-vous vous asseoir ici un instant ?

Le genou de Tessa, la main de Sidner.

— Vous connaissez mon nom ?

— Oui, Tessa Schneideman.

— Vous m'avez suivie !

— Je n'avais pas de mauvaises intentions. Je voudrais vous parler.

Le genou encore plus près de sa main. Il regarda autour de lui et il ne vit aucun salut ni dans les arbres ni dans les nuages.

— Je loge au Heidelberg Private, je ne suis pas patient ici.

— Je me l'étais dit.

— J'ai quelque chose à vous donner. Ou, plus exactement, à vous rendre.

Il sortit le bijou de sa poche et le leva devant elle.

— Je m'appelle Sidner Nordensson, je viens de Suède. Je suis le fils d'Aron. Un jour...

Ses yeux s'agrandirent soudain.

— Non, dit-elle. Non, vous ne l'êtes pas. Et elle se leva et partit en courant, rejoignit le groupe d'infirmières sur l'escalier et disparut.

Plusieurs milliers de kilomètres séparaient la Nouvelle-Zélande de la Suède, et pourtant cette distance n'était rien comparée à celle qui séparait Tessa Blake de Tessa Schneideman. Elle frappa à sa porte un jour où il était assis en train de travailler. Sidner avait réellement fait un effort pour l'oublier. Stephen Eliot y avait participé en lui demandant de plus en plus d'activités : son église allait devenir le centre musical de Wellington, il fallait trouver de l'argent pour des partitions, attirer des musiciens, passer des annonces pour constituer un chœur. Ensemble ils faisaient des tournées dans l'arrière-pays, visitaient le territoire maori, pêchaient des truites dans les rivières, herborisaient une flore totalement inconnue de Sidner. Mais dans les nuages au-dessus d'eux il y avait les yeux de Tessa.

Son corps était à l'ombre dans des oiseaux qui glissaient au long des parois des montagnes.

Certaines femmes sont particulièrement attirantes à l'intérieur d'une maison, d'autres sont plus à leur avantage à l'air libre, écrit Goethe à propos de Frederike : son être et son apparence n'étaient jamais plus séduisants que lorsqu'elle marchait sur un sentier de montagne. Ses charmes semblaient rivaliser avec ceux de la terre en fleurs, la gaieté ineffaçable de son visage avec le ciel bleu. Tessa Schneideman avait été une femme du dehors ; Tessa Blake ne l'était pas. Elle était même ridicule, ainsi debout devant lui et retournant son sac à main dans ses doigts, vêtue d'un tailleur strict bleu et portant un petit chapeau en biais sur ses cheveux bien coiffés. Dans son rôle d'infirmière, elle fonctionnait au milieu d'un courant d'activités continues, de même en tant qu'épouse lasse retournant chez elle : les gestes professionnels se mettaient en repos pendant les promenades, étaient remplacés par d'autres à mesure qu'elle se rapprochait de la maison. Et il ne savait pas si, comme Frederike, elle ramenait avec elle "cet éther rafraîchissant", si elle savait à la maison "éclaircir les erreurs et effacer aisément les impressions laissées par de petits incidents fâcheux".

Mais il ne le pensait pas. Il l'avait vue s'arrêter un jour, tandis qu'il la suivait. C'était au coin d'une rue, à mi-chemin entre l'hôpital et l'appartement. Son pas rapide avait cessé, elle s'arrêta près d'une clôture, pinça quelques feuilles d'une haie aux fleurs rouges. Elle tendit la main, regarda quelque chose dans les nervures d'une feuille, la laissa tomber. Elle suivit du regard la feuille qui tombait jusqu'à ce qu'elle se fût immobilisée sur le trottoir. Et rien d'autre. Quand elle se remit en marche, lorsqu'elle fut aspirée dans l'attraction de l'appartement, ses pas furent beaucoup plus lourds.

Cela pouvait signifier un tas de choses. Mais Sidner avait ressenti une violente envie de ramasser la feuille, de courir, de la rattraper et de dire : "Tessa Schneideman, raconte ce que tu as vu dans la feuille", et ainsi se jeter sur elle à l'endroit même de cette faille entre deux réalités, là où elle s'était montrée si évidemment nue. De la même manière il avait de nombreuses fois rêvé de surprendre Fanny. Entre la main et le geste projeté. Entre les lèvres et le mot.

La Tessa qui se tenait maintenant devant lui était une troisième Tessa : elle avait rassemblé une identité à partir de particules étrangères et elles lui allaient mal. Elles lui allaient mal à *lui*, car peut-être était-elle ainsi en fait. Il n'aimait pas l'apparition et elle-même n'y semblait pas à l'aise : ses yeux erraient de tous côtés dans la pièce et les articulations de ses phalanges blanchissaient autour des poignées de son sac à main. Elle s'efforça d'être inaccessible et froide, sa voix n'avait pas la rigueur professionnelle de l'infirmière, ni non plus (comme il se l'imaginait) la lassitude de Mrs. Blake.

— Vous avez une jolie chambre.
— J'en suis content.
— Ça ne doit pas être trop cher non plus ?
Elle sourit, gênée, et se dirigea vers la fenêtre, lui tourna le dos. Sidner repoussa les papiers.
— Puis-je vous offrir du thé ?
— Non merci, je ne pense pas.
— Mais vous n'êtes pas sûre ?
— Suffisamment sûre.

Il se leva et marcha vers elle, resta juste derrière son dos.

— Tessa Schneideman...

— Je suis venue pour vous demander de ne pas vous mêler de ma vie. Qui que vous soyez. Il n'y a plus de Tessa Schneideman.

Le silence qui suivit fut long. Le visage détourné qu'il avait devant lui restait immobile. La mer qui roulait vers la plage ne l'était pas. Un oiseau était tiraillé entre les vents. Les mains de Sidner voulaient se poser sur les épaules de Tessa et ce fut pourquoi il alla s'asseoir sur le lit. Quelque part dans la maison, Mrs. Partland passait l'aspirateur. Dans la cuisine on entendait des bruits de vaisselle.

— C'est tout... ce que j'avais... à dire.

Puis elle se domina, se tourna vers lui, noua sa voix pour la rendre aiguë et, tel l'oiseau dans la tempête, fila à travers la pièce :

— Et j'espère que vous le respecterez.

Lorsqu'elle eut traversé la moitié de la pièce, Sidner se leva.

— Tessa Blake, vous êtes le choc de ma vie. Que des gens puissent se transformer ainsi... J'ai relu vos lettres de nombreuses fois.

— Quelles lettres ?

— Ne faites pas la bête. Je n'ai pas du tout voulu me mêler de votre vie, je voulais simplement vous rendre un objet, qui vous a appartenu. Il y a longtemps.

— Je ne veux rien recevoir de vous.

Elle chercha la porte comme on cherche une bouée de sauvetage. Mais ses yeux revinrent sur lui.

— Comment m'avez-vous trouvée d'ailleurs ?

— Judith Winther serait certainement heureuse si vous lui donniez un signe de vie. Elle habite non loin d'ici.

Tessa Blake essaya de sourire.

— Et qui est-ce ?

Sidner n'avait jamais frappé quelqu'un auparavant. Cette fois-ci le réflexe surgit dans sa moelle épinière et fila jusqu'à sa main qui partit vers la joue de Tessa. Elle vacilla, puis leva lentement le regard vers lui, se tourna vers le lit et s'étendit, le visage contre le couvre-lit écarlate. Sa main le brûlait et il ne cessait de la regarder, puis il s'aperçut qu'elle pleurait. Il s'assit à côté d'elle.

— Pardonnez-moi, dit-il.

— Qui est Judith Winther ? Ne vous fâchez pas ! *Qui* est-elle ?

— Tu ne le *sais* pas, toi, Tessa Schneideman ?

— Je ne me souviens de rien.

— Mais tu sais qui je suis ?

— Tu es... Oui, tu es le fils... d'Aron. J'écrivais des lettres... Tu étais triste, tu restais assis dans une cuisine... De la neige, il y avait beaucoup de neige. Je suis si fatiguée, ne me laissez pas... Judith Winther... Elle travaillait à la poste de Taihape... C'est elle ?

— Elle est très vieille maintenant.

— Sait-elle... ?

— Elle ne sait pas où tu es, ni si tu es...

— Je suis si fatiguée... si fatiguée.

Sa voix s'évanouit et il crut tout d'abord qu'elle simulait. Mais lorsque pendant un bon moment il eut écouté sa respiration régulière, il alla chercher une couverture et l'étendit sur elle. Assis dans le fauteuil près de la fenêtre, il laissa les heures passer. Ce même sommeil l'avait envahi lui-même un jour, quand la réalité l'avait acculé dans une pièce trop exiguë. Et l'avait conservé comme à l'intérieur d'un cocon pendant un temps indéterminé à l'asile. La miséricorde sous la forme d'un brouillard et d'une fuite. Les personnes et les pensées de plus en plus menaçantes qui l'avaient entouré de toute part s'étaient dissoutes, comme des comprimés dans un verre d'eau. Un travail ténébreux avait débuté dans ses régions les plus profondes. Le printemps suivant était devenu une période étrange : comme s'il avait abordé sur une plage, encore tout dégoulinant d'obscurité. Mais une étendue claire devant lui. Un air pur. Et les voix lointaines. Comme un orchestre qui répétait de l'autre côté d'un vaste lac.

Soudain Tessa s'assit brusquement.

— Charles ! Charles, où es-tu ? Pourquoi suis-je ici ?

Elle regarda désespérément autour d'elle dans la pièce, se leva et marcha en titubant jusqu'au miroir.

— Qu'êtes-vous en train de me faire faire ?

— Tessa !

— Il faut que je rentre auprès de Charles. Ah, non, il est à l'hôpital…

— Tessa ! Mrs. Winther habite Tinakori Road. Pourquoi avait-il dit cela !

— Je veux dire, elle…

— Et que devrais-je lui dire ? De quoi parlerions-nous ? Evoquer de vieux souvenirs, peut-être. C'est ça que vous voulez ? Est-ce pour ça ?

— Mrs. Winther a été obligée de quitter Taihape à cause de toi, Tessa. Si tu regrettes…

Tessa saisit son sac à main, arrangea la veste de son tailleur et cria :

— Elle ne m'aimerait pas de toute façon. Telle que je suis maintenant. Tu devrais comprendre ça toi-même.

Elle essaya de briser du regard l'image qu'elle voyait dans le miroir et s'enfuit par la porte.

Et dans sa fuite elle emporta toute une suite de jours. Sidner demeura dans une chambre vide d'air, sans pouvoir faire un mouvement. Mais il ne sut pas que Tessa avait réellement disparu avant qu'elle fût à nouveau devant lui. Un être différent, une voix différente.

Je n'ai pas trouvé le chemin pour rentrer chez moi.

Je te hais, Sidner. J'ai marché dans les rues et je suis arrivée dans le quartier où j'habite mais soudain je ne me suis plus souvenue du numéro de ma maison. Du nom de ma rue. C'est la vérité. Je me suis figée, en plein dans l'œil d'une tempête. Autour de moi tout était parfaitement lisse et il n'y avait rien à se rappeler, absolument rien. Cela n'a duré qu'un instant, mais suffisant pour que je voie ! C'est pourquoi je te hais d'être venu ici. Quand j'ai ouvert la porte de cette maison-là et me suis retrouvée dans l'entrée, dans une sorte de *dream-time*, de black-out total, il n'y avait rien dont j'aurais pu dire avec certitude que ça m'appartenait. Pas une empreinte digitale, pas un livre qui portait mon odeur. J'essayais de me souvenir de conversations, de me souvenir de visages. Rien, Sidner. Tant d'années et pas un souvenir ! La chambre à coucher était nette comme dans un catalogue de meubles. Dans la cuisine les plaques chauffantes couvertes de leur cache décoratif. Pas une miette sur la paillasse, même pas une odeur de poubelle. Finalement j'ai fait demi-tour et je suis partie. Quand je suis arrivée sur la plage, le vent s'est mis à souffler. Mon chapeau s'est envolé. Mes chaussures me faisaient mal et je les ai balancées dans l'eau. Je me souviens que j'ai soudain senti mon sac à main, que je l'ai ouvert et que j'ai regardé le rouge à lèvres et les clés, des ciseaux à ongles, je ne sais quoi d'autre, mais c'étaient des choses qui ne me rappelaient rien. L'eau a sûrement été contente de les recevoir. Pendant deux jours j'ai marché le long de la plage. Je m'endormais et me réveillais dans un vide absolu, un moment j'ai rencontré une famille maorie qui habitait sur la plage, ils lavaient du linge, un enfant était sur le dos de sa maman, elle frottait des vêtements sur une planche à laver, l'enfant se balançait de haut en bas, et c'était comme si pour la première fois depuis bien longtemps je voyais quelqu'un bouger naturellement, un être qui faisait quelque chose de son corps, et je suis restée assise là, jusqu'à ce qu'ils viennent me parler, me donner du pain, étalent une couverture sur moi. Sur moi. Je ne savais pas qui j'étais, le nom de Blake était attaché à moi comme un cerf-volant d'un côté, le nom de Schneideman comme un autre, mais invisible, au début… mais ensuite des images sont venues de la mer, le vent était fort, il giflait mon visage, Sidner, j'ai si froid, puis-je m'allonger sur ton lit, je ne peux pas rentrer chez Charles, pas maintenant, il doit s'inquiéter. Comment a-t-il pu me supporter ! Parfois j'ai eu si peur qu'il n'y arrive pas. Je sais bien de quoi j'ai l'air, je sais que je le ponctionne mal. Il a été si brave. "L'amour, on n'en a jamais assez", dit-il. En riant très franchement. Non, en fait, ils mentaient ces rires-là. Combien d'amour lui ai-je donné en fait ? Je sursaute de peur chaque fois qu'il me touche. Me fige dans tous mes muscles, ne bouge plus jusqu'à ce que ce soit passé. Il ne me fait pas mal, il ne me fait rien du tout, mais jamais je ne lui ai demandé d'approcher, jamais je ne l'ai *voulu*, voulu ses mains ou ses étreintes, donne-moi une couverture, Sidner, mes mains se sont éteintes sur sa poitrine, je ne lui ai pas permis de me toucher entre les jambes, lui ai interdit mon corps point par point, quel bien lui ai-je fait ? Mon langage s'est tu, oui, il s'était tu avant que je le rencontre, mes adjectifs se sont éteints, mes exclamations, tout a rétréci. Est-il tard ?

— Il est minuit.

— Et je t'ai réveillé. Allonge-toi à côté de moi, je ne peux pas te laisser assis là comme ça... Je te dois, je suppose, de me déshabiller.

— Tu ne me dois rien.

— Il n'est pas sûr que je sois nue, même sous les vêtements. Donne-moi une chance, Sidner, pour l'amour de Dieu.

— A qui dois-je donner une chance ?

— A moi, en entier. A la Mrs. Blake gelée jusqu'au fond et à la Tessa Schneideman disparue. Il n'est pas sûr que ça réussisse, peut-être ne sais-je pas aimer, donne-moi une chance.

— Je vais m'allonger à côté de toi. Mais je ne peux pas...

— A cause de Charles ?

— Plus maintenant.

— Si nous faisions l'amour, ce serait peut-être quand même avec lui que je le ferais. Je n'ai jamais voulu d'un autre homme. Il ne me dérange pas, il est bon. Suis-je détestable ? Enlève-moi le détestable.

Il était assis sur le bord du lit et avait froid.

— Tes cheveux n'étaient-ils pas sombres alors… à cette époque-là ?

— Si. Est-ce important pour ton image ? Elle l'attira contre elle.

— Non, dit-il, ne fais pas ça.

Mais, comme si la porte de la colère s'était ouverte grande et qu'il découvrît maintenant qu'il était arrivé et que maintenant ça allait se passer : les images de vengeances montèrent en lui. Maintenant, Aron, maintenant je commets le péché des péchés.

Je t'efface du monde.

— J'ai terriblement peur, Sidner.

— Moi aussi, murmura-t-il. Il y a tant d'obstacles. C'était à mon père de t'accueillir. Il aurait mis le bijou autour de ton cou.

— Que s'est-il passé, Sidner ? C'est vrai, je ne me souviens de rien. Il était en route ?

— Oui. Il a sauté par-dessus bord quelque part pendant le trajet, c'est tout ce que je sais. Peut-être n'a-t-il pas osé t'approcher.

— Judith Winther a écrit pour parler de moi ? C'est vrai ? Où habite-t-elle maintenant ? M'en veut-elle de ne jamais avoir donné de mes nouvelles ?

— Je le crois. Elle a été obligée de quitter son emploi à cause de l'aide qu'elle t'avait apportée, on l'a persécutée, ton frère et d'autres... quand tu es devenue folle.

— Mets tes bras autour de moi.

— Toi et moi ; abandonnés par la même personne.

— J'ai eu si peur quand tu es arrivé et que tu as dit que tu venais de Suède. Je reconnaissais ton nom, mais je ne savais pas ce qu'il signifiait, j'ai tout refoulé, tout. Pendant toutes ces années j'ai craint que cela ne me rattrape de nouveau.

— Sais-tu ce que tu écrivais à propos du bijou quand tu l'as envoyé ?

— Oui, je crois, mais c'est vague, c'est de l'autre côté de ce cauchemar qu'est mon passé. J'ai juré alors de ne plus jamais y repenser. J'ai réussi, mais au prix de...

— Tu n'as même jamais relu les lettres de papa ?

Elle tressaillit, elle ne répondit pas mais maintenant qu'il s'était habitué à l'obscurité il vit que ses yeux brillaient, il la sentit tirer ses bras autour d'elle.

Quand Aron ne fut pas arrivé. Quand elle rentra chez Robert vêtue de sa robe neuve. Il y avait comme un tonnerre dans sa tête. Elle était trempée de pluie. Dégoulinante, elle se retrouva dans la pièce et sortit toutes les lettres, les livres. Lut à voix haute pour Robert :

My heart aches, and a drowsy numbness pains
My sense, as though of hemlock I had drunk
Or emptied some dull opiate to the drains

one minute past, and Lethe-wards had sank :
't is not through envy of thy happy lost
But being too happy in thine happiness.

Si c'était le même jour ou pas, elle ne s'en souvenait pas. Mais il pleuvait. Robert avait pris ses
lettres, ses livres – il était ivre –, il les avait jetés
dans la cour : "Les voilà, tes conneries de merde !"
Il pleuvait à torrents, il les enfonçait dans la boue à
coups de botte. Keats, Shelley. Elle voyait les roses
pressées entre les pages et les bottes les voyaient
aussi et piétinaient, piétinaient les si tendres poèmes
et alors ce fut comme un rayon de lumière au travers du chaos : le rire. D'abord lointain, comme le
doigt timide de l'hiver lorsqu'il soulève les pans de
l'obscurité, dévoile une aube rose, et le rire a le
temps de s'échapper, il est jeté dans le vent, dans la
pluie, il titube à travers le temps, tâtonne sur sa
peau, trouve des orifices et pénètre dans les veines,
le cœur, le cou, et elle est à plat ventre par terre, les
mains autour des livres, ses doigts dans la boue, et
maintenant le rire la saisit entièrement et les bottes
de Robert trouvent son visage, sa poitrine, son
ventre. Elle n'esquive pas mais roule dans la boue
chaude et douce, la mange, s'en enduit, essaie de se
relever mais Robert la repousse à coups de pied,
elle tombe par terre, le fichu sur sa tête tombe, elle
s'en souvient, ses cheveux se mêlent à la boue. Elle
n'entend rien, ne voit rien d'autre que ce que le
corps fait loin d'elle, elle est si loin en elle-même
qu'elle ne comprend pas les mots haletants qu'il

hurle, ils sont bien trop grands, ils s'étendent au-delà des champs, vers les montagnes, de gros mots rugueux qui ne peuvent pas l'atteindre mais glissent sur sa surface, pense-t-elle, tandis que Robert lui arrache sa culotte et prend les lettres et les enfonce entre ses jambes et qu'elle s'évanouit et se réveille

Et que

Elle se lève, il n'y a personne dans la ferme, la maison est sombre et le ciel est parti et a quitté l'obscurité, elle marche le long des moutons, une clochette ici, une autre là, trébuche dans les trous de lapins, reste étendue, il ne fait pas froid

JE VAIS TE

dans les toisons des moutons il y a de la chaleur pour ses doigts sang pose sa joue contre mouton après mouton rampe entre eux presse joue et poi-trine et sent le sang couler ça fait des taches sur chacun d'eux elle le sait le sent

ESPÈCE DE SALE

et tachés de rouge ils s'enfuient vers les collines quand vient l'aurore elle voit le sang il y a du sang qui suffirait pour tous qui vient de la bouche du bras de la poitrine tombe les bras autour d'une bre-bis voici ma rose rouge dit-elle

PUTAIN

reste par terre

LETTER FUCKING

jusqu'au matin et la cloche d'une église dans la vallée elle ne l'atteint pas là-bas ses parents ont été enterrés un jour. Elle distingue le bureau de poste de Mrs. Winther la douleur entre les jambes se tourne s'ouvre toutes les lettres enfoncées là dans le sang menstruel tire ses loques personne ne vient

FENTE

un jour il avait été un enfant à son côté pour un enterrement ils s'étaient tenu la main cette main qui plus tard avait été coupée à la scierie et pendant toutes ces années ce silence aux aguets pendant qu'elle fait la cuisine et soupire pour des livres soupire pour les jupes d'écolières de ses camarades en bas sur la route les heures des soirées qui traînent la porte qu'elle fermait toujours à clé la clé dans la ceinture et le miroir dans lequel elle avait de plus en plus l'air

VAINE

et aucun dieu à partager avec quiconque les prières qu'elle avait essayées derrière l'étable lorsque les cloches avaient fini de sonner et les mains qui tenaient les missels elle y pense derrière l'étable dans les pissenlits fleurs des pauvres quand il est en colère et va la battre et personne vers qui s'enfuir et continue à ramper sous la pluie les jambes écartées à cause de la douleur cherche un puits mais il n'y en a pas et se réveille ensuite chez Mrs. Winther dans le lit fleuri le docteur mais elle ne pouvait pas s'empêcher de rire.

Quand j'ai appris que Robert était mort, j'ai osé guérir. Je me souviens d'être descendue à un ruisseau derrière la maison où j'habitais à l'époque, je crois que c'était chez des amis de Mrs. Winther, je me suis lavée, peignée, j'ai coupé mes ongles. Ce fut une étrange sensation : quand quelqu'un venait, je me salissais à nouveau : j'avais peur d'être obligée de prendre des responsabilités, mais j'avais commencé à *voir* et à développer une sorte de stratégie de l'anéantissement. Un jour, je suis partie, je suis descendue dans un hôtel, j'ai acheté des vêtements, je suis allée chez le coiffeur, me suis fait teindre les cheveux, ai acheté du maquillage – pour la première fois de ma vie, assise à mon miroir, j'ai camouflé Tessa Schneideman. Ce fut un travail de longue haleine, il y avait tant de possibilités à essayer. La forme des sourcils, l'apparence des lèvres, la couleur de la peau. Les gestes de la main. J'allais m'asseoir dans des restaurants et j'observais d'autres femmes, comment elles se balançaient sur leurs talons hauts, comment elles agitaient leur poignet, c'était effrayant de voir combien la plupart d'entre elles étaient artificielles, étudiées. Ce qu'il existe de tours pour se cacher ! Quelle hystérie pour des fissures dans le masque, la manière de les colmater, de les enduire pour qu'il n'en suinte aucune obscurité.

Les hôpitaux avaient besoin de beaucoup de personnel à cette époque, je suis devenue Tessa l'infirmière. J'y ai rencontré Charles Blake. Il était allongé sur le dos dans son lit, la jambe suspendue en l'air, relevée par le contrepoids, je lui prenais le pouls, il s'illuminait de gratitude, il était totalement inoffensif. Méticuleusement il me parlait de l'Europe, de comportements innocents qui le remplissaient de culpabilité : qu'un jour il avait volé un coupe-papier en nacre dans une maison abandonnée, qu'il avait tué des poulets dans une ferme parce que ses camarades et lui avaient faim. Il parlait de landes et de pins, du cynisme de ses compagnons plus brutaux, des lettres pour sa mère. Dormez maintenant, monsieur Blake, disais-je. Ne vous faites plus de mauvais sang pour cela, la guerre c'est comme ça. Mais comment ai-je pu être pris, *moi*, par la griserie du vol, mademoiselle Tessa ? Même si ce n'a été que quelques fois. Monsieur Blake, votre situation l'exigeait sans doute, n'y pensez plus. Vous êtes si compréhensive, mademoiselle. J'ai une telle confiance en vous. Il faut que je vous dise quelque chose, mademoiselle. J'ai rêvé de vous cette nuit. J'espère que c'était un rêve agréable, monsieur Blake. Appelez-moi Charles. Envisageriez-vous de m'épouser, mademoiselle ? Vous n'êtes pas obligée de répondre maintenant.

Comme il était dans son lit, il ne pouvait pas me donner de coups de pied, je priais Dieu que ses jambes ne fussent jamais droites à nouveau. Il ne touchait jamais à rien de ce qu'il y avait sous la surface de Mlle Tessa.

Je ne suis peut-être pas le plus bel homme de la terre, mademoiselle. Mais je suis honnête et j'offre la sécurité.

Je pensais : s'il me touche, je suis capable de le tuer. C'était ma garantie. Pouvoir tuer, comme but pour le restant de mes jours. C'est la vérité, Sidner. Alors j'ai dit oui. Et je me réveillais le matin les bras serrés sur mon corps, les jambes repliées, serrées. Obligée de me réveiller chaque matin avec le fardeau de ces mouvements involontaires, prévenants, de son bras, quand je repoussais ses mains gentilles. Me recroquevillais comme un citron.

J'étais tellement furieuse que Robert soit mort avant que j'aie pu le tuer. Beaucoup de fois, au côté de Charles, j'ai découvert en moi un geste qui n'avait pas disparu, un geste qui visait Robert, mais contre lequel Charles avait à se défendre. Le pauvre ! Ma virulence quand il s'approche ! Cette manière que j'ai de glacer la chambre, le lit, le paysage, quand il veut me toucher. Lave-toi les mains, Charles, dis-je. Oh comme j'ai mal à la tête, dis-je. Et il s'éteint.

Bercée par la houle entre ses deux noms, bercée par la houle entre foi et indifférence, entre sourire et lèvres amères, entre passé et aujourd'hui, entre chaud et froid, entre de longs silences et énormément de mots, entre éveil et sommeil – elle se serra contre lui, enfant et femme, elle lui toucha la poitrine du bout de ses doigts, mais sans passion, sans présence, comme s'il tenait son bras autour de ses pensées, crépitantes, craquantes, comme la place loin sur l'horizon de la mer par une nuit froide dans le nord, les pointes des cristaux scintillant sous sa main dans une pièce sur une île si lointaine que chaque pas pour partir d'ici dans n'importe quelle direction le mènerait chez lui. Mais on ne rentre pas chez soi si l'on n'en est pas parti. Si là, à *l'autre endroit*, on ne trouve pas un sourire, une expérience, qui vous transforme, et il n'avait encore rien trouvé qui pût dissoudre sa propre attente éternelle de sa présence du monde. Ils étaient couchés ici, chacun devant la porte de l'autre, écoutant le vent qui se levait, qui faisait trembler les fenêtres et faisait haleter les étoiles derrière les carreaux. Chacun frappait doucement à la porte du deuil de l'autre, mais les murs étaient encore trop épais pour qu'on pût entendre des mots, pour que des signaux pussent passer, qui les auraient fait alors ouvrir l'un à l'autre.

Plus tard il se leva et alla chercher le vaisseau de diamant, et le passa autour de son cou.

— C'est maintenant que commence le difficile, dit-elle.

VII

La Grand-Rue était la rue du soleil.

Elle s'étendait de telle sorte que le soleil, chaque matin, pouvait se mirer dans toute son étendue. Elle s'inscrivait parfaitement entre les maisons de bois basses aux vitrines remplies de pommes brillantes, de montres ou de lingerie. Le soleil faisait sourire les mannequins de chez Kahn d'un bref sourire juste avant que les habitants, sortis devant leurs portes en plissant les yeux, accueillent eux-mêmes un jour nouveau. La Grand-Rue s'étend d'est en ouest, de la Place à la rue Traversière et à la rue Longue. Des rues telles que la rue Longue doivent exister aussi, des rues pleines d'ombres profondes, et des gens doivent y habiter aussi, mais ceux dont c'est le cas aspirent à la lumière de la Grand-Rue, à sa chaleur, et là ils savent trouver des mots pour l'ombre de chez eux. Les pavés brillaient dans la brume bleuâtre et, à ces premières minutes de l'aube, prenaient des teintes violettes et vertes, parce qu'il y avait aussi des arbres par ici, des jardins touffus, de lourds feuillages qui dépassaient des clôtures blanches.

C'était aussi la rue des paons. Par centaines ils picoraient les graines ramenées de la campagne par les roues des chariots laitiers ou tombées des plateaux chargés de sacs gonflés de grains en route pour le moulin de la rue des Bains, ils se promenaient tranquillement de-ci, de-là, comme des bedeaux, dodelinant de la tête et nettoyant entre les pavés des trottoirs devant la banque, devant le Château et à côté de chez Werner, le marchand de couleurs.

Comment aurait-ce pu être aussi propre autrement ? Comment sinon aurait-on pu expliquer ces merveilleuses teintes turquoise, outre-mer, jade et lapis-lazuli qui s'attardaient là le matin, jusqu'à ce que Clas Löfberg ouvre sa boutique et descende les stores, rayés vert, au-dessus de sa vitrine, et que des soupiraux de la Nouvelle Pâtisserie montent les odeurs de boules de pain frais et de gâteaux aux amandes.

Les paons n'étaient là que "depuis peu". Ne s'étaient faits invisibles que juste ce qu'il fallait pour ne pas déranger ceux qui ne voulaient rien voir. Ils étaient là tout près et il m'arrivait de sentir contre ma jambe leurs queues qui s'ouvraient en roue lorsque, chargé de mes livres de classe, je gagnais l'école du haut de la rue Åmberg et faisais le détour par-devant le jardin de l'inspecteur des impôts pour voir, seulement voir, ses pêches jaune d'or qui sécrétaient un miel rassasiant.

Je savais que la Grand-Rue était la rue des riches, pas parce qu'ils possédaient de l'argent mais parce qu'ils possédaient le Soleil. Les propriétaires des magasins s'étaient mis d'accord sur ce point, ils avaient construit la rue pour l'astre, et le rite qu'ils célébraient pour les rayons sacrés consistait à se tenir, chacun devant sa porte, les mains dans le dos, et à hocher de la tête en contemplant la rue d'une extrémité à l'autre, salut qui ainsi s'étendait au magasin de laine de la Place jusqu'au marchand de tableaux du Carrefour. Et cela est encore valable aujourd'hui.

Les paons ont toujours été là "depuis peu".

Que m'importe s'ils se déguisaient en pigeons ou en moineaux, je ne me suis jamais laissé prendre.

Et sur les balcons, aux grilles joliment ouvragées et aux marquises suspendues comme des gouttes et recouvertes de vigne vierge ou de clématites, étaient assises de petites dames aux cheveux gris qui faisaient un signe ou laissaient tomber un billet, des lettres et des cadeaux, enveloppés dans des mouchoirs de la soie la plus fine. Que m'importe que cette manne du ciel fût concentrée en une seule lettre, une seule fois, lorsqu'un jour avec maman nous nous promenions le long de la rue, je ne savais pas alors dans quelle solitude l'avait placée ma naissance, je ne savais pas que cette lettre contenant une invitation était le premier signe indiquant qu'elle était à nouveau acceptée par ses anciens amis, ne savais pas non plus que c'était trop tard pour elle, ou qu'il n'avait peut-être jamais été temps. Mais je me souviens du regard qu'elle leva vers le balcon et de son grand sourire qui se mêla à la lumière de la rue, me souviens de la main qu'elle leva, de ses longs doigts en l'air : "Merci, ç'aurait été avec grand plaisir, mais nous n'avons malheureusement pas le temps." Puis nous rentrâmes à la maison et bûmes le thé dans le Salon Rouge.

Maman et moi vivions dans un nuage de thé. Nous avions chacun notre fauteuil de velours rouge, nous avions des nappes brodées et toujours un bouquet de fleurs fraîches du jardin de Hälldin, en bas près de la rivière. C'étaient des chrysanthèmes, des roses et des freesias. J'aimais surtout les freesias au doux parfum, elle me les faisait toujours sentir quand elle coupait les queues et les mettait dans un vase. Ses doigts lissaient la nappe damassée sur le plateau de la table rouge pêche. Elle *m'invitait* à m'asseoir. Nous ne *posions* jamais une tasse. Nous *mettions la table pour le thé*, nous admirions les cuillères en argent brillant, les tournions doucement dans les tasses ornées d'arabesques bleues en forme de fleurs. Nous amenions le nez au-dessus de notre tasse dans la vapeur et nous nous souriions l'un à l'autre et c'était tout ce qui se passait, car nous étions en Attente. L'absence d'événements était un privilège, car maman était certaine que cela rapporterait un jour : un jour un œuf d'or arriverait par la poste, peut-être déguisé en carte postale de Sidner, avec des timbres exotiques et l'image d'un volcan furieux ou de hautes falaises plongeant dans la mer. Du moins je m'imaginais qu'elle pensait comme moi. Doucement elle tournait sa cuillère dans sa tasse et faisait parfois une remarque sur le Café que buvaient *les autres*. "Quelle chance, mon garçon, que nous ne nous adonnions pas à cette lavasse." J'aimais le mot *s'adonner*, il nous plaçait tous deux au-dessus de la population assoiffée, bruyante et dépourvue de goût, qu'en fait je ne rencontrais jamais. Parfois elle me permettait d'aller voir Beryl Pingel ou même Sleipner, une fois par-ci, par-là, je réussis à me rendre à la Cuisine de l'hôtel pour dire bonjour à la Reine des Sauces et mendier un gâteau ou un canapé, mais je savais qu'elle n'aimait pas ça et j'étais un enfant obéissant, enveloppé dans les bons soins et les paroles qu'elle me prodiguait. Le mot *s'adonner* nous rendait différents et elle me glissait un regard pour que je comprenne que j'étais son fidèle complice dans sa manière de voir le monde.

Lorsque nous buvions du thé nous nous trouvions dans une pièce spéciale hors du temps, dans un lieu sacré, et même si parfois il arrivait qu'un client ou quelque vague connaissance vînt occuper une troisième chaise, nous nous déplacions tous deux pour ainsi dire dans une pièce plus intérieure où nous distillions nos mots en code secret. "Nous pourrions peut-être proposer du thé de Ceylan aujourd'hui, Victor ? Ne crois-tu pas que ça irait très bien avec le temps qu'il fait ?" Ou : "Du fumé, Victor, sois gentil de nous mettre la table." Lorsque ensuite nous nous retrouvions seuls, elle haussait les épaules et riait : "C'est vraiment jeter des perles aux cochons que de proposer ce que nous avons proposé, tu ne crois pas ?" J'associe tant de choses à ces moments devant le thé : ses manches bouffantes, gonflées comme de petits nuages autour de ses épaules, un long cou, blanc et propre. C'est le calme et l'attente du facteur par la fenêtre ouverte.

C'est simplifier que de dire que nous *buvions* le thé. Nous le *célébrions*. Nous renouvelions un acte mythique selon un rituel strict destiné à nous plonger dans un état d'union avec quelque chose qui n'était pas visible mais qu'apparemment elle acceptait facilement : la vie elle-même.

Une main tenant la soucoupe, l'autre approchant la tasse de ses lèvres encore palpitantes de beauté, elle levait son regard vers la fenêtre, je dis bien *vers*, car souvent je me demande si elle voyait la fenêtre, le buisson de roses juste derrière, les érables de l'autre côté de la rue, elle se contentait de voir l'idée d'une fenêtre.

— Quel temps magnifique aujourd'hui. Comme fait exprès pour une promenade au bord du lac.

J'appris petit à petit à garder ma réserve, à retenir mon envie de crier mon Oui car elle reprenait toujours ensuite :

— Si je n'avais pas tant de choses à faire.

Alors, quand j'avais donc appris à ne pas l'interrompre, elle se sentait soulagée et pouvait reprendre ses rêves, les suivre dans les oseraies des rives du lac, elle pouvait poser le pied dans ce paysage imaginaire où les amandiers étaient en fleur au printemps, elle pouvait passer la main sur l'écorce blanche des bouleaux de la Cabane du Lac et peindre un vrai et beau tableau du coucher de soleil, décrire comme nous étions là ensemble et ne formions qu'un.

— Si tu continues dans cette direction, très loin, tu arriveras en Nouvelle-Zélande (ce que je n'aurais certainement pas fait). Exactement de l'autre côté de la terre. Tu te rends compte, si nous partions là-bas et... Elle souriait avant de maîtriser son plus beau mot : ... et faisions la surprise !

Ainsi était prononcée la profession de foi de l'instant du thé, le summum était atteint. Faire la surprise voulait dire s'échapper de la grisaille de la réalité, abandonner le quotidien, être neuf. Jusqu'à quel point avait-elle peur en fait ? Je n'en sais rien et je ne l'avais pas dévoilée alors, je me souviens seulement qu'un moment nous laissions battre nos cœurs et nous nous laissions emporter par des passions formidables tandis que nous contemplions les perspectives que ce mot avait ouvertes : le monde s'étendait devant nos pieds, comme un éventail de promesses, la mer ondulait, partout ondoyante de dauphins, étincelante de poissons volants, et quelque part au milieu des plantes tropicales quelqu'un s'était figé à notre vue, quelqu'un qui maintenant ouvrait tout ce qu'il avait de bras et de mains et se précipitait sur nous pour nous embrasser.

Mais nous ne sortions même pas de la maison. Nous n'avions pas fait un seul pas et la tasse rejoignait la soucoupe et la soucoupe la table et la table avait des pieds et sous les pieds le plancher. Et moi pauvre pécheur.

— Il ne serait probablement pas content. Si, de toi, bien sûr, mais qu'est-ce que j'aurais à faire là-bas ?

— Ne dis pas cela, maman.

— Si, disait-elle, il faut être réaliste et ne pas s'en aller dans les rêves comme ça.

Mais moi, qui avais été ainsi attiré dans le monde du rêve et restais sans défense, j'étais fixé par les yeux à cette mer imaginaire. C'était elle qui l'avait créée à partir de thé et de silence. Je finissais ma tasse et fermais les yeux. Les vagues ne scintillaient pas autant qu'un instant plus tôt. Un courant d'air froid traversait mon champ de vision, au milieu des plantes tropicales un serpent remuait.

J'étais bien trop jeune pour comprendre qu'il s'agissait d'un difficile retour pour elle aussi, un chemin laborieux pour retrouver les tissus, les boutons et les agrafes.

— Bien que tu aies les moyens de le faire un jour. Tu seras là-bas et tu… Tu as aimé le thé ?

— Oui, maman.

— Va chercher l'*Encyclopédie familiale*, nous regarderons les images. Nous l'avions fait souvent mais, comme lorsque l'on écoute de la musique, nous pouvions revivre le mystère en ouvrant à l'article sur la Nouvelle-Zélande : les photographies ne cessaient jamais de briller, les pages blanches étaient comme l'intérieur de ses bras.

— Tiens, voilà les énormes montagnes de l'île du Sud. Elles culminent à plus de trois mille mètres, couvertes de neiges éternelles. Tu serais obligé d'être habillé très chaudement, bien que ce soit si loin dans le sud, mais de l'autre côté de l'équateur, le sud c'est la même chose que le nord pour nous.

Il était difficile de tirer les conséquences d'une telle phrase.

— Est-ce là que Sidner habite ?

— Non, il est sur l'île Nord. Ici, peut-être.

Ses doigts frôlaient les miens quand elle caressait le papier lisse et luisant.

— Tu as vu comme il y en a des moutons.

Nous avions quitté le stade des bêê-bêê et je pensais dire :

— Mais tu les vois toi aussi, maman. Ne devrais-tu pas être habillée chaudement toi aussi ?

Je comprenais qu'il faudrait que je me débrouille seul pour aller là-bas quand je serais grand, et peut-être était-ce ça le message caché de ces moments sacrés des jours de fête.

Ce que d'autres appellent l'absence d'événements est pour moi quelque chose qui miroite comme le brocart de sa robe quand elle passe une jambe par-dessus l'autre, quand elle lève une main contre sa joue et qu'une bague scintille près de sa tempe. Quand ensuite elle me demande de débarrasser le plateau à thé et que je comprends par là que nous quittons cette pièce, cela ne me fait rien : nous sommes toujours assis chacun dans son fauteuil de velours. Les tasses fument tandis que les mois se transforment en années.

Quand Sidner va-t-il revenir ? demandai-je un jour tandis que nous nous promenions dans la Grand-Rue. Je dis Sidner parce que je ne savais pas qu'il était mon père. Le mot père n'avait pour moi aucune signification. J'en étais encore à essayer de me sortir de ses jupons et je n'avais remarqué le monde que depuis peu et encore celui-ci était-il en grande partie rempli des fraîcheurs de ses chemisiers transparents, des boutons de nacre brillants et des colliers d'ambre qui scintillaient quand, assis entre ses bras, je les tripotais. Le monde était rempli de ses différents parfums qu'elle me laissait sentir en baissant vers moi le lobe de ses oreilles. Je faisais partie d'elle. Introduire quelque chose d'aussi étonnant qu'un *père* aurait été inconvenant. Elle était mon matin et mon soir. Elle était le côté éveillé des rêves et le côté rêve de l'éveil, en ce moment elle me tenait la main et lorsque je levai les yeux, sa tête se tourna vers les mannequins dans la vitrine de la Boutique de Mode, et je vis une ride de mépris s'inscrire entre ses sourcils quand elle examina les doigts écartelés des poupées et leurs habits trop bon marché à son goût, un mépris que je devais plus tard apprendre à connaître comme sa défense contre la chute. Elle se *grandissait* en méprisant le bon marché et l'ordinaire des petites villes et ne se rendait pas compte qu'elle en était prisonnière, n'avait aucune possibilité de s'en sortir d'elle-même.

Elle se tourna vers moi :

— Mon petit Télémaque !

Naturellement elle ne fut pas consciente de ce à quoi elle m'exposait en refermant ce mythe autour de moi. Comme lorsque l'on pose un moule à gâteau sur la pâte et que l'on appuie, de la même manière elle me séparait de la rue, des maisons et de tout ce qui m'entourait.

— Pourquoi dis-tu cela, maman ?

— Oh ! répondit-elle avec nervosité et les commissures de ses lèvres tremblotèrent, comme des vaguelettes en bord de mer. Elle prit le temps de remettre en place une mèche de cheveux tombée sur son front, salua d'un hochement de tête très mesuré quelqu'un qui passait, s'arrêta un instant devant une nouvelle vitrine pour s'y voir, c'était le marchand de tableaux. Puis nous fîmes demi-tour, la jupe ondula. Un espace s'installa autour de ce "oh !", l'emballage autour du cadeau, le papier avec la ficelle. Ou bien était-ce seulement qu'elle avait oublié de répondre et s'en allait seule dans ses rêves ? Probablement. Une seule question s'était transformée en deux, en dix, en une interminable suite de questions qui n'auront jamais de réponses et qui forment le labyrinthe dans lequel j'erre encore. Un coup de vent dans les tilleuls, le soupçon d'un monde au-delà d'elle. Je serrai plus fort sa main pour qu'elle ne m'oublie pas.

— C'est une longue histoire, répondit-elle sans répondre. Allez, entrons ici et mangeons chacun un gâteau. Tu peux choisir exactement ce que tu veux.

Je ne crois pas qu'elle me répondit ce jour-là, peut-être pas cette semaine-là non plus : quelque chose venait toujours s'interposer. Des détails derrière lesquels elle se retranchait.

Le temps ne signifie pas la même chose pour un adulte et pour un enfant. Un nom étrange s'était inséré dans mon âme. Le gâteau qu'on appelait une princesse était là, vert et couvert de sucre farine, la tasse de thé fumait et je demandai pourquoi Sidner mettait si longtemps.

— Oh, répondit-elle une nouvelle fois. Toute cette enfance est pleine de son "oh !" faux-fuyant. C'était comme si le mot lui avait échappé à une sorte de carrefour où elle n'arrivait jamais à se décider sur la direction à prendre. Peut-être ne savait-elle pas ce qu'elle aurait dû répondre. Ses connaissances des malheurs et des errances d'Ulysse n'étaient probablement pas très consistantes avant que je la force à lire le livre. Quelques noms dansaient bien de-ci, de-là. Nausicaa, l'île des Phéaciens, Charybde et Scylla, le Cyclope. Mais cela m'étonnerait qu'elle eût jamais pris le temps de lire le livre, comme tous les autres livres, avec attention et pour elle-même.

Elle était cependant toute disposée à se trouver dans les lieux étrangers comme les archipels grecs, tout comme auparavant et avec une sorte d'engagement passionné elle avait chevauché à travers le Pamir avec Sven Hedin, plus c'était loin mieux c'était. Car elle se nourrissait de ce qui était éloigné, incontrôlable, trouvait la force de continuer à vivre en s'imaginant participer et en proposant gracieusement ces bribes éblouissantes à un entourage admiratif, ne fût-il composé que d'un seul et petit enfant. Mais elle n'était pas patiente. Elle avait peur aussi de donner autre chose qu'une réponse brève, car elle possédait une forte intuition quand il s'agissait de frôler des vérités dangereuses pour elle. Cette fois-ci elle évita :

— Il est sur le chemin du retour, très probablement.

— Mais *pourquoi* est-ce que cela prend si longtemps ?

— Il fallut dix ans à Ulysse.

Une nouvelle fois elle venait de trébucher sur le seuil de ses rêves et aurait voulu ne pas l'avoir dit.

Je n'ai pas d'histoire. Je suis obligé de la façonner à partir de fragments, d'images de souvenirs intenses, mais j'ai besoin du tout. Peut-être *avait-elle* lu le livre. A moins que je ne mélange avec mes propres souvenirs de lectures plus tardives. Mais je sais une chose : elle aima Sidner-Ulysse tant qu'il combattit pour revenir ou fut au loin, et si fort qu'il lui arriva plusieurs fois d'être médium et, les yeux fermés, de me raconter ce qu'il lui arrivait *de par les mers*. Je ne sais pas s'il s'agissait de *vraies* représentations quand elle passait derrière les rideaux de ses yeux et, avec la voix d'un acteur hésitant dans l'obscurité, cherchait le bon décor. Tantôt Sidner-Ulysse se retrouvait dans des montagnes sauvages où çà et là était établi un élevage de moutons, tantôt elle m'emmenait sur une plage bordée de palmiers sur laquelle elle m'indiquait Sidner qui, ignorant de notre présence, allumait un feu et faisait griller un sanglier ou un cerf. Il courait toujours un grand danger. Dans une grotte habitait un géant avec un seul œil, le Cyclope. Il y avait enfermé Sidner pour pouvoir le manger. Mais lui, Sidner ? Ulysse ? inventait une ruse et plantait un épieu droit dans l'œil du géant et délivrait ainsi de nombreux autres captifs. Il y avait aussi beaucoup de sorcières, de femmes qui d'un côté avaient l'air très belles mais qui, par exemple, n'avaient pas de dos, ou portaient une queue. Toutes lui en voulaient, chantaient de jolies chansons et enlaçaient son cou dans leurs bras. Je restais le souffle coupé quand elle racontait, et le jour où nous empruntâmes le livre à la bibliothèque, ma première réaction fut qu'Ulysse avait volé les aventures de Sidner, puis je m'en sortis en me disant que c'était *ainsi* de voyager. Qui envisageait de s'en aller devait s'attendre à rencontrer lui-même des géants, des femmes enlaçantes et des chants envoûtants et rien en fait n'est venu réfuter cette théorie.

Mais je finis quand même par me lasser de l'entendre terminer ses récits par une dérobade du genre "Oh, je ne sais pas ce qui s'est passé ensuite" et de la voir passer ses doigts sur ses tempes comme si elle avait la migraine. Je voulais savoir ce qu'il y avait en fait, derrière les quelques mots sur les cartes postales ou dans les lettres qu'elle recevait et dont les miettes disaient "Sidner t'embrasse" ou "Sidner a réussi à pêcher un énorme poisson". Il fallait que je sache qui j'étais, moi, Télémaque.

Quelle belle histoire pour s'endormir ! Elle était assise en robe de chambre au bord de mon lit et lisait, hésitante pour commencer, comme si elle me prévenait que tout cela allait être ennuyeux, incompréhensible et trop plein de mots difficiles, mais comme jamais je ne montrais le moindre signe d'épuisement, elle continuait jusqu'à la fin.

"Mais mon cœur se déchire au souvenir du prudent Ulysse, le malheureux, qui depuis si longtemps souffre, loin de ses amis, en une île ceinte de flots, au nombril de la mer*."

Ses yeux se remplissaient alors de larmes et nous nous tenions la main tandis qu'Athéna *aux yeux brillants* s'approchait avec la vivacité d'une bourrasque sur la mer et les terres infinies.

---

* Cette citation de *l'Odyssée*, ainsi que les suivantes, sont de la traduction de Médéric Dufour et Jeanne Raison, Garnier-Flammarion. *(N.d.T.)*

Devant le porche d'Ulysse, sur le seuil de la cour, sa javeline de bronze en main ; elle avait pris le visage d'un hôte, Mentès, chef des Taphiens. Elle trouva là les prétendants superbes ; ils charmaient leur cœur en jouant aux cailloux, assis devant la porte, sur le cuir des bœufs qu'ils avaient abattus. Parmi eux, des hérauts et d'alertes serviteurs mêlaient dans des cratères le vin et l'eau, ou bien lavaient les tables avec des éponges aux nombreux trous, puis les disposaient devant chacun et tranchaient force viandes.

Télémaque, divinement beau, l'aperçut avant tous. Assis parmi les prétendants il avait le cœur plein de chagrin voyant en pensée son valeureux père : ne reviendrait-il pas faire en son manoir une jonchée de ces prétendants, ressaisir les droits du maître et régner sur ses biens ? Ainsi songeait Télémaque assis parmi les prétendants, quand il aperçut Athéna. Il alla droit au porche, et son cœur s'indignait qu'un hôte attendît si longtemps à la porte ; il s'approcha de l'arrivant, lui prit la main droite, reçut sa javeline de bronze, et lui adressa ces paroles ailées : "Salut, étranger, tu seras chez nous traité en ami ; viens d'abord souper ; tu diras ensuite ce dont tu as besoin."

Et quel message elle apportait, la déesse aux yeux brillants : Sidner vivait. Il était en route et elle disait que je lui ressemblais tant et, par la bouche de Télémaque, l'enfant sage, je répondais :
"Je vais donc, mon hôte, te dire l'exacte vérité Ma mère affirme que je suis son fils, mais, moi,

comment le saurais-je ? Nul encore n'a pu vérifier en personne sa naissance. Certes, j'aimerais mieux être le fils d'un homme heureux, que la vieillesse atteint sur ses domaines ! Mais non ! Celui dont on me dit le fils, eut de tous les mortels la pire destinée. Sache-le, puisque tu me poses la question !"

Les rideaux de ma chambre portaient des motifs jaune feu : quand maman s'était éloignée après avoir laissé la porte entrouverte, qu'un rai de lumière s'étirait sur le plancher et que je pouvais l'entendre s'installer dans un fauteuil au Salon – et ce qu'elle y faisait, je ne l'ai jamais su ; les fois où je me levai pour aller faire pipi et la vis, elle était assise parfaitement immobile, sans lire, sans tricoter – alors les rideaux se transformaient en une carte d'îles, de détroits et de mers. Sidner se débattait quelque part dedans et peut-être était-il mon père et à cela maman avait répondu par un hochement de tête, mais comme si ç'avait été sans importance, et si Sidner était mon père, il était un cadeau, quelque chose qui viendrait quand les tempêtes se seraient calmées. Et s'il était mon père alors maman était ma mère et si Sidner était Ulysse, Fanny était Pénélope et je m'enfonçais

"dans le sommeil, l'esprit plein de tant de pensées".

— Où sont tous tes prétendants, maman ?

J'étais assis sur ma chaise devant la table à thé, un cristal de curiosité, dans le crépuscule tranquille, et par la fenêtre ouverte on pouvait entendre un voisin ratisser son gravier en longs passages réguliers, puis la cloche du temple. Maman arrangea les rideaux, essuya le devant de fenêtre, secoua le chiffon dehors, déplaça le bouquet de freesias, ces fleurs au doux parfum qui ne se manifeste que dans le silence, le souvenir et l'attente, sur le piano à queue, et là s'arrêta pour me regarder.

— Oh ! Comment peux-tu imaginer une chose pareille. Je ne compris pas pourquoi elle disait cela. Une vraie Pénélope supposait une foule de prétendants emplissant l'entrée et les salons, mais ici tout était toujours vide. Elle m'avait mené à mi-chemin d'un monde où tout était à sa place, visible et bien rangé, dont l'issue pourrait être fixée dès le retour de Sidner. J'étais Télémaque, je participais et le soutiendrais dans le combat final. Mais encore fallait-il qu'il y eût combat. Maintenant elle abîmait la jolie toile d'araignée de pensée qu'elle avait tissée autour de moi puisqu'elle tirait ses pensées du monde adulte des fausses convenances et des vices incompréhensiblement interdits auxquels je n'avais pas encore accès. Elle se précipita dans son propre couloir de sensibilité et me prit dans ses bras :

— Comment peux-tu penser de moi une chose pareille !

Quand voit-on un être pour la première fois ? Quand se détache-t-il de nos propres images pour devenir une personne indépendante ?

Je m'étais attendu à tout autre chose : que l'histoire continuerait à concorder. Elle fidélité et attente, moi retardant les épreuves de l'âge adulte. Quelle joie ç'aurait été si elle avait répondu :

— Oh, ils se glissent ici pendant la nuit. Ne les as-tu pas remarqués ?

Je fixai mon regard sur le piano. Depuis que Sidner était parti personne n'avait joué la moindre note, seul le chiffon à poussière de maman était passé du sombre au clair, du clair au sombre.

— Alors tu mens, maman.

Nous nous regardions, chacun dans son paysage, chacun sur son flanc de montagne et, chacune de son côté du pont, nos sentinelles présentaient les armes. Pour la première fois nous ne nous comprenions pas. A cet instant précis nous n'avions rien de commun. De son pays elle me dit :

— Comment peux-tu dire une chose pareille ?

Et moi, de mon pays, les yeux presque emplis de larmes :

— Il faut que tu aies des prétendants, maman. Comme Pénélope.

— Ah, voilà ce que tu veux dire.

Mais c'était en partie trop tard.

J'avais une notion très confuse de ce qu'était en fait un prétendant, mais maintenant que j'étais sur le point d'agir seul, hors de sa volonté et de sa portée, je comprenais que pour pouvoir combattre Sidner et être vaincu par lui, un prétendant devait être quelqu'un qui savait jouer du piano. Le vieux Källberg qui réparait les pendules et accordait les pianos fut ma première victime. C'était un très vieil homme pourvu d'une moustache et de lunettes qui lui tombaient sur le nez. Lorsqu'un jour, après l'école, je le rencontrai et que, comme d'habitude, il me demanda de dire bonjour à maman, je lui dis qu'elle aurait aimé qu'il vînt accorder le piano.

— Ah tiens, c'est toi qui commences à jouer ?

— Je vais commencer, répondis-je. Est-ce que vous pourriez samedi prochain ? Il faut qu'il soit bien accordé quand Sidner rentrera de voyage.

Le vieux Källberg se gratta le nez.

— Ça, je m'en doute. Et c'est pour quand, le grand retour ?

— Ce n'est pas encore fixé, dis-je, comme si j'avais été partie prenante dans la décision.

J'étais assis sur une chaise quand il arriva. J'avais dit à maman que le vieux Källberg avait demandé s'il ne pouvait pas passer nous dire bonjour et accorder le piano et maman avait eu l'air un peu étonné, mais elle ne s'y était pas opposée. Un sourire sur mon visage de bourreau, je lui indiquai les touches muettes pour qu'en même temps il regarde les tasses de thé et le plat à gâteaux. Nous étions seuls au Salon, Fanny était en train de fermer la boutique et je remarquai bien ses mains qui travaillaient à l'intérieur de l'instrument ouvert, elles étaient vieilles et flétries. Quand viendrait l'heure du grand combat final il serait une victime facile dans le tir à l'arc ou l'épreuve au piano. Lorsque plus tard maman et lui se retrouvèrent ensemble devant le thé, j'attendais avec impatience qu'il entreprît fourbement quelque chose qui l'aurait mis au rang des prétendants, comme de glisser sa main sur le genou de maman ou de lui souffler un mot à l'oreille, bref, quelque chose que je n'aurais pas aimé, quelque chose qui m'aurait exclu, mais rien ne se passa. Källberg parla des problèmes de jambes de sa femme et maman s'en trouva désolée. Il mangea des gâteaux que j'avais moi-même apportés, mais sans la moindre gloutonnerie, la rencontre fut un fiasco mais j'étais décidé à ne pas abandonner.

— Est-ce qu'on ne pourrait pas organiser une fête, maman ?

— Hmm, pourquoi cette idée ?

— C'est que… tout est si bien chez nous, dis-je au lieu de dire que le silence ne me satisfaisait plus.

— Mais je ne connais personne.

C'était peut-être vrai, mais j'en appelai au passé mythique, du temps où Sidner s'asseyait au piano.

— Tu pourrais faire une "tentation de Jansson" avec beaucoup de crème, et puis des petites boulettes de viande. Comme autrefois. Et puis on inviterait des gens qui savent jouer. Le chantre Jancke, par exemple.

— Oui, c'est quelqu'un de cultivé.

— Et les Hagegård.

— Peut-être. C'est vrai qu'ils ont des enfants avec qui tu pourrais jouer.

Je lâchai un bref ricanement de mépris. Je ne jouais pas. A l'école je restais pratiquement toujours seul et ne comprenais pas ce qu'il pouvait y avoir d'amusant à courir derrière un ballon ou à jouer à la marelle, je cachais des livres dans mon pupitre ou sous mon manteau, les lisais pendant les récréations et le monde des livres était bien plus fantastique que le monde réel, le poison de Fanny avait déjà commencé à faire son effet.

— Tu mettras ta robe rouge. Et puis nous préparerons des cartons avec le nom de chacun à sa place, tu seras assise au milieu pour que tout le monde voie comme tu es belle.

— Qui d'autre aimerais-tu inviter ?

— Je vais y réfléchir.

Je me faufilai dans les rues, jetant mon regard "judicieux" par les vitrines pour découvrir les victimes convenables. La ville était devenue brusquement différente, les gens avaient acquis de nouvelles fonctions, de nouveaux visages. Ils furent estimés, confisqués, grandis, décalés. Je devins téméraire et imaginatif lorsqu'il s'agit de découvrir des candidats. J'ouvris la porte de la boutique de Clas Löfberg. Lorsque enfin il eut un moment pour moi, je lui demandai s'il avait parlé avec maman. Kalle Österberg reçut ma visite et dut m'ouvrir la porte de ses toilettes derrière le magasin. Kahn, ce costaud au nez en bec d'aigle, aux sourcils et aux cheveux en broussaille, ne pouvait pas me prêter de pompe à vélo. Et puis le coiffeur, Jönsson, originaire de Scanie. On lui associait facilement l'expression de *bon mangeur* et l'idée pouvait toujours servir. Il était rond comme une boule, avec des bourrelets dans la nuque et sous le menton, ses mains étaient courtes et flasques. Il se dandinait d'un bout à l'autre de son salon, en blouse blanche et parlant avec son fort accent de Scanie. Il possédait en outre une moustache unique en son genre à Sunne et qui avait un air vraiment étranger, petite, nette, et peut-être teinte compte tenu de l'étrange nuance rouge dont elle luisait. Oh, je me l'imaginais déjà assis à notre table, dégustant et jouissant de notre vin et de nos daubes et notre vengeance serait épouvantable. En fait je le plaignais de son triste sort car c'était une joie d'aller chez lui se faire couper les cheveux : ses flacons bleu et vert sentaient bon, il avait des quantités de revues et j'espérais toujours que l'attente serait longue et me laisserait le temps de lire *Pif et Pouff* et de respirer les odeurs délicieuses de ses bouteilles et de ses tubes. Nous n'avions pas encore lu toute *l'Odyssée* alors et je ne savais pas avec certitude s'il devait mourir, une bonne estafilade ou un regard terrible suffiraient peut-être. Maman eut l'air étonnée lorsque je le lui présentai comme un hôte possible, pourquoi justement lui ? Nous ne nous fréquentons pas et sa femme est très malade. Le fait que Jönsson fût marié ne m'était pas venu à l'idée, mais les femmes ne représentaient pas pour moi un obstacle direct. Je ne pouvais évidemment pas avouer l'horrible vérité que cachait mon plan et je dis que je trouvais qu'il avait un rire vraiment amusant. De même que les dieux de l'Olympe représentaient des attitudes de vie et des tempéraments différents, je voulais mes hôtes aussi différents que possible. Il y avait un professeur aussi, qui n'habitait pas très loin de chez nous et dont maman avait dit qu'il vivait dans une *bien triste solitude.* Il s'appelait Bergman et changea totalement d'aspect du jour où maman me fit cette remarque ; c'était un homme grand et maigre, vêtu d'habits toujours soigneusement repassés, gardant à la main derrière son dos des gants noirs et luisants. Quand il rencontrait quelqu'un, il levait toujours poliment son chapeau sans sourire. Il était professeur de mathématiques et de physique au lycée et, des quelques répliques saisies auparavant, je comprenais que, comme tous ceux qui n'avaient pas enfants, il était dangereux. Avant que maman eût parlé de sa *bien triste solitude*, il ne m'était apparu que comme l'un des nombreux morceaux du puzzle de la vie adulte et qui devait bien s'encastrer quelque part, mais désormais je ne pus plus m'empêcher de le suivre et de l'étudier d'un peu plus près. Et voilà ! Je découvris cette *triste solitude* inscrite sur tout son visage. Je décryptai le sérieux des yeux, les rides du front, les coins de la bouche tirés par les soucis. Je vis la solitude dans les gants, dans le chapeau, dans le pli du pantalon. C'était une catastrophe. De loin je sentais la *triste solitude* s'approcher comme une brise fraîche par une chaude soirée d'été. Lorsqu'il disparaissait dans son appartement au-dessus de chez les sœurs Cederblad et allumait les lampes jaunes derrière ses rideaux tirés, toutes les lampes jaunes de la ville devenaient des *lumières de solitude.* Il prenait ses repas à l'hôtel, et la salle du restaurant, qui autrefois avait rayonné sous les lustres en cristal et où la symphonie des couleurs sur le buffet arrangé par la Reine des Sauces avait fait vibrer mes cordes les plus sensibles, devint dès lors la demeure des solitaires. Par sa *triste solitude* il se différenciait de la masse informe et devenait un être particulier, comme le font tous les êtres l'un après l'autre quand on apprend à les connaître.

Je me rends compte combien les soins de maman m'ont rendu conscient de la notion de classe : non pas que je considérais de haut les gens qui n'étaient pas de la classe moyenne à laquelle je ne savais pas que nous appartenions. Mais nos invités futurs ne devraient pas porter de vêtements de travail ni avoir le visage fripé, ils ne devraient pas parler avec l'accent du Värmland, il faudrait qu'ils puissent converser avec maman. Je ne faisais pas la grimace à ces *autres*, mais les rencontres avec eux avaient toujours lieu à certaines conditions, dans leurs fonctions. En dehors de leurs fonctions, ils n'existaient pas. Aller chercher le lait à la ferme était un grand bonheur, ça sentait le foin et le lait qu'on vient de traire, bruits de chaîne, meuglement des vaches, caquètement des poules, tout cela était une belle expérience pécheresse, tout comme de discuter avec Jansson, de l'entendre chanter ses chansons de marin et parler des mers qu'il regrettait toujours, oui, je me plaisais là. Mais ceux qui y travaillaient avaient leur place là et ne pouvaient en sortir. Il était impensable de les gêner avec notre manière d'être, avec nos odeurs, nos mots. Je ne sais pas non plus comment ils me considéraient, quand je venais avec ma bouteille vide, dans mes habits exagérément corrects que je craignais tant de salir, ne sais pas ce qu'ils pensaient de mon langage vieux jeu dont les mots devaient tomber dans le fumier comme de petits bonbons. Les enfants qui vivaient là se taisaient toujours à mon arrivée, s'enfuyaient et ne faisaient certainement pas même un commentaire sur moi : ne parlaient pas de moi parce que j'étais d'une autre espèce.

Mais à l'intérieur de la classe moyenne j'avais l'impression d'avoir le champ libre : je m'imaginais jusqu'à cette soirée que quand on était capable de prononcer le mot *exquis* comme le prononçait maman, on appartenait à la même société, il n'existait aucune frontière. Mais je me trompais. Lorsque, apparemment sans aucune intention, je lançai quelques propositions, j'appris brusquement qu'il y avait aussi une classe supérieure. Les vrais riches ou les apparemment riches, elle refusait de s'y frotter. "Des gens si bien, disait-elle en se détournant. Mais nous n'avons rien à leur proposer", et brusquement mon monde se réduisit à une mince rainure. Le problème avec Valentin, le chef comptable, c'était apparemment qu'il montait trop souvent à Stockholm et à l'Opéra, que sa femme allait faire ses courses à Karlstad. Un autre était allé en Italie en avion et depuis lors adorait les *lasagnes*. Ce monde rétréci ne me décevait pas car les déceptions viennent des trahisons et je n'avais jamais été exposé à quoi que ce soit de semblable. Non, c'était de l'étonnement que je ressentais, mon corps se glissait plus précisément en moi-même. Isolement. Différenciation.

Maman, haussée à la hauteur d'une vraie Pénélope, faisait la vaisselle et je me proposai pour essuyer les verres, qui maintenant allaient servir d'instruments pour le combat non pas contre quelque chose ou quelqu'un, mais pour Sidner.

— Tu n'as toujours pas abandonné cette idée de fête ?

— Non, maman.

Je voulais voir des armes luisantes, des gestes plus brutaux compensant toute cette féminité qui m'entourait, mais je n'osais pas le dire puisque d'une certaine manière j'avais vu sa fragilité et sa solitude, ç'aurait été la réprouver.

— Mais nous pourrions attendre jusqu'à Pâques ?

— Du moment que ça se fait.

Sidner allait-il apparaître à la porte alors ?

Télémaque, qui avait son idée en tête, fit asseoir Ulysse dans la salle bien bâtie près du seuil de pierre où il plaça un siège misérable devant une petite table : il lui servait une part des entrailles, lui versait du vin dans une coupe d'or : "Assieds-toi maintenant ici, et bois du vin parmi ces hommes : moi, je te défendrai contre les insultes et les violences de tous les prétendants. Car elle n'est pas à tout le monde, que je sache, cette maison, mais à Ulysse, et c'est pour moi qu'il l'a acquise."

Il en coûta beaucoup à Fanny d'oser. Son anxiété était plus importante que ce que j'avais pensé, puisqu'elle évoluait si joliment, et que son magnifique sourire de rêve engageant aurait dû lui attirer tous les prétendants, comme l'entrée d'une ruche attire les abeilles. Rien ne pouvait l'approcher de trop près, quelqu'un, un jour, avait dû lui faire très mal.

Mais la fête eut lieu, et même trois ou quatre. Aucun de mes invités, car ils furent les miens puisqu'elle-même n'avait personne à proposer, ne l'approcha. J'étais assis sur une chaise à l'entrée, caressant le vain espoir que mes rêves avaient été suffisamment forts pour attirer Sidner ici. C'était devenu important pour moi, pour une seule raison peut-être. Les souvenirs des promenades avec lui s'effaçaient bien sûr à mesure que le temps passait, la guerre avait allongé ses absences, mais j'en gardais un : nous marchions le long du mur du cimetière. C'était l'été et les tilleuls étaient en fleur. Il y avait un peu de vent, je dis : "Est-ce que je peux marcher derrière toi à l'abri du vent, Sidner ?" Un convoi de camions passe sur la route. Des camions militaires, peints en jaune. Des soldats sont assis sur les plateaux, ils agitent la main. "Moi aussi je suis habillé comme ça quelquefois, dit Sidner. Parce que c'est la guerre. Et quand c'est la guerre, toutes les frontières sont fermées. Alors on ne peut plus voyager à l'étranger. Quand il y a la guerre plus rien n'est comme on aurait voulu." Et soudain, il dit dans mon souvenir : "L'architecture est de la musique gelée." Sidner porte un livre. "C'est un vieux monsieur qui s'appelait Goethe qui a dit ça." Et nous rions tous les deux. Puis Sidner dit : "Nos mots sont aussi de la musique gelée. Nos rêves sont de la musique gelée. Mais il n'y a que toi et moi qui le sachions." "Maman ne le sait-elle pas, elle aussi ?" "Je ne crois pas. Ceci est ton secret et le mien." Et j'avais continué la comparaison : "Tu te rends compte si tout ce qu'on disait c'étaient des lettres qui prenaient de la place dans la bouche. Comme des morceaux de glace. Et que quand on parlerait, ils sortiraient de la bouche et rempliraient partout." Et Sidner dit : "Il faut faire attention à ne pas mettre du désordre avec nos mots." Puis Sidner disparut de ma mémoire, mais j'avais continué à penser à ça. A quoi ressembleraient les pensées, si elles sortaient ? Et ce qu'on disait tout bas ? Et les soldats qui lâchaient des jurons ? Et ensuite tout cela allait fondre et devenir de la musique ! C'était la raison pour laquelle je pensais que tout ce que l'on disait et imaginait devait être beau. Je sortais souvent seul et *composais*. Je m'asseyais le dos contre le mur du cimetière et disais de jolies choses, je disais Fanny et Sidner, je disais fraises des bois et Eva-Liisa. Il fallait que ça sonne aussi joliment que quand Sidner jouait. Ah oui, Sidner avait dit autre chose : "Cela peut prendre longtemps avant que ce qu'on a dit se mette à fondre. Parfois cela ne donne pas de la musique avant qu'on soit adulte." "Pourquoi ?" "Parce que l'on est gelé à l'intérieur de soi-même. Bien qu'on ne le sache pas soi-même. Mais un jour, quand on est très triste, ou qu'on a vraiment faim de quelque chose et qu'on est complètement seul, alors on s'aperçoit brusquement que nos vieux mots deviennent de la musique." Peut-être eus-je l'air très triste car il ajouta : "Bien que pour certains ça aille très vite. L'important c'est de toujours s'attendre à ce que cela se passe. Il faut y *croire*." Et c'est pourquoi je me retrouvais assis là, à croire que j'y arriverais, à rêver d'une musique qui ne venait jamais. Et c'était à cause de Sidner. C'était finalement parce qu'il ne revenait pas.

J'ai peu de souvenirs de la fête. Je me souviens que Fanny réussit à éloigner d'elle toute l'attention en demandant au chantre Jancke de jouer du piano, ce qui ne fut pas drôle du tout. Je me souviens que Fanny m'obligea à montrer mes dessins. Qu'on me caressa les cheveux en disant que j'étais très doué

J'ai commencé à dessiner par erreur.

Un jour je vais chercher du lait à la ferme. Le crépuscule est agité par le combat entre la lumière qui
demeure et l'obscurité qui s'approche, elles luttent
corps à corps dans les feuillages des érables, des
rayons obliques d'un jaune sombre perforent les
arbres. Le chemin est boueux parce qu'il a plu, mes
chaussures sont fines, je dois traverser l'enclos du
taureau. La chaîne forme des volutes dans l'herbe,
je ne connais pas sa longueur et les yeux du taureau
ne révèlent rien. Puis le taureau se met à charger et
se rapproche. Brusquement je suis seul au monde,
les visages que j'avais aperçus aux fenêtres de la
ferme ont disparu, quelque part on baisse le drap et
la voûte céleste s'est assombrie, étrécie à la mesure
de l'enclos. Je cours mais je tombe et reste par terre
et l'énorme corps du taureau passe à toute vitesse à
côté de moi. Je veux que tout soit bientôt fini, je ne
bouge pas, mais découvre vite que le taureau est
dans l'un des coins de l'enclos, il tire et s'arc-boute
et je vois qu'une de ses cornes s'est plantée dans la
voûte céleste, s'y est profondément enfoncée et

qu'il n'arrive plus à se dégager. Le ciel craque et grince, les dieux sont dans une colère telle que leur salive ruisselle sur la terre par de larges fissures, c'est un brouhaha épouvantable là-haut, d'ici peu le ciel va se rompre en morceaux, s'écrouler sur la terre et l'écraser, j'ai le temps de penser à quelle vitesse va une prière ? Mais je me remets sur mes pieds et m'engouffre par la porte de la ferme et ils sont là, Bergström et Jansson, qui regardent par la fenêtre, contemplent le ciel et la terre et le taureau, qui prend appui sur le sol et réussit enfin à se dégager. Il y a un grand trou dans le ciel et par ce trou l'obscurité se déverse sur le taureau.

— Quel foutu temps, dit Bergström et je lui suis reconnaissant de faire semblant de n'avoir pas vu ce qui s'est passé.

Maman ne comprend rien quand je lui raconte ça mais elle me dit :

— Dessine-le, comme ça je verrai.

Je prends mes pastels et je dessine le taureau et le trou et l'obscurité en cascade. Trace de violents traits jaunes pour indiquer les fissures du ciel, l'obscurité je la fais en violet, le taureau en marron, et moi-même je me dessine nu comme une ampoule au milieu de l'herbe. Maman garde longtemps le silence, mon dessin dans la main, lève enfin les yeux et dit :

— Tu es un artiste, Victor.

D'un coup sa vie a pris une direction : à dater de ce jour elle déploie une nouvelle sorte d'activité.

Pour commencer elle va voir l'encadreur et commande un encadrement pour mon dessin et le suspend au mur du Salon, dirige une lampe sur lui. Je suis quant à moi très heureux et ne remarque pas avant longtemps combien je me suis laissé emprisonner par son admiration. Chaque fois que je reviens de l'école, il y a du papier et des pastels sur la table à thé, elle sourit et me demande ce qui m'est arrivé dans la journée et je parle innocemment des prunes de l'inspecteur des impôts et elle me demande :

— Etaient-elles grosses ? De quelle couleur ? Dessine, que je les voie. Et je dessine. Je colorie. Mais c'est elle qui est douée :

— Tu te rends compte, je n'arrive pas à me souvenir de sa tête à cet inspecteur des impôts. C'est un petit bonhomme gros ?

Mais ce n'est pas du tout ça. Je le dessine grand et maigre, avec des lunettes et beaucoup de cheveux. Il se tient derrière le prunier et me surveille pour que je ne lui vole rien. Il est environné d'une lumière rouge automnale et tient une prune dans sa main tendue. La prune étincelle, je la dessine de plus en plus grosse à chaque dessin car c'est bientôt l'hiver et tous les fruits grandissent dans le souvenir. Je dessine les pigeons de la Grand-Rue : une masse compacte de boules gris-bleu-violet inondées par le soleil du matin, dessine maman et moi quand nous nous promenons. Les jupes de maman forment comme des voiles vertes ou bleues autour de l'enfant, l'enveloppent

481

comme des vagues, parfois mon visage pointe hors des tissus et l'on ne voit que mes yeux. Oui, je dessine des quantités de tissus, parce qu'il y en a des quantités quand elle me demande de dessiner son visage, son corps, quand elle est assise à sa table à ouvrage et fait l'ourlet d'une robe de velours ou de soie. Les mouvements de vagues du tissu gonflent et vivent, c'est si gai, si amusant, de suivre le jeu des lignes compliquées. Nous nous admirons énormément l'un l'autre, nous sommes notre reflet et une réalité :

— Comme tu dessines bien, Victor.

— Comme tu es belle, assise comme ça, maman.

J'illustre les aventures d'Ulysse en mer et comme je n'ai jamais vu la mer autrement que dans des livres, je m'inspire des tissus, prends un rouleau dans la boutique et l'étale par terre avec des livres ou des boîtes en dessous pour que le tissu ressemble à des vagues, et si le tissu est rouge la mer est rouge. De grandes vagues, un petit bateau : la barbe noire de Sidner, ses lunettes. Ulysse rencontre Nausicaa. Cent boules dans le ciel et le soleil n'est que l'une d'entre elles. Des cailloux sur la plage. De vrais pierres que j'ai ramassées sur les chemins jusqu'à en avoir une véritable collection dans ma chambre. Le Cyclope au moment où il reçoit l'épieu dans l'œil. Télémaque et Pallas Athéna. Maman est avec moi et arrange mes natures mortes et mes décors, cela emplit ses journées solitaires, elle a braqué son regard sur mon avenir.

Et il faut qu'elle se dépêche.

Un jour elle m'apporte une blouse de peintre qu'elle a cousue : une longue blouse blanche qui me fait ressembler à un docteur nain.

— Le prince Eugène a la même quand il peint.

Elle m'offre un chevalet, de la peinture à l'huile, je suis inscrit à un cours où l'on commence par dessiner des pommes de pin et des bateaux vus de face. J'aime dessiner de petites barques avec des volutes d'eau de part et d'autre de la proue. Des oiseaux qui quittent leur nid, des oiseaux qui plongent. Elle envoie méticuleusement des lettres et mes dessins, qui reviennent avec les louanges surprises du professeur, elle a certainement joint une lettre et parlé de moi, car elle retouche tout.

— Quand tu commenceras aux Beaux-Arts, nous irons habiter à Stockholm. Après les Beaux-Arts, je crois que nous irons en France, en Provence. Van Gogh y a peint. Cézanne.

Des livres arrivent à la maison. Des trésors que nous feuilletons ensemble en prenant le thé. C'est important de ne pas corner les pages, de se laver les mains avant. Maman en apprend beaucoup elle-même, lit la vie des peintres et raconte des histoires effroyables sur leur pauvreté et leur souffrance avant qu'ils n'aient atteint la célébrité. Elle achète un appareil photographique et me photographie, assis dans ma blouse blanche devant le chevalet. J'ai vraiment l'air ridicule, un monstre de raffinement et d'éducation solennelle, mais j'étais un enfant et je ne soupçonnais absolument pas à quel point je pouvais être prisonnier de son monde théâtral, oui, il existe une épouvantable photo de moi, la tête légèrement inclinée, le pinceau levé à hauteur d'œil, mesurant un paysage de voiles sur la mer que je n'ai jamais vue de mes yeux, mais dois avoir volée à quelque impressionniste.

Je ne protestais jamais contre ce qui se passait à la maison, mais quand elle commençait à amener des gens vers moi en train de peindre, quand je l'entendais me vanter aux clients de sa boutique, quand, écartant les lourds rideaux, elle les invitait à entrer dans le salon pour m'admirer, une certaine irritation commençait à poindre et à s'installer dans mon esprit. Elle ne possédait en fait aucune connaissance sur l'art : c'étaient ses rêves de célébrité qui la poussaient à me forcer trop vite au-delà de mes propres possibilités et bientôt je ne fus plus qu'un élan abattu glissant sur la neige, attaché derrière le traîneau de son théâtre.

— Voilà mon petit impressionniste, s'exclamait-elle en extase en priant quelque vieille, entrée pour acheter des sous-vêtements, de s'asseoir pour découvrir le grand art. Mais Sunne était bien trop exiguë pour contenir de telles répliques, elles commençaient à me suivre comme des boules de feu quand j'étais à l'école ou dans la rue.

— Il paraît que t'as une blouse de fou, comme un docteur !

— Quand est-ce que tu vas en France pour dev'nir célèbre. Toi et ta mère qui joue la huppe !

Ça faisait très mal d'entendre des choses pareilles. Je m'enfuyais et pleurais et voyais ma mère *jouer la huppe* ; je n'avais rien pour me protéger, elle ne m'avait jamais offert d'armes de ce genre. Alors je regagnais vite la maison et je m'enterrais dans sa beauté.

— La France a quatre grands fleuves. La Garonne, la Loire, la Seine et le Rhône, répète après moi, Victor ! Les murs sont blancs. La maison est grande. Le ciel est bleu.

— *Les murs sont grands. Le ciel est bleu**.

---

* En français dans le texte. *(N.d.T.)*

Rien qu'un chapitre encore, avant que je referme ce monde de l'enfance, si l'enfance est bien l'époque où les couleurs que l'on utilisera plus tard sont préparées sur notre palette. C'était au mois d'août et les vergers brûlaient des odeurs de pommes mûres, des phlox et des groseilliers lourds de grappes. Une pluie nocturne avait lavé les rues et quand je me penchais par la fenêtre je pouvais voir les jambes d'un homme qui démontait l'enseigne au-dessus de la boutique de Fanny : nous déménagions pour Stockholm où je devais être "plus près de l'art".

Dire adieu c'est résumer, résumer c'est une sorte d'adieu. J'avais alors quinze ans et j'étais célèbre à trois kilomètres à la ronde pour mes paysages exotiques aux éclairages délicats, que j'avais exposés à la Maison du Peuple, mais ma dentition de travers et mon corps empoté m'empêchaient d'apprécier. Durant l'été nous étions allés en France et j'entendais encore les mots de Marc Chagall. Je me tenais devant mon chevalet, dans ma ridicule blouse à la prince Eugène, et peignais la vue de la fenêtre. Ce devait être mon *tableau d'adieu* avait dit Fanny et j'avais obéi en faisant la grimace. Des voiles à contre-jour, des silhouettes sous les feuillages, des chevaux au pâturage ! Quelle lumière et quelles ombres ! Quelle mécanique et quelle tromperie ! Des caisses tout autour de moi. Mes horribles tableaux que Fanny avait absolument tenu à pourvoir de cadres dorés et d'appliques étaient empaquetés, au milieu des balles de velours, des dessus-de-lit et des nappes. Aux murs ils avaient laissé des traces jaunes, les trous des clous béaient comme des blessures. Je n'avais personne à qui dire adieu : j'avais toujours été éloigné du langage et des jeux de mes camarades de classe, c'était avec la plus grande aversion qu'elle m'avait laissé travailler un mois au cimetière pour me faire un peu d'argent de poche ; elle craignait naturellement que je fusse contaminé par le langage du monde, et cela m'était probablement arrivé. Ç'avait été une énorme libération que de pouvoir marcher, nettoyer et ratisser entre les tombes et d'entendre les discussions pendant la pause du repas, mais la punition suivait toujours au retour à la maison quand elle, comme blessée de ne pas pouvoir me donner de l'argent, me forçait à entrer dans la baignoire pour faire partir *l'odeur*, je ne sais pas de quoi, et voulait ensuite me voir déambuler dans la maison en chemise blanche, pantalon repassé et cravate serrée comme un collet autour de mon cou. Elle-même était en ce moment en train de courir la ville, de faire ses adieux et de *jouer la huppe*, racontant probablement ses histoires sur notre été en France, sur mon avenir d'Artiste et sur les succès qui m'attendaient au tournant. Tout cela je ne le vois qu'avec du recul : le monde avait commencé à me démanger et il n'est pas certain que je me serais laissé influencer si à cet instant, à ce point de ma vie, il n'était pas arrivé qu'on frappe à la porte.

Je *crois* que je savais qui il était. Un grand gaillard solide à la barbe noire et courte. Il portait des lunettes et avait l'air fatigué. Il resta un moment sur le seuil sans rien dire. Puis il sourit, s'avança et me serra dans ses bras : "Victor, mon fils !" mais moi qui n'avais pas eu le temps de poser le pinceau que j'avais à la main, je lui étalai une longue traînée bleue sur son costume clair. Ce qui fit que mes premiers mots furent : "Oh, pardon !"

Il existe un fleuve dans ma conscience. Lorsque pour la première fois je m'assis pour contempler son cours, je savais que je l'avais déjà vu. Il tourne juste après être sorti de la jungle à quelques centaines de mètres de l'arbre où je me repose, il se sépare en deux bras et entoure une île basse couverte de hautes herbes sèches qui parfois se couchent au passage d'un rhinocéros ; alors on entend des grognements et des reniflements là-dedans et les éléphants qui sont juste derrière moi dans la lumière du matin dressent leur trompe et hument l'air, puis se remettent à paître. Le fleuve coule au long d'une plage de sable jaune népalais, le courant est fort contre les jambes, des martins-pêcheurs filent au ras de l'eau, étincellent puis plongent. Ciel vaste, dans lequel les sommets de l'Himalaya sont suspendus, détachés de terre, comme sur un tableau de Magritte. Dans mon dos fleurissent les champs de colza, un bœuf blanc ou un autre passe, attelé à son chariot grinçant, et remonte vers le nord, sur l'autre rive la nature joue son concert d'oiseaux : les cris des paons, le caquètement des faisans dorés, les trompettes des hérons, des grues et des cigognes. Parfois l'ombre d'un crocodile, parfois le bruit d'une feuille qui tombe d'un arbre. Mais ce n'est rien de tout cela. C'est que "A CET ENDROIT PRÉCIS LE FLEUVE S'ÉLARGIT". A cet endroit précis son cours se fait plus calme, à partir d'ici on peut le descendre en bateau jusqu'à la mer lointaine.

Et j'étale une traînée bleue sur le dos de mon père et je dis "Oh, pardon !" – et à cet endroit précis le fleuve s'élargit et son cours se fait plus calme, et je n'ai plus quinze ans, j'ai quinze ans plus ses trente-quatre, mon histoire s'élargit et devant et derrière, mais il faudra du temps avant que je sache ce que j'ai vécu. Sidner regarde autour de lui dans la pièce : vides sont les chaises sur lesquelles les prétendants auraient dû être assis. Pénélope a vieilli et n'ose plus être convoitée.

— Ainsi c'est à ça que tu ressembles, Victor ! Quand même, que tu ne m'aies jamais envoyé une photo, moi qui te l'ai si souvent demandé ! Es-tu fâché contre moi parce que j'ai disparu ?

— Je ne comprends pas. Je n'ai jamais reçu aucune lettre. dis-je.

Fanny avait peut-être aimé Sidner comme la nuit et l'absence. Mais elle n'avait pas le courage de l'avoir trop près d'elle. Cet après-midi-là, lorsqu'elle rentra et le découvrit, elle s'évanouit. Et il fallut longtemps avant qu'elle osât revenir à elle. Je restai à l'écart, comme Sidner me l'avait conseillé : je comprenais que la trahison qu'elle avait commise envers moi lui serait difficile à expliquer, ce devait être quelque chose entre eux deux. Je sortis, traînai sur la berge du lac, bouleversé et sainement affaibli : brusquement j'avais un père et avec mon père toute une histoire.

— Est-ce que tu voyais beaucoup Sleipner et Victoria ? Et Torin ?

Je secouai la tête. Aux yeux de Fanny ils n'étaient pas assez *bien,* et ils avaient vite cessé de m'inviter, je les saluais quand je les voyais, c'était tout. Il fallait que je me méfie de Torin, avait-elle dit. Eva-Liisa, alors ? Ma tante ? Tu es allé chez eux quelquefois ? Non. Je les avais eus au téléphone ? Non. Est-ce que je jouais du piano, alors ?

— Tout est resté silencieux ici depuis ton départ, papa.

J'avais été un oiseau en cage sur un bâton de velours. Lorsque je rentrai à la maison le soir, j'allai directement à mon chevalet et je déchirai ma toile. La déchirai en morceaux devant elle. Sidner et elle étaient assis chacun sur une caisse. Pour la première fois je voyais "la vie à nu" : le visage toujours bien arrangé avait perdu son éclat, le fard avait coulé et elle me regardait avec de grands yeux désespérés.

Elle ne se maîtrisait plus et ses pleurs la menaient dans la vieillesse, et cela avec une telle rapidité que j'avais l'impression de le voir. Je la caressai comme j'en avais l'habitude, mais c'était un autre être que je touchais, pas ma *ravissante* mère. Jamais plus elle ne réussirait à farder à nouveau ce visage.

Je me sentais timide devant Sidner et j'eus peur de lui les premiers jours, mais nous avions tant de choses à nous dire. Il devait rester en Suède trois mois pour aller voir Eva-Liisa et Splendid qui vivaient à Arvika. Il voulait aussi se réserver un jour, dit-il, pour ramasser des airelles. Nous accrochâmes nos seaux aux vélos, remplîmes les sacoches de sandwichs et de bouteilles Thermos et nous montâmes vers Stöpafors.

Il était marié maintenant. Il était chantre dans une église de Wellington. Il n'était pas riche, parce que sa femme avait été très malade des nerfs, mais elle était maintenant suffisamment guérie pour qu'il ait pu se permettre de partir en voyage. Ils n'avaient pas d'enfant. C'était pourquoi, dit-il, ce serait bien si un jour je pouvais avoir envie de venir les voir et de vivre avec eux.

Il roulait à côté de moi sur le chemin cailouteux. Le filet du mythe s'était effiloché, il était réduit à un homme. Mais ça ne me faisait rien ; moi-même j'avais quitté la condition d'oiseau en cage pour devenir un être humain. Il voulait m'apprendre à jouer, dit-il. Me donner autre chose de ce qu'il était.

Nous remplîmes nos seaux et nous enfonçâmes dans la forêt.

— Je t'ai écrit tant de lettres, dit-il. Elles sont peut-être encore dans un de ses tiroirs. J'ai écrit un journal aussi. Une sorte d'explication.

Toutes ces arias, expulsées de l'implacable ligne droite à laquelle avaient failli être résumées les racines invisibles de mes idées. J'étais né dans un réseau d'images auxquelles je devais rester fidèle. Les rues de Sunne : la pellicule protégeant des ténèbres. Une caisse de résonance qui mettait mon langage en branle. Mais d'où vient cet instinct de couvrir chaque millimètre, chaque seconde de mon origine qui commença sans aucun doute bien avant ma propre naissance ? Pourquoi suis-je si préoccupé du Mystère des Origines ? De cartographier les instants apparemment sans importance qui s'enfoncent dans le passé et qui, comme des félins, bondissent soudain en avant et enfoncent leurs griffes dans ce jour, pourquoi ? Je n'ai pas peur de mourir, car la vie prépare la mort, de même que la mort a un jour préparé ma vie.

Notre histoire nous rattrape et moi elle me rattrapa ce jour-là dans la forêt, quand à mon grand étonnement je découvris que j'étais déjà né mais n'avais pas participé et rien fait pour, pas écouté, pas été une des notes. J'étais déjà né et je ne l'avais pas remarqué. La vie n'avait pas seulement suivi son cours durant les quinze années que je comptais alors, mais vingt, trente ans, jusqu'à la mort de Solveig au tournant d'un chemin, un autre été, dans un autre espace. Là j'étais né. Là mon voyage avait commencé. La force que la mort avait engendrée m'avait jeté ici parmi les arbres. Je m'étais attendu à ce que la vie se trouvât quelque part ailleurs. Qu'il s'agissait de la chercher, en accord avec les habitudes de ma famille. Aujourd'hui, avec tout ce recul, je suis souvent pris de vertige de voir combien ils furent aléatoires les pas qui nous menèrent au bon endroit, qui me menèrent *en avant*. Mais c'est la même sorte de vertige qui me saisit toutes les nuits étoilées, quand je sors dans l'obscurité et lève la tête et sens que la terre se déplace dans son gigantesque univers et je sais que je dois m'agripper au sol encore un moment. Et laisser jouer la musique qui nous procure l'espoir.

Car sous les arbres se manifesta une sorte d'explication. Je sais que l'on passe à côté de nombreux signes, je connais le vice d'inattention, les pièges de l'indifférence. Mais là ce fut l'inévitable : comme si du geste désemparé que Sidner fit avec ses doigts une musique avait commencé à rayonner, nous entendîmes soudain une voix forte et puissante :

And there were in the same country sheperds abiding in the fields, keeping watch over their flock by night. And, so, the angel of the Lord

came upon them, and the glory of the Lord
shone about them : and they were so afraid.

La forêt fut emplie d'instruments, les arbres tour-
noyèrent et se transformèrent en violons, en bas-
sons et en violes de gambe et un chœur s'éleva :

> *Break through, oh lovely night of morn*
> *and let the heavens dawn !*
> *You sheperd folk, be not afeared,*
> *because the angel tells you :*
> *that the weak babe*
> *shall be our comfort and joy,*
> *thereto subdue the devil*
> *and bring peace at last.*

La musique tissa un filet autour de moi, forma
les murs et le toit d'un énorme bâtiment dans les
échafaudages duquel je grimpais : une cathédrale
inachevée, qui tendait à s'élever toujours plus haut.
Et entre les barres de l'échafaudage je vis : des
sapins, une clairière. J'entendis des oiseaux, au loin
et à côté de moi, Sidner se tenait parfaitement immobile et souriait en voyant les deux êtres lour-
dauds et âgés qui étaient devant nous, sur la berge
de l'étang, assis de part et d'autre d'un tourne-disque
portatif, tous deux nus comme des vers, Torin et
Merveilleuse Birgitta. Un petit feu fumait sous une
cafetière. Merveilleuse Birgitta peignait une aquarelle. Elle se pencha en avant et trempa son pinceau
dans un verre d'eau, posa quelques touches puis
inclina sa tête en arrière et sur le côté. Les traces de

son activité étaient visibles sur les troncs des sapins, de petits paysages banals avec l'étang, avec Torin nu, lisant un livre dont je ne voyais pas le titre. La dent en or de Merveilleuse Birgitta brillait et je voulais faire les quelques pas qui me séparaient d'eux : c'était donc ici.

C'était ici qu'il avait disparu. Dans une tente verte dissimulée sous un bouquet d'arbres. Des sabots devant la tente, des vêtements sur une corde ! Des hydromètres dansaient à la surface calme de l'eau, un poisson sauta et la musique continuait à enfler. Lorsque je commençai à m'écarter du rocher derrière lequel j'étais caché, Sidner me tira par le bras. Il posa son doigt en travers de ses lèvres et me fit signe que nous devions nous en aller.

Oui, il me tira dans le silence de la forêt :

— Victor, ne raconte jamais à Torin, ni à personne, ce que tu viens de voir ! Ils ont besoin de cette chambre d'amour pour eux-mêmes. Contente-toi de savoir. De ce que toi et moi nous savons. Contente-toi de l'avoir vu, une seule fois. Sache que ce genre de chose peut exister sur terre.

LECTURE DE
MARC DE GOUVENAIN

"J'aimerais, dit Göran Tunström, une société qui rétribuerait des gens installés dans des chaises longues, placées de-ci, de-là, dans la campagne suédoise, aux carrefours, au bord de l'eau, selon les envies et les phobies de chacun. Ecrivains sans programme ! Miroirs de l'époque et des bruits qui courent, de ces conversations privées qui sont de plus en plus étouffées par les dictatures de l'intellectualisme et de la technologie. Des observateurs des craquements. Une certaine impatience m'empêche encore de devenir l'un d'eux."

Une nervosité lancinante éloigne pourtant Göran Tunström du transat. A cette immobilité, il préfère, heureusement pour nous, le voyage – la citation précédente est tirée du récit d'un séjour en Inde – ou le pupitre du chef d'orchestre, lieu fixe, mais d'où l'action est conduite. Car, sous un foisonnement apparemment déraisonnable, les romans de Göran Tunström – *l'Oratorio de Noël* n'est pas œuvre unique – sont tous savamment construits.

Le voici au Népal. A l'horizon, très proches, "les montagnes immaculées se détachent du sol pour flotter là-haut, neige sur fond de ciel bleu". Plus près : "Des champs de colza jaune dans la brise matinale, les dessins des toiles d'araignées suspendues entre papayers et termitières." Voilà le décor avec, en filigrane, un motif qui, selon l'éclairage, s'évanouit ou s'impose : Sunne, une petite ville de Suède, celle de l'enfance, et de la mémoire. Devant ce tableau, des gens souffrent, meurent, ou vivent heureux. La vie présente d'infinies facettes, chaque être est un possible. "Des gens (qui) glissaient l'un contre l'autre… Quand l'un se réveillait hors de son cauchemar, un autre se figeait dans le souvenir d'un jour d'été". Ils sont tels des instruments de musique. Ils forment l'orchestre.

Puis quelques Européens, en déphasage apparemment complet, en ce Katmandou lointain, et qui s'évertuent à chanter *l'Oratorio de Noël* de Bach ; ceux-là forment le chœur.

A Sunne devenu Katmandou, ou l'inverse, Göran Tunström s'installe au pupitre, dispose sur la scène ceux que son œil a choisis. Car tous ses personnages ont existé, ont une chair, palpable, caressable – nous reviendrons sur les causes. Nos vies, nos sensations, il les a vécues à l'extrême, réceptif au destin des autres. La jeune femme battue par son frère en Nouvelle-Zélande, c'était une voisine en Suède. Le fidèle serviteur noir d'un prêtre à Ravenne, dans *le Voleur de Bible,* Göran l'a rencontré quelque part au Rajasthan. Le traducteur, complice d'une œuvre, en détient les preuves : un pied-bot et l'amitié d'un prêtre.

Les deux groupes, chœur, musiciens, sont maintenant unis pour jouer et chanter un oratorio. Le domaine de la musique ne m'étant pas familier, un dictionnaire – à portée de main comme chez tout traducteur – vient à mon aide : un *oratorio,* explique-t-il, est un drame lyrique, contenant les éléments de la cantate (récitatifs, airs, chœur), mais avec un rôle plus important dévolu à l'orchestre. Certes, le titre d'un livre n'en est pas nécessairement la clé, mais celle-ci, maintenant, nous servira.

Un drame, donc : une femme est morte, écrasée par un troupeau de vaches, son mari finira par se suicider, leur fils devient fou. Dans sa propre vie Göran Tunström n'a cessé de vivre ces limites, toute son œuvre en témoigne. Mais partout il y a la joie aussi, parce que si la mort est néant la vie est amour, tendresse, caresses. Et toi, lecteur qui lit ce récit, "Sache que ce genre de choses peut exister sur terre". C'est-à-dire le bonheur. Quand, par exemple, Linus – le fils que Göran Tunström a longtemps élevé seul – "est resté debout au beau milieu du bras le plus profond, avec de l'eau jusqu'à la taille, des poissons argentés autour de ses jambes, des papillons noirs au-dessus de ses bras tendus en l'air. Et au moment où je le soulevais pour le porter vers les coins moins profonds, le soleil a percé". Les voilà, les moments les plus beaux de la vie, les clairières où se sont cachés et dénudés deux êtres qui s'aiment. Et Göran d'ajouter : "Que peut alors faire d'autre un pauvre poète exclusivement lyrique que remettre son pantalon et ses sandales ? S'installer sur la berge et fermer sa gueule, voilà ce qu'il peut faire."

Une nouvelle fois ce désir de se taire, de s'arrêter pour mieux voir.

L'impatience lui permet encore d'écrire, de raconter ces mille destins, d'en faire des romans foisonnant de personnages. Des romans que l'on lit comme on écoute de la musique, sans rien faire d'autre. "Je peux sans mentir dire que j'ai rencontré des centaines de personnes sur différents continents. J'ai posé des questions à des hommes et des femmes du Mexique, du Maroc ou de Grèce, et je peux sans mentir non plus dire que je ne me suis jamais souvenu d'un mot ni même n'ai compris ce qu'ils m'ont répondu. Je veux regarder celui avec qui je parle et je suis donc incapable d'écrire en même temps." Et encore : "Je n'ai jamais cessé d'être fasciné par ce qui se cache sous les visages de tous les jours, et je me suis vite rendu compte que «l'homme en soi» n'existe pas. Nous sommes des relations, nous sommes le jeu entre nous."

Et cela se joue dans le temps, au fil des générations d'abord, trois dans *l'Oratorio,* trois dans la vie de Göran Tunström dont un des premiers livres raconte son père, alors que Linus est présent dans les suivants. Non pas un temps qui s'égrène, contrairement à ce que pourrait laisser croire cette succession de générations, mais un temps-permanence, comme un très long rêve dont on ne sort jamais vraiment. "Attendre la fin du plus long rêve du monde, année après année ? Attendre d'être vieux et de pouvoir enfin se réveiller pour de vrai, dans la mort ? Est-ce ainsi qu'elle sera, ma vie ?" Un temps sans mesure, sans gradations, qui laisse éternellement durer les moments infranchissables. La mort de Solveig, par exemple. Voyez ces chanteurs qui s'interrompent, incapables de proférer un son de plus, quand sa voix devait intervenir dans le chœur. Le temps avance, certes, mais avec son rythme pour chacun, comme les montres dans la vitrine de Sunne : "L'une était sur deux heures et quart, l'autre sur quatre heures vingt, une troisième indiquait bientôt minuit, ou midi. Elles tictaquaient inlassablement, chacune dans son temps, sans se soucier l'une de l'autre. Aucune n'était fausse, aucune n'était juste. Il n'y avait ni avant ni après. Toutes n'étaient préoccupées que d'elles-mêmes et de leur propre mécanisme."

Demeurer passif, insensible, rêve de cet écrivain aux nerfs à fleur de peau, qui gémit littéralement sur les années tragiques de sa vie quand, le soir, l'alcool et l'amitié aidant, s'installe une discussion. Mais rester fermé aux destins des êtres, il ne le saura jamais, c'est de là que vient l'impatience qui empêche Göran Tunström d'être uniquement observateur, c'est cela qui le force à raconter, parce qu'"en chaque être existe une ouverture vers une aventure personnelle – si l'aventure est ce qui oblige à quitter le quotidien – et il faut découvrir cette ouverture pour avoir alors l'impression d'arriver près de nos semblables".

Ecrire pour atteindre son semblable, comme Sidner, bloqué dans son silence, écrit *Des caresses*, livre repris dans *l'Oratorio de Noël*, comme l'écrivain de Ravenne – dans *le Voleur de Bible* –, écrit sur la peau de sa femme en suprême preuve d'amour et, ce faisant, introduit un récit à l'intérieur du roman. Par deux fois ainsi Göran Tunström bloque son récit pour en raconter un autre, image d'une vie sans continuité nécessaire mais faite d'imbrications, de commentaires, ceux du chef d'orchestre par exemple, qui interrompt la fluidité pour la remodeler.

Etre chef d'orchestre, afin qu'instruments et chœur se joignent, leur donner le courage de jouer, de survivre, suivre l'exemple de Solveig qui prenait les mains grossières de son mari et les posait sur les touches du piano, comme le chantre l'annonce aux chanteurs : "Ce n'est peut-être pas de ça que je rêvais au début mais, compte tenu des circonstances, cela suffira." Car c'est de survivre qu'il s'agit. La vie, on l'a compris, est épouvantable, mais ce n'est pas une raison pour mourir.

Jouer, donc, "laisser jouer la musique qui nous procure l'espoir", et l'écrivain devient alors maître des récitatifs et des airs. Relisez encore et encore ce livre, sa construction, à ce niveau aussi, est double, Göran Tunström est sans cesse présent, les événements ne se déroulent pas, c'est lui qui raconte, précise, commente même sans que l'on s'en rende compte, par petites touches – tel ce : "c'est là peut-être une exagération" – qui ne sont de la bouche d'aucun des personnages. Puis il reprend son monde en main et lui fait entonner les airs, les grands chants désespérés, hachés, brisés, comme le miroir et les disques qui prolongent la mort de Solveig. Contrairement à nombre d'auteurs, Göran Tunström ne force pas la réalité en l'affublant de fausses coïncidences, les événements suffisent. Airs inachevés, trop douloureux. Les chanteurs se transforment en plantes, comme pour figer la douleur, témoin cette vieille femme au bord de la route qui se cache derrière son bouquet de bruyère, ou le père qui devient sapin. De même pour les chants de bonheur intense : les arbres se changent en violons, en chœur. Et bientôt, chœur, orchestre et chef ne font plus qu'un. Moments de bonheur : ceux qui sentent la farine, le soleil, la peau, le rire, car "ils existent, ces rires ouverts qui n'ont pas besoin d'exclure une partie de l'expérience de vie, ils commencent dans les parties les plus souples du bas-ventre et sortent par les yeux et les lèvres". Le rire est alors le possible exorcisme de la douleur : Selma Lagerlöf rit dans la nuit, lancée dans son chariot ivre qui transporte un homme dont la peine est extrême. Le rire est le propre de l'homme, et "le privilège de l'homme : se retirer du temps et du lieu".

Pour ce qui est du temps, nous l'avons vu : Solveig n'est jamais morte, le petit-fils se lance dans le voyage du grand-père, réitère sa vie, la douleur de l'instant de la mort n'a jamais cessé. Intervient alors le lieu. L'écrivain est aussi un voyageur – quand elles ne sont pas de *l'Oratorio,* les citations de ce texte sont extraites de son récit intitulé *Partir en hiver.* Göran Tunström en Nouvelle-Zélande, au Népal, en voyage encore, décidément pas près de s'installer sur une chaise longue, écrit : "L'été est fini et les corneilles volent dans le brouillard qui roule sur l'île et l'envahit. La bruyère, presque fanée durant la sécheresse de juillet, s'est remise à fleurir, les pruniers ploient sous plus de fruits que jamais et les lièvres s'aventurent jusque sur la route : la vie est riche sous la couverture ruisselante de nuages. Les potagers sont bêchés pour l'automne, quelques choux de Bruxelles, un chou vert et les vilaines tiges des artichauts sont encore là. La neige ne va pas tarder. Et je sais : je connais suffisamment ce paysage maintenant. Il m'a dit ce qu'il avait à dire. Pour pouvoir voir plus et mieux, il faut que je voie autre chose."

Autre chose qu'il nous transmettra ensuite avec une audace d'écriture peu courante, comme pour cette femme : "s'il me faut la décrire, ou l'impression qu'elle me fit, je dois la situer dans une journée d'été, dans un nuage de farine de blé". L'impression que cela nous fait, il la connaît déjà : "Ouvrir un gros livre et s'enfoncer dedans !... Personne ne peut vous atteindre sur l'étroite corniche entre le Point et la Lettre Majuscule. Comme un cloporte il (le lecteur) peut se glisser entre le papier et le mot, rester immobile, parfois jeter un coup d'œil un peu plus loin. Il peut chatouiller le dos des mots et lui seul les entendre rire. Il peut errer dans la forêt des mots où les jeux de la lumière sont si beaux et, à chaque tournant du texte, découvrir du nouveau : des mots comme des arcades, comme des feuillages d'arbres, comme des corps ou des flammes... Cela lui plaît énormément, parce que cela prouve qu'existe devant lui un monde qu'il lui faut atteindre.

L'incompréhensible, c'est le mieux ou, comme il devait l'écrire un jour : «Je ne sais pas, c'est la raison pour laquelle je dois aller plus loin.»"

Comment ne pas se laisser emporter dans un tel univers ? De quand date notre dernier éblouissement devant un livre ? Interrogé lors d'un Salon du livre en France, Göran Tunström, à qui l'on posait la question de savoir s'il appréciait d'être traduit en notre langue, répondit très justement qu'il espérait enrichir notre littérature en lui offrant des textes dont le nombrilisme était absent. Un murmure désapprobateur suivit cette réponse, bien sûr, car les écrivains tels que lui dérangent, capables de construire au fil de plusieurs centaines de pages, en plusieurs livres, des intrigues dans lesquelles l'auteur ne se contemple pas mais fait vivre des personnages indépendants de lui-même, les lance dans des aventures dont les fils s'entrecroisent, ou non. Ici, dans l'*Oratorio*, un jeune garçon fou de J. S. Bach, un radioamateur qui capte la Nouvelle-Zélande, le fils d'un homme-canon, un clochard collectionneur d'autographes, Merveilleuse Birgitta, un explorateur de retour du Tibet, une femme écrasée par un troupeau de vaches, Selma Lagerlöf en personne, parcourant la campagne au grand galop. Ailleurs, dans les autres romans de Göran Tunström : un enfant de la marge qui bûche comme un forcené pour devenir spécialiste des manuscrits anciens, sa demi-sœur folle qui se vautre dans la boue, un prêtre qui a découvert le secret des mosaïques de Ravenne, un charcutier qui plaque sa boutique pour fonder une société de géographie... La liste est longue et étonnante. Et de tels romans, dans lesquels on reconnaît la vie sans la reconnaître, dans lesquels on sent un chef d'orchestre de génie qui conduit une œuvre dont d'une certaine manière il n'est pas l'auteur, des romans comme ceux-ci, qui de péripétie en passage comique vous embarquent dans l'absurdité, la folie et le vaste monde, et vous mettent la sensibilité à vif, on ne sort pas indemne.

Car chacune des pages de cet *Oratorio* donne envie de se blottir, de voir passer les orages du monde en toute sécurité mais sans l'indifférence. Un calme intense, mais en même temps une douleur : parce que c'est si bon, trop bon. Les mots étrangers, à demi compréhensibles, véritables cadeaux pour l'oreille du traducteur amoureux des mélanges, deviennent murmures affectifs : *"I remember when she sang on the veranda, among the fireflies."* – "Les lucioles", souffle Sleipner. Et encore *"We are building a* grotte, *mister Notbird"*... Des piaillements qui parviennent d'Europe, d'Amérique, d'Afrique, de Nouvelle-Zélande même, avec un bruit de fond, une musique, un chant : *"Lasset das Zagen, verbannet die Klage / Stimmet voll Jauchzen und Fröhlichkeit an !"*

Les mots nous atteignent, "forcent les choses une par une, les rendent riches, étincelantes de significations". On s'installe dans le monde des mots, c'est ainsi que des gens peuvent venir l'un vers l'autre : Solveig vers Aron, Sidner vers Tessa, Merveilleuse Birgitta vers Torin. La musique tisse un filet autour d'eux tous, forme les murs et le toit. Une maison de musique et de mots, dans laquelle on doit pouvoir vivre, malgré tout, et que l'on se doit d'entretenir.

Entretenir : un mot qui ici convient étonnamment, dans ses différents sens : *maintenir, prolonger* – c'est de la vie qu'il s'agit, de survivre ; *caresser* : entretenir une illusion, une utopie, refuser la mort des êtres chers ; *nourrir* enfin, enrichir, embellir. Puis, dans ces trois sens, lire la question posée par le chef d'orchestre des premières pages de *l'Oratorio* : "Qui entretient la langue, pour qu'elle reste toujours disponible, année après année ?" Et répondre : des écrivains tels que Göran Tunström, très certainement.

TABLE

Ouvrage réalisé par les Ateliers graphiques Actes Sud. Photocomposition : I.L., à Avignon. Achevé d'imprimer en décembre 2001 dans les ateliers de Bussière Camedan Imprimeries à Saint-Amand-Montrond (Cher) sur papier des Papeteries de Navarre pour ACTES SUD Le Méjan 13200 Arles. Dépôt légal 1ʳᵉ édition : novembre 1992. Nº d'éditeur : 1288. Nº impr. : 015562/1.

BABEL

Extrait du catalogue